CW00408357

L'année la plus longue

DANIEL GRENIER

L'année la plus longue

ROMAN

À la mémoire d'Ève Bélisle, la première
Pour Marie-Hélène

« Alma voudrait dormir sur-le-champ,
dans ce tas de sang et de merde.
Mais ils reprennent la route.
Ils traverseront un ruisseau où ils s'immergeront
et teindront l'eau en rouge. Ils voleront des fruits
pour remplir leur bouche du goût vivant du sucre.
Ils arriveront au campement à la nuit tombée.
Ils s'étendront à même le sol et Alma fixera les
étoiles en entendant dans sa tête
une vieille chanson sans rimes. »

Catherine LEROUX, *La marche en forêt*

« Il plana sur les ailes rouges de la guerre :
pendant quelques secondes il fut sublime. »

Stephen CRANE, *La conquête du courage*

« Moi, évidemment, je ne pense pas mourir.
Ce n'est pas américain. »

Pierre YERGEAU, *L'écrivain public*

Prologue

Nu na da ul tsun yi

Juillet 1838
Red Clay, Tennessee – fleuve Ohio, Illinois

C'était une silhouette. On l'apercevait de dos. Il s'est assis sur une pierre en retrait de la route pour enlever un caillou de sa botte gauche. La botte lui arrivait presque au genou, serrée, elle n'était pas à sa taille. Il se demandait comment le caillou avait fait pour grimper jusque-là et se glisser à l'intérieur. Il s'est massé les orteils et la plante du pied. Les chariots, les diligences, les wagons remplis de meubles, les hommes et les femmes passaient devant lui, la poussière de la route se soulevait sous les sabots des chevaux et des bœufs. À l'horizon le ciel était menaçant, et la boue remplacerait bientôt la poussière, une boue vaseuse qui engloutirait les enfants si on ne les surveillait pas. On pouvait percevoir l'écran de pluie, au fond de la plaine infinie, qui s'avançait, et les éclairs traverser le ciel de nuage en nuage. Là-bas, une tempête violente s'abattait sur le sol, on n'entendait rien encore, la pluie tombait comme des chutes immobiles, mais ça s'en venait par ici, on n'y échapperait pas. Il le savait, comme les autres, les visages étaient lourds. L'expérience accumulée de la pluie, des tempêtes et des orages, ceux de la plaine comme ceux de la forêt, au sein de ce groupe hétéroclite composé de vieilles souches ridées, de femmes enceintes, de garçons aux cheveux longs, faisait plusieurs milliers d'années. Ils n'étaient pas tous de la nation cherokee. Plusieurs anciens guerriers séminoles, à moitié invalides, montés de la Floride, voyageaient avec eux, et quelques Choctaws aussi, qui n'avaient pas suivi les leurs dans les années précédentes. Les Séminoles étaient faciles à reconnaître, avec leurs vêtements occidentaux et leur peau foncée, presque noire.

Il a secoué la botte au-dessus du sol, devant lui, dans un geste fatigué. Son fusil, accoté sur la pierre, s'est mis à glisser silencieusement vers la droite et il l'a rattrapé au dernier instant, par la bandoulière de cuir, avec sa main libre. Il entendait le bruit rythmé des pas, ceux des bêtes et des hommes. On ne voyait ni le début ni la fin de la marche. Le convoi était long d'un bon kilomètre, quand il se retournait il y avait des gens et des animaux à perte de vue. Les femmes portaient des enfants, et des châles pour se protéger des vents en tourbillons. Au fil des jours, une ligne vivante s'était formée, suivant plus ou moins le tracé de la route des marchandises. Un peu partout, à divers endroits en bordure de la marche, des hommes s'étaient écartés du groupe principal pour allumer des feux, ou pour discuter en buvant. Certains essayaient même de vendre de vieux outils et des provisions, derrière des étals de fortune installés à la hâte. On pouvait acheter des mocassins hors de prix, tressés n'importe comment, des gamelles bosselées, des fourrures puantes.

Ils avaient quitté Red Clay, à la frontière du Tennessee, à la fin du mois de mai. Plus de seize mille personnes avaient pris la route, après que des miliciens, et ensuite des hommes de l'armée régulière, étaient apparus dans les villages, quasiment dans les maisons, pour leur faire comprendre que le temps était venu, que ça avait assez duré : ça faisait huit ans qu'on leur laissait la chance de partir de leur plein gré. Et aujourd'hui, cinq semaines plus tard, ils approchaient du fleuve Ohio, qu'ils allaient devoir traverser, avec le bétail, les centaines de têtes et les chariots remplis de matelas, d'armoires et de souvenirs matériels. Ils étaient de fiers Indiens malgré la défaite que représentait la déportation, des guerriers et des chefs tribaux qui continuaient à parler avec le menton bien relevé. Ils avaient abandonné les morts derrière, dénudés, et ils s'alourdissaient sous le poids de leurs affaires, tout ce qui était récupérable. On avait prévenu les hommes que le prix du traversier serait sûrement revu à la hausse : ils n'étaient pas des pionniers à la recherche d'or ni même des immigrants en quête d'un sol à cultiver. Ils étaient des sauvages.

Lui-même, quelques heures avant, avait eu une brève conversation avec de jeunes Cherokees, à propos du danger de se rebeller ou de se plaindre du montant à débourser pour chaque passager. Avec du respect dans sa voix et une fermeté qu'il aurait voulue plus convaincante, il leur avait expliqué qu'un coup d'éclat de leur part était voué à l'échec. Il y aurait des morts, des blessés, il y aurait un massacre. Toutes les armes leur avaient été confisquées bien avant le départ, et les soldats étaient trop nombreux. Les narines d'un des Indiens qui l'écoutaient s'étaient dilatées pendant qu'il leur parlait, son visage entier s'était imprégné d'une violence rouge, sans aucun maquillage, sans peinture de guerre. Il savait que le jeune homme se retenait pour ne pas le tuer sur-le-champ, voyait ses muscles se durcir, partout le long du bras, du poignet, des doigts qui serraient fort une branche taillée pour la marche. Le bois était usé, émoussé au bout et sur le point de se rompre à plusieurs endroits. Il n'y avait rien à faire d'autre que d'accepter les conditions de la traversée sur le ferry privé. Tout le monde était conscient que ce n'était qu'une épreuve, pour tester leur volonté et leur courage, pour tester leur détermination à ne pas disparaître et à ne pas s'éteindre pour laisser la place entière à la civilisation européenne et à ses mythes de renouveau. Ce n'était rien d'autre qu'une épreuve au milieu d'une série d'épreuves qui se poursuivrait dans les générations futures et le temps long des montagnes, et il ne tenait qu'à eux, à ces honorables représentants d'une nation millénaire, de se montrer à la hauteur. C'est ce qu'il leur avait dit, et il y croyait presque. En attendant, comme les autres Blancs bien payés par les gouvernements des États de la Géorgie et du Tennessee, il les accompagnait, veillait à leur sécurité et au bon déroulement de l'opération.

Huit cents kilomètres plus loin les attendaient les terres fertiles que le président lui-même leur avait octroyées en 1830, et qui resteraient à jamais les Territoires indiens, selon toute vraisemblance et plusieurs traités ratifiés par le Sénat et les différents membres du Congrès. Jamais les États-Unis n'arriveraient jusque-là, aussi loin à l'ouest du Mississippi.

Il a remis sa botte et des cris perçants ont attiré son attention. Derrière lui, un groupe s'était formé, en retrait du convoi, à la lisière d'un boisé. Des voix s'élevaient, des voix de femmes, stridentes, qui criaient des mots dans un dialecte qu'il ne connaissait pas, très différent de son français d'origine et de son anglais d'adoption, très loin des notions de base qu'il possédait en innu-aimun. Il s'est approché, son fusil pointé devant lui. Une cinquantaine de personnes se serraient dans un cercle compact, mouvant, autour d'une bagarre entre deux hommes. Il a écarté la foule en poussant dans les côtes avec le canon de son fusil et avec ses épaules, s'est frayé un chemin à travers le vacarme et les poings levés.

Au milieu du cercle, dans les nuées de poussière qui dessinaient presque un toit opaque au-dessus de la mêlée, un immense guerrier cherokee, nu jusqu'à la taille, envoyait des coups de pieds dans l'abdomen d'un jeune Choctaw. Sa longue tresse noire virevoltait dans son dos et frappait ses omoplates, au rythme de ses coups. Le jeune Choctaw n'offrait aucune résistance, toujours un peu plus replié sur lui-même. Il saignait abondamment du nez et la couleur rouge était la seule qui le distinguait du sol, où il était en train de se confondre avec la terre sèche. Il ne bougeait presque plus, ni pour se défendre ni pour se protéger. Près de son bras tendu, il y avait un morceau de pain noir. Après une courte pause pour reprendre son souffle, le Cherokee a virevolté sur lui-même, levé la jambe en pliant le genou, il portait des bottes à semelles de bois, et il a abattu son pied sur la mâchoire de l'autre, la disloquant d'un coup, créant une asymétrie grotesque dans la mort de son adversaire.

En le voyant faire, il a crié stop it. Now. Mais personne ne l'a entendu. Ses mains se sont mouillées sur la crosse du fusil, l'orage approchait. Personne ne s'occupait de lui, les cris ont augmenté, le cercle s'est refermé sur les combattants, l'un debout, l'autre déjà décomposé. Derrière la scène, le convoi continuait à défiler, d'un seul souffle fatigué, commun.

Quand il s'est retourné, on a aperçu son visage, sans âge précis, celui d'un garçon, celui d'un vieillard, d'une âme vieille et noueuse, capable de rire encore peut-être sans arrière-pensée, et de discourir aussi sur un passé ancestral. On l'a vu fermer les yeux, se demander ce qu'il faisait là, seul à seul avec son histoire et ses souvenirs, au beau milieu d'une foule sanguinaire, d'un peuple en marche et en larmes en train de s'égorger pour un bout de pain.

Il s'est retourné et s'est demandé ce qu'il faisait là, et on ne pouvait qu'être d'accord avec lui, on ne pouvait que partager ses doutes, ses hantises et ses cauchemars. Parce que c'était impossible qu'il soit là. À cette époque, à ce moment-là, en juillet 1838, sous le ciel menaçant de la plaine américaine où marchaient les Cherokees, il se trouvait ailleurs. Presque toutes les sources le confirment.

Première partie

GREAT SMOKIES

Chattanooga

I

Février 1987
Highland Park

Trois années sur quatre, Thomas Langlois n'existait pas. Il devenait transparent, il devenait un calcul erroné, puis redressé, une clause débattue âprement dans une chambre fermée de la Royal Society il y a des siècles des siècles. Il était à peine assez haut pour regarder le calendrier que le parcours de son existence était né sans aucune explication par des astronomes et des scientifiques portant des perruques poudrées. Chaque février il retenait son souffle et à la fin du mois il arrêtait complètement de respirer. On lui expliquait que de saluer annuellement sa venue au monde aurait impliqué à la longue un déséquilibre planétaire, solaire et astral qui s'avérerait désastreux. On lui offrait une éducation qui dictait l'humilité et les bonnes manières. On lui disait young man, qu'est-ce qui est le plus important ? Ton anniversaire ou la stabilité du monde ? Il devenait transparent. Il arrêtait de vivre dans le temps et se consacrait à l'espace.

Les montagnes des Appalaches, elles, n'arrêtaient jamais, leur majesté n'était influencée ni par les années plus ou moins longues ni par le progrès technologique, ou même par leurs propres noms de princes amérindiens. Les montagnes autour de Chattanooga, Tennessee, étaient une chaîne logique, fiable, à la fois circulaire et rectiligne, qui offrait à Thomas Langlois un berceau et une patrie, emblème physique de son existence friable. Les montagnes, pour Thomas Langlois, étaient rassurantes et quasi divines. Elles le positionnaient dans une histoire où était né son droit à vieillir normalement.

Il s'appuyait sur une montagne, reliée à une autre montagne, dos à une montagne, il se penchait sur une montagne comme on se penche sur un problème et résolvait la contradiction de sa naissance en méditant sur les strates géologiques et sur le fait que les strates sont placées l'une sur l'autre dans l'espace et non l'une après l'autre dans le temps. Il méditait sur des montagnes quand il était jeune, d'abord parce qu'il était plus jeune que tout le monde et ensuite parce qu'il était plus vieux que tout le reste, c'était absurde, il le savait. En 1984, on avait célébré sans grande pompe son premier anniversaire.

On parle des Appalaches parce qu'elles sont la première chose qui nous lie à lui, nous lecteurs. La chose primordiale qui nous lie à lui au-delà des thèmes ou des impressions psychologiques. Dans leur course enchaînée vers le nord elles nous rejoignent, ici, à l'intérieur de nos maisons, le long du fleuve qui va rétrécissant.

Thomas Langlois s'assoyait sur le métal de la voie ferrée et il réfléchissait au sort et au destin et aux multiples fantômes dans les placards de sa famille américaine longue et vieille comme la ligne Mason–Dixon mais autrement plus sinueuse. Quand le rail se mettait à vibrer, il se levait tranquillement et s'installait en retrait, près de la gare, un brin d'herbe dans la bouche, l'air d'avoir dix ans et d'en avoir soixante-sept. Il posait la paume sur le mur extérieur de la gare et rêvassait comme n'importe quel enfant, avec la pertinence d'une vieille âme en ballade. Un peu mélancolique et un peu sereine. Le train passait et s'arrêtait rarement à Chattanooga, Tennessee.

Il posait sa paume sur le mur de la gare, ne serait-ce que pour continuer à sentir la vibration monter jusqu'à lui, à la verticale, à partir de la terre et le long du mur, et ce matin-là très tôt, il y avait plusieurs mois, son père était entré dans la pièce du fond où il dormait et lui avait dit qu'il retournait dans le nord. Thomas avait dit où ? Dans le nord. Up North, il avait répété. Dans le pays d'où vient ma façon bizarre de parler anglais. C'est le pays d'où je viens. Thomas avait demandé pourquoi et son père avait répondu parce que. Sans laisser place à quoi que ce soit. Et maintenant il avait la main posée sur le mur et il regardait le train passer en se disant que cette étrange vibration qui montait dans les planches de bois de la structure de la gare, qui faisait bouger le sol, le reliait à son père à bord de ce train pour ce nord immensément lointain de l'autre côté des montagnes, de l'autre côté des Appalaches, elle les reliait bien plus que leurs yeux ou leurs bouches se ressemblant. Ce matin-là très tôt, son père avait refermé la porte de sa chambre et, dans la lumière qui disparaissait, Thomas avait cru apercevoir son vieux sac d'armée sur son épaule. Comme le train, le sol vibrant de l'après-midi était beaucoup plus concret que les traits de leurs visages respectifs.

Bien sûr, c'était une réflexion en forme de maille desserrée au milieu d'un grand chantier. Il avait de la difficulté à séparer cette pensée d'une information et d'une autre, et les tissait dans des symboliques étranges dont il saisissait la portée mais pas l'ampleur. Ça se mêlait dans son esprit au reste de ce qu'il savait. Il savait par exemple qu'un fil de pêche qui coule dans le lac atteint peut-être le fond, mais jamais il n'aurait cru que le fond se rendait jusqu'à l'autre côté du lac. Il savait que ses pieds pouvaient s'y enfoncer à jamais, mais ne savait pas que le sable et la vase étaient une seule et même chose, dans des états différents de leur existence. Il savait aussi que son père ne reviendrait pas et que la langue dans laquelle lui et sa mère parlaient secrètement, avec des bruits secs et craquants, une langue qu'il ne comprenait pas et qu'on ne lui apprendrait jamais, c'était la langue du bois où il posait maintenant sa paume.

Deux mètres à sa gauche, il y avait un animal en liberté. Il était bon avec les distances.

Un des détails qu'on doit connaître tout de suite, à propos de la vie de Thomas Langlois, c'est celui-ci : il est né une année bissextile. On y a fait référence tout à l'heure, mais dans des termes plus abstraits. Ça ne veut rien dire pour nous, mais ça voulait dire bien des choses pour lui, durant son enfance. C'est important de prendre en considération ici cette information, pas pour la rattacher à nous, pas pour nous en inspirer, mais parce qu'elle a eu un poids dans sa vie et dans sa vision du monde. On ne dit pas qu'il était obsédé par les astres, le déplacement des planètes, les constellations et l'influence de la lune sur les lacs Chickamauga et Nickajack, même s'il l'était, mais on dit que ça lui donnait l'impression d'être à part, à la fois plus jeune et plus vieux que le reste du monde, plus blanc que les white trash de la plaine, plus noir que les fidèles de l'église baptiste de Union Avenue, plus rouge que les premiers habitants cherokee de la vallée.

Il se sentait à part aussi parce que dans la maison on prononçait son nom d'une façon étrangère : *To-ma*. Son père le prononçait comme ça. Il savait que son père était un homme qui ne parlait pas la même langue que lui et que tout le monde autour, et que c'était insolite et merveilleux. À l'intérieur de la maison il était *To-ma* et à l'extérieur il était *Thaw-muss*, avec un s final bien clair. Son s disparaissait quand il passait le seuil de la porte. Même sa mère, qui parlait la même langue que lui, dont il comprenait toujours tous les mots, lui disait *To-ma*, et dans sa bouche ça sonnait encore plus étrange, comme une manière langoureuse et lente et laborieuse de couper en deux le mot *tomahawk*, comme si dans la bouche de sa mère il était un peu indécis, un peu brouillon.

Après le départ définitif de son père pour le nord, sa mère avait recommencé à prononcer le s final de son nom. Elle avait commencé aussi à lui parler de sa famille, de son arbre généalogique.

Pour nous, et sous un certain angle, cet arbre est fascinant. On le regarde, on en lit les branches et les racines et on les relie à notre propre expérience, par-delà les montagnes. Un des premiers détails à retenir à propos de l'arbre généalogique, de la filiation historique et du roman familial de Thomas Langlois, c'est qu'ils projettent leurs ombres et leurs récits jusqu'à nous, up North. Les gens s'y déplacent et marchent sur des territoires sentimentaux et géographiques, qui finissent par nous rejoindre et nous toucher. Ce sont des histoires du Sud, mais on n'a pas le choix de les mentionner ici, elles traversent les Appalaches et le Bouclier canadien ; c'est important d'en parler ici, même dans le nord où il fait souvent beaucoup plus froid et où les couleurs ne sont pas perçues de la même façon.

Son père était un homme de principes. Il le prenait parfois par les épaules, mettait un genou par terre et lui expliquait, en appliquant une pression de ses grosses mains, les nombreux déplacements des planètes et des astres, complexes, qui causaient des phénomènes naturels magnifiques comme les aurores boréales et aussi des injustices. Il lui expliquait que les injustices étaient presque aussi vieilles que les chaînes de montagnes, mais que les injustices étaient aussi parfois des chances extraordinaires. Homme de principes, son père se penchait en face de lui trois années sur quatre et lui serrait les épaules en lui répétant qu'il ne fallait pas s'en faire, il ne fallait qu'attendre et être patient, le soleil serait bientôt au rendez-vous. La patience était une vertu, et aussi quelque chose qui s'apprenait, au même titre que la générosité et l'honnêteté. S'il avait su combien de temps son père avait attendu, dans la vie, combien de temps les hommes importants dans l'histoire avaient attendu aussi, Thomas ne pleurerait pas et transformerait son mal en patience. Parfois il arrêtait d'écouter ce que son père disait pour se concentrer sur la différence entre les mots que ce dernier prononçait et ceux qu'il entendait ailleurs. Comment pouvaient-ils être les mêmes mots, si leur son était si différent ? Il devait se faire violence pour arrêter de penser à leur son et retrouver leur sens, ce qu'ils cherchaient à exprimer, par la bouche de son père.

C'était une forme d'enseignement qui était vieille aussi, une manière d'éduquer par essais et erreurs, par déduction et logique empirique, loin des livres pleins de mauvaise foi imposés par le Board of Education et les fonctionnaires fédéraux : tu vois bien qu'on est le premier jour de mars aujourd'hui. Désolé, mais tu n'as pas encore deux ans. L'année prochaine, peut-être. Son père lui enseignait la patience à la dure, et ça faisait son effet. Il le prenait sur ses genoux maintenant, en s'assoyant dans la chaise berçante. N'es-tu pas fier d'appartenir à un groupe de gens spéciaux ? Et il lui avait montré encore une fois la fameuse lettre qu'on avait postée du Kansas, à son attention personnelle. Ce n'est pas tout le monde qui sait déjà lire à un an, ne crois-tu pas que ça fait de toi quelqu'un de spécial ? Sais-tu où ça se trouve, le Kansas ? C'est de l'autre côté du Missouri, de l'autre côté du fleuve, et de l'État aussi, vraiment très loin. Il y a un Pittsburg là-bas aussi. Il y a des Pittsburg partout. Et ils avaient lu la lettre ensemble, encore une fois, la lettre postée à sa naissance par des gens comme lui, à l'autre bout du fleuve qui traversait le pays, sur lequel des aventuriers avaient rencontré des Indiens et fondé une nation. Une mouche grugeait patiemment un morceau de la moustiquaire, dans le coin en bas, et ça ne faisait pas de bruit. Du coin de l'œil, alors qu'il lisait avec son père, il essayait de deviner si elle était en dedans ou en dehors.

Un jour il en reparlerait peut-être avec des gens qui lui révéleraient que c'était une bien mauvaise blague à faire à un gamin, mais ça ne changerait rien. Ces gens parleraient peut-être de méchanceté, de mesquinerie, voire de cruauté, il a vraiment fait ça pendant plusieurs années ? Et où était ta mère ? Qu'est-ce qu'elle disait ? Mais Thomas n'aurait pas de soudaine illumination : ça ne lui révélerait rien de particulier sur la personnalité de son père. Ça ne lui ferait pas comprendre un peu mieux l'homme qui était parti seul sans se retourner, un jour de novembre, vers la fin.

À sa connaissance, son père n'avait jamais tué une mouche, mais Thomas savait que les mouches ne venaient jamais près de lui. Elles ne s'approchaient pas, et les moustiques non plus, c'était entendu entre eux. Pourtant, ce jour-là, alors qu'il insistait pour que Thomas lise à haute voix ces mots écrits pour lui par des inconnus bienveillants, regroupés en cercle et les mains jointes, son père s'était presque levé pour aller tuer la mouche. Thomas avait senti les muscles de ses cuisses se tendre, son attention se détourner à peine, mais rien de plus. Ça avait suffi pour la faire fuir.

Cher nouveau leaper,

Nous sommes heureux de t'accueillir dans les rangs du Chapitre n° 1 de l'Ordre des Twentyniners, une des organisations les plus secrètes et les plus exclusives du monde.

Te voilà par le fait même enrôlé dans une fraternité d'élite dont l'appartenance est limitée à ceux qui ont la chance de n'être fêtés que tous les quatre ans. Il n'y a pas de frais d'ouverture de dossier ni d'inscription requise, il n'y a pas de rassemblements, à part le grand conclave, qui a lieu chaque vingt-neuf (29) février, durant lequel les membres de partout sur la planète se rassemblent spirituellement.

Joint à cette lettre, tu trouveras un parchemin d'appartenance. Je suis persuadé que tu voudras le garder précieusement en ta possession afin de t'identifier fièrement en tant que membre du Chapitre n° 1. Le parchemin est conçu de telle sorte que tu puisses signer ton nom en bas à droite et il est facile à encadrer. Le coût de ce parchemin spécial est de un (1) dollar pour couvrir les frais de poste et d'impression. Envoie-nous un (1) dollar et tu permettras à notre organisation de continuer à travailler pour tous les Twentyniners – ceux qui comme toi sont nés le vingt-neuvième jour de février – et à faire de l'Ordre des Twentyniners une réussite.

Fraternellement,

KENNETH B. SIMONS,
secrétaire administratif,
Ordre des Twentyniners
et rédacteur en chef
Headlight Sun
Pittsburg, KS, 66762

Alors son père et lui avaient fermé les yeux ensemble et ils avaient partagé un de leurs derniers moments, imaginant ce Pittsburg lointain où on ne jouait pas au baseball, mais où il y avait quand même un journal important dont on pouvait devenir le rédacteur en chef. Son père respirait par le nez et tenait la lettre dans sa main posée sur l'accoudoir de la chaise berçante. Une veine pulsait sur son avant-bras. Thomas se demandait s'il avait bien envoyé le billet de un dollar, mais il n'osait pas le lui demander. Ça aurait été insultant, bien sûr qu'il l'avait envoyé.

Un peu plus tard, en descendant des genoux de son père, il avait fait craquer le bois du plancher et bouger les nœuds des vieilles planches, mais aucune colère n'avait été déclenchée. Son père avait simplement rouvert les yeux, à la manière de quelqu'un qui se réveille d'une courte sieste. Il avait replié la feuille et s'était tranquillement repositionné, s'appuyant comme il faut, poussant les fesses jusqu'au fond. Il avait dit une phrase avec ce qu'il appelait « son accent », comprenant des mots dans une autre langue, et une expression faciale neutre. C'était un avertissement, un rappel, pour Thomas : il ne fallait pas réveiller sa mère, sa journée avait été longue, elle était plus occupée qu'eux. Son travail était long et pénible. L'école, ce n'était rien, en comparaison. Il fallait la laisser dormir et ne pas la déranger. Il disait ça avec patience, en fixant le mur mitoyen, mais comme en oubliant que Thomas le savait, et qu'il était probablement la personne la moins dérangeante du monde.

Les murs étaient très minces. Il y avait un trou gros comme un poing dans l'un d'eux. En général, Thomas faisait à peine de bruit.

Après le passage du train de marchandises, qui contenait plusieurs choses mais sûrement pas son père, il est rentré à la maison par les petites rues bordées d'arbres du nord de la ville. C'était une année froide, on en avait parlé plusieurs fois à la télévision, une fine couche de neige recouvrait les pelouses et certains véhicules, qui n'avaient pas démarré depuis longtemps. Il était loin de chez lui, mais il se permettait quand même de marcher en plein milieu de la rue, comme si elle lui appartenait. Il marchait sur la ligne jaune et quand il entendait le bruit d'une auto il se poussait, simplement.

Sa mère l'attendait. Pas sur le pas de la porte, mais c'était tout comme. Dans sa tête, il y avait cette image prise on ne sait où d'une mère en robe longue, foulard sur la nuque, attendant son enfant sur le pas de la porte, essuyant ses mains enfarinées avec son tablier. Peut-être avait-elle crié son nom, Thomas, à travers la ville, Thomas, rentre à la maison, ton père est parti pour de bon, viens me rejoindre, viens manger, reviens.

Sa mère l'attendait avec le repas sur la table, deux couverts seulement, et un gâteau d'anniversaire sorti de nulle part une fois que Thomas avait englouti sa nourriture. Elle avait regardé Thomas manger, le menton dans la main, et d'un coup s'était levée, avait disparu derrière la porte ouverte du frigo et était revenue avec une boîte blanche fermée par un ruban doré. En se réinstallant à la table, elle lui avait tendu une paire de ciseaux, dans le bon sens, la lame dans la paume pour éviter de montrer de l'agressivité. Sans se faire trop d'attentes, mais avec appréhension, il avait coupé le ruban et dans la boîte avait trouvé son nom en lettres attachées en chocolat, oblique sur du crémage à la vanille. Ses mains étaient devenues moites et il avait lâché le carton de la boîte pour ne pas le souiller.

Il a levé les yeux vers sa mère, une jolie femme avec des cernes, plus jeune que la plupart des mères qu'il connaissait ou qu'il voyait autour, dans les rues de Chattanooga ou à la bibliothèque municipale. Elle portait des jeans, elle avait des amies noires. Elle avait au moins une amie noire, qui habitait dans Avondale, où il n'était jamais allé tout seul, et qui s'appelait Mary. Souvent, quand il revenait de l'école, surtout depuis que son père était parti, elle mettait de la musique dans la maison, sur le stéréo du salon, comme pour l'accueillir au son des Beach Boys ou de R.E.M. Elle lui a souri et lui a montré avec des gestes comment défaire la boîte et en sortir le gâteau pour le déposer directement sur la table.

Elle s'est relevée pour aller chercher un feu de Bengale qui traînait dans un des tiroirs du comptoir de la cuisine. Tout en l'allumant avec son briquet, elle souriait et il admirait son profil. Il pensait à son gâteau et à sa mère, au fait que sans sa mère il n'y aurait pas eu de gâteau, à quel point ils étaient liés ensemble et ça faisait une sensation étrange dans sa poitrine, une accélération des battements de son cœur à mesure qu'elle se rapprochait avec le petit feu d'artifice allumé dans la main. Quelque chose d'important était en train de se produire. Entre eux il y avait une nouvelle alliance qui se formait, dans l'absence de son père, qui ne reviendrait pas. Il ne reviendrait peut-être jamais.

Thomas regardait sa mère et elle s'est mise à chanter. « Happy birthday to you. Happy birthday to you. Happy birthday, dear Thomas. Happy birthday to you. » Birthday. Birth day. Le jour de sa naissance. Il ne comprenait pas. C'était demain, mais en même temps ce n'était pas demain puisque demain n'existait pas. Il avait envie de la contredire avec toute la rationalité dont il se savait capable, qu'on lui avait inculquée. Demain on était le premier jour de mars, son père le lui avait expliqué des dizaines de fois. Son cœur battait fort. Il a eu envie de pleurer, de sourire, et de se laisser aller à la peur aussi. Sa mère clignait des yeux en chantant, souriait, et sa voix était douce, presque un murmure. Il ne comprenait pas. Ce n'était pas sa fête, sa fête c'était seulement l'an prochain, le 29 février 1988. Et ensuite sa prochaine fête serait le 29 février 1992, et ainsi de suite jusqu'à ce qu'il ait à la fois dix-huit ans et soixante-douze ans, vingt-neuf ans et cent seize ans.

Elle a attendu que le feu de Bengale s'éteigne pour lui répéter joyeux anniversaire, mon loup. Avant de couper le gâteau, elle a planté un doigt dans le crémage et a fait hmm en y goûtant. Ça l'a fait sourire. Il continuait de la regarder, avec admiration, cette femme qui se permettait de remettre en question le calendrier et les enseignements séculaires des papes et des scientifiques anglais et romains. Elle lui a coupé une pointe, presque le quart du gâteau, l'a fait glisser dans une soucoupe. Ça dépassait de tous les côtés. Elle riait, et lui aussi tout à coup. Elle s'est léché les doigts encore une fois juste avant de lui tendre la soucoupe débordante et de le regarder amoureusement et de lui répéter :

— Bonne fête, mon loup. C'est fini, les niaiseries. À partir de maintenant, ta fête c'est le 28 février.

II

Mars 1994

Highland Park – Woodmore

Le jour où sa mère est morte, c'est tout un
panthéon familial qui, pour Thomas Langlois,
est devenu obsolète d'un seul coup. Elle lui
avait tellement parlé de sa famille, elle lui avait
tellement décrit de personnes et de personnages qu'il avait l'impression de les connaître
intimement. Peu après le départ de son père
pour le nord, son sac sur l'épaule et son drôle
d'accent remballé pour de bon, elle s'était mise
à raconter des histoires, à mettre en scène des
souvenirs, à les animer devant lui, pour l'éduquer et le divertir. Elle était bonne conteuse,
surtout quand elle revenait du travail et qu'après
un soupir, elle se frottait longtemps les yeux
dans la cuisine, les paumes sur les paupières,
puis leur servait deux grands verres de lait et
revenait s'enfoncer dans le divan du salon, les
jambes repliées sous elle. De huit à quatorze
ans, Thomas avait écouté sa mère avec une
attention si grande qu'il en oubliait l'absence
et la solitude. Des fois ils faisaient un feu et
le récit des grands-parents, fils et filles de
Confédérés, dignes pasteurs et prédicateurs

méthodistes, crépitait avec les bûches, dans les cendres grises et rouges.

Du jour au lendemain il s'était retrouvé seul, avec un père de l'autre côté des montagnes ancestrales et une mère écrabouillée sous les débris, brûlée au fond de la mer. Bien plus tard, il avait reçu le passeport de sa mère par la poste, avec une série de documents fédéraux et des lettres officielles de la compagnie aérienne. Le passeport flottait au milieu de millions de morceaux de métal et de plastique et on le lui avait envoyé comme preuve, comme témoignage et comme testament. Il imaginait, dans sa tête adolescente constamment en train de construire un monde autour des objets, pour les placer en contexte, la table blanche et aseptisée sur laquelle le passeport de sa mère avait dû sécher, dans un local blanc et stérilisé éclairé au néon. Avec des hommes portant des gants et des masques qui le manipulaient, sinon avec respect, du moins avec professionnalisme. Les coins de la photo étaient retroussés et gondolés, mais on reconnaissait bien la jeune femme, posant candidement pour le photographe, à une époque où sourire était permis. Sur cette photo et nulle part ailleurs, il y avait sa mère, tout ce qui venait avec elle et tout ce qui était parti avec elle aussi.

Thomas le savait, et même s'il y pensait souvent, c'était quelque chose de terminé, qui n'avait plus de raison d'être. À partir du jour où sa mère n'existait plus, l'histoire de sa famille avait perdu tout intérêt, elle se perdait dans son corps disparu et aussi abstrait et inatteignable qu'un abysse. Il sentait la brisure presque physiquement, celle dont elle lui avait parlé, ce gouffre qui la séparait de ces gens dont elle adorait l'entretenir, mais qu'elle n'avait pas revus depuis son mariage avec un pauvre étranger qui parlait à peine la langue. Un homme qui ne respectait aucune convenance, un excentrique qui avait même affirmé ne croire en rien, et encore moins aux anges. Qui disait des choses comme ça ? Quel genre d'homme disait des choses comme ça, dans la maison d'inconnus qui l'accueillaient et le nourrissaient ? Il avait retenu un rire à la dernière seconde et il était sorti de table en s'excusant à peine, en partant avec sa serviette dans le poing. C'était la dernière fois qu'il avait mis les pieds dans la maison familiale. Après cet épisode, on lui avait signifié qu'il n'était plus le bienvenu.

La mère de Thomas avait coupé les ponts avec sa famille quelques semaines plus tard, et ils étaient partis s'épouser en dehors de la paroisse méthodiste, à la mairie où ils n'avaient eu que leur consentement d'adulte à fournir. Ça et des preuves d'identité. Plus personne ne s'était parlé depuis, et même si de l'argent circulait entre les camps adverses, c'était un arrangement qui faisait l'affaire de tous. À la naissance de Thomas, on avait fait passer des photos mais rien de plus. Le fait d'habiter dans la même ville compliquait un peu les déplacements mais, comme disait toujours le père de Thomas, Chattanooga est assez grande pour tout le monde.

À partir de maintenant on utilisera leurs prénoms, pour faciliter la lecture et aussi pour amenuiser la distance créée entre eux et nous par les perceptions de Thomas. Quand il pensait à eux, même après leur disparition, Thomas entendait *mom* et *dad* dans sa tête, mais on préfère leur donner une personnalité propre puisque ce récit leur appartient également. Ils s'y ancrent de la même façon que leur fils, en sont à la fois les moteurs et les angles morts qu'il faut prendre en considération. Ils ajoutent de la profondeur de champ parce qu'ils ont connu des expériences similaires, et c'est le genre de chose qui se transmet.

Par exemple, quand la mère de Thomas, Laura Howells, gravissait le mont Lookout durant son adolescence, et qu'elle arrivait au sommet, presque sur la frontière de la Géorgie, elle pensait au début des Appalaches à des milliers de miles au nord, dans un autre pays. Elle y projetait l'image assez détaillée d'un jeune homme traversant la chaîne de montagnes éternelle, suivant les sentiers et les routes des minières et des touristes, gourde bien remplie et bâton de marche à la main, parti de là-bas, des monts Chic-Chocs, dont elle avait entendu dire qu'ils étaient aussi érodés que ceux entourant Chattanooga. Elle s'installait, Laura, avec sa propre gourde et son sac à dos de randonneuse, au sommet de Lookout et fixait le nord, et les pieds-de-vent lui faisaient croire en quelque chose et comprendre à quel point c'était absurde de croire en quoi que ce soit. Elle s'imaginait partir du Tennessee avec de l'eau et de bons souliers, partir et croiser au milieu de cet univers de couleurs automnales, après cent un jours de marche, un jeune homme avec une barbe et des projets aussi grandioses que les siens.

Laura n'avait pas compris qu'en rencontrant ce jeune homme ambitieux venu du nord, dont elle avait tant rêvé, elle serait obligée de rebrousser chemin et de le suivre, de retourner à son propre point de départ pour lui permettre d'accomplir ce qu'il appelait, lui, dans sa barbe, son destin. Elle n'avait pas compris qu'il réussirait, par son enthousiasme contagieux, à la faire revenir sur ses pas.

Quand il avait débarqué à Chattanooga, le 17 mai 1979, Albert Langlois avait aussitôt cherché un endroit où se loger pour pas cher et il était entré au restaurant où Laura travaillait pour s'informer et boire un café. Il ne s'était pas rasé depuis deux semaines, mais avait réussi à trouver des douches presque chaque soir. Il sentait bon, un mélange d'odeurs de pin ou d'épinette et de lavande. Ses vêtements sentaient bon, même son immense duffle bag de l'armée canadienne qu'il avait déposé à côté du tabouret tournant, au comptoir. Il avait fait une entrée remarquée, d'abord parce que le midi était passé et il y avait peu de clients à cette heure, et ensuite parce qu'en s'enfargeant dans la marche malgré l'immense « watch your step » en jaune et noir, il avait lancé un « câlisse » suivi d'un « sorry » sorti tout droit d'un film français, ou quelque chose d'équivalent qu'on arrivait mal à définir.

Le pouce sur sa langue, sur le point de tourner la page de son calepin avant de prendre la commande d'un couple d'habitués assis à une banquette du fond, Laura avait relevé les yeux.

Il s'est approché du comptoir en faisant semblant de boiter pendant quelques pas. Il devait s'être cogné l'orteil, il faisait « ouch » avec sa bouche, en regardant au fond du restaurant dans le vide, juste à côté de Laura, en plein dans le cadre de la statue de la Liberté posant fièrement devant Manhattan. Elle a eu le réflexe de reculer de deux centimètres et elle a considéré que ça avait été une bonne impulsion pendant les six premières années de leur mariage. Son fils grandissait et elle pensait souvent qu'elle avait bien fait de prendre l'initiative ce jour-là. En se plantant devant la photo de Manhattan, la flamme de la liberté lui sortant par la tête, elle lui avait permis de la remarquer, juste avant qu'il ne s'assoie sur le tabouret.

Cette journée-là, Laura portait ses nouvelles lunettes. Elle ne les aimait pas particulièrement, mais se trouvait chanceuse de pouvoir le voir comme il faut, sans avoir à plisser les yeux et le nez, parce qu'on lui avait assez dit qu'elle n'était pas belle quand elle faisait ça. Ses bas n'étaient pas effilés et elle s'est sentie assez sûre d'elle-même, bien ancrée dans ses espadrilles Nike blanches, pour aller derrière le comptoir et passer devant lui en souriant de profil, le nez dans son carnet de commandes. Elle a arraché la page, l'a insérée avec les autres dans la fente de métal pour Richard le cuisinier, et s'est installée devant lui en pêchant une tasse, une soucoupe, un napperon en papier et la cafetière. Elle lui a versé un café fumant en lui disant de l'attendre, qu'elle revenait dans deux secondes, le temps d'aller servir d'autre café au couple du fond du restaurant. Elle sautillait dans ses Nike, sa queue de cheval bondissait derrière elle. Personne ne s'en rendait compte, mais elle sautillait.

Quand elle est revenue se planter devant lui, pour prendre sa commande, elle a remarqué les six sachets de sucre ouverts à côté de sa tasse. Il remuait sa petite cuillère dans le liquide noir et ne semblait pas obnubilé par sa présence. Il ne portait pas de lunettes, probablement parce que ses yeux voyaient au loin, captaient les détails et les teintes, sans se forcer. Elle a posé les paumes sur le comptoir et s'y est appuyé l'abdomen, la tête presque au-dessus de sa tasse de café.

— Now, that's a lot of sugar.

— Hm ? Oh. Yes. I like it, hm, really sucré, like that.

Son accent était si prononcé qu'elle a fait semblant de comprendre en souriant jusqu'à ce qu'elle comprenne quelques secondes plus tard, en analysant les sons, en les décortiquant comme autant de biscuits chinois mal traduits. Son anglais s'améliorerait avec le temps, et son français à elle aussi, elle apprendrait à dire plusieurs phrases consécutives et même à savourer certaines tournures, si proches et si lointaines, grammaticalement et phonétiquement. La première fois qu'elle amènerait Albert chez ses parents, la conversation à table tournerait presque exclusivement autour des questions de langage, de langue, d'accent, de différences culturelles, occultant les questions de valeurs et de croyances, qui allaient tout gâcher quelques mois plus tard.

— Est-ce que je peux te servir quelque chose ? À part du sirop de café ?

Il la regardait maintenant dans les yeux, ses lèvres ont bougé au milieu de sa belle barbe blonde, et elle a su qu'il avait compris son humour. Il a arrêté de faire tourner la cuillère. En rougissant un peu, il lui a demandé s'il était trop tard pour déjeuner. Elle lui a répondu que non, qu'ils servaient des déjeuners n'importe quand. Il lui a commandé trois œufs tournés avec jambon, bacon, saucisse. Il a été obligé de mimer les œufs tournés, parce qu'il ne savait pas comment le dire.

— Tu sais, hm, cuits d'un côté et, après, hop, on les retourne avec la, euh, la chose.

Richard écoutait de loin, une spatule à la main, un peu intéressé, et il a crié un peu trop fort :

— Over easy, Laura. He wants them over easy.

Et Albert a pointé Richard avec son index, un sourire au visage et les yeux rivés sur ceux de Laura. Il s'est exclamé :

— Over easy ! C'est ça ! Merci ! Not easy to remember.

— Non, c'est comme une expression. Comment vous dites ça en français ?

— On dit tournés.

— Turnay.

— Like, euh, turned.

— Oh, OK. C'est plus simple, c'est vrai.

Et il a ri et elle s'est dit dans sa tête que c'était impossible qu'il soit seulement de passage, entre deux Greyhound, ça ne se pouvait pas. Elle avait envie de lui demander tout de suite si Chattanooga lui plaisait, et où est-ce qu'il avait l'intention de s'installer, et est-ce qu'il avait vu les montagnes qui entouraient la ville, comme elles étaient belles, mais elle est allée prendre des commandes à la place, le cœur en chamade, le pied soudain plus lourd. Richard s'était mis à siffler « Hot Stuff », de Donna Summer, une mélodie facile à siffler même quand on fait quatre choses en même temps. Il se dandinait devant sa plaque chauffante, dansait avec la fumée de la viande grésillant, et envoyait des clins d'œil à Laura quand elle passait derrière lui. En revenant porter l'assiette d'Albert, en la déposant délicatement devant lui sur le napperon, elle lui avait demandé :

— Est-ce que tu sais comment on appelle l'autre façon de cuire les œufs ?

— No. Us, we say « miroir », like mirror.

— Hm, meerwar. C'est beau. Nous on dit « sunny side up ».

— Sunny side up.

— Yes. Sunny side up.

Albert est revenu le lendemain, et le surlendemain aussi. Il avait pris une chambre au coin de Broad et de la 6ᵉ Avenue, juste à côté du restaurant. Il arrivait très tôt et commandait la même chose. Après deux jours c'était déjà une sorte de blague entre Richard et lui : Over easy ? Over easy. Over and out. Il choisissait toujours la même place, à l'angle du comptoir en coude. Il avait rasé sa barbe et en dessous Laura découvrait un homme plus jeune qu'elle ne l'aurait cru, même pas plus vieux qu'elle, ou en tout cas pas beaucoup. Malgré son nouveau visage, Albert continuait à se frotter le menton et les joues, dans un réflexe de barbu. Ses cheveux étaient presque roux par endroits, et le soleil du Tennessee les faisait pâlir à vue d'œil. Il les plaçait sur le côté, en passant les doigts dans son toupet, souvent. Laura avait parfois l'impression, en le regardant, qu'il sortait d'une machine à voyager dans le temps, installé là à son comptoir, avec sa gueule de marine en permission et son cure-dent à la bouche. Quand son père était revenu d'Europe il avait dû ressembler à ça, un peu perdu dans sa propre ville, comme gêné de revenir au pays, un peu renfermé, le dos droit et les bonnes manières. Elle a demandé à Margaret, sa patronne, si le restaurant était déjà ouvert en 1946. Oui, bien sûr, le restaurant était ouvert depuis bien plus longtemps que ça, si tu savais.

Elle lui apportait son café dès qu'il entrait, et aussitôt se sentait comme si elle-même en avait bu un de trop, avec six ou sept sachets de sucre. À sa deuxième visite il lui avait demandé son nom, même s'il était écrit sur la petite broche de métal qu'elle portait sur son uniforme, et il avait rougi quand elle avait prononcé « Laura » en se pointant la poitrine pour se moquer gentiment de lui. Son sourire était celui d'une fille qui allait toujours se moquer de cette façon, la tête un peu inclinée, la queue de cheval, un sourire espiègle qui ne demandait qu'une seconde chance d'apparaître. « Me, I'm Albert », oui, je sais, avait-elle répondu, c'était écrit en gros feutre noir sur le sac d'armée avec lequel il était arrivé à Chattanooga.

Entre deux commandes, elle venait lui parler, elle rangeait des assiettes, elle essuyait des tasses vides qui sortaient du lave-vaisselle. Un matin, alors qu'une pluie de fin de printemps tombait sur la ville, il a commencé à lui expliquer ce qu'il faisait ici, d'où il venait. Quand il a prononcé le mot Québec, un peu plus fort la deuxième fois parce qu'elle n'avait pas entendu, tout le monde dans le restaurant s'est retourné vers lui. Encore une fois, il a dit « excusez, sorry », en faisant le tour avec ses yeux gris métallique. Laura a visualisé le Québec à ce moment-là comme une étendue incommensurable de glace et de neige, même si elle s'en voulait de ne pouvoir faire mieux. Elle savait que c'était ridicule, cette image d'une grande plaine blanche balayée par des bourrasques, avec au loin des chaînes de montagnes érodées. Les hommes y étaient barbus et beaux comme Albert, des descendants des Vikings. Ils se rasaient seulement à la fin de leurs voyages, une fois à destination.

Elle adorait parler avec lui, prendre le temps de le laisser chercher ses mots, ça lui donnait l'impression qu'il faisait un effort extrême pour lui plaire. Quand Albert hésitait, bafouillait ou se trompait, elle se permettait de s'approcher de lui subtilement, avec le mot qu'il cherchait, prête à le lui tendre. Elle se penchait au-dessus du comptoir lentement, pendant qu'Albert claquait des doigts, à la recherche du mot juste ou de l'expression correcte, ou pendant qu'il faisait des sons de frustration avec sa bouche, un genre de « tsk », ou qu'il sacrait en français. « Voyons, câlisse, c'est quoi déjà ? Comment qu'on dit ça déjà ? » Et il la fixait sans aucune timidité dans ces moments-là. Il était dans sa tête, alors la gêne disparaissait. Laura, bonne joueuse, s'approchait et lui donnait la réponse. Une fois, elle s'était aperçue que son visage avait changé soudainement et elle avait compris qu'il venait de sentir son nouveau parfum.

Durant les trois premières semaines de son séjour à Chattanooga, Albert est venu manger au restaurant tous les matins, sauf ceux où Laura ne travaillait pas. Après un mois, tous les employés sifflaient « Hot Stuff » quand Albert passait la porte et certains habitués lui envoyaient même des sourires complices. Si Laura était dans un rush, aucune autre serveuse ne venait prendre la commande d'Albert. Il attendait patiemment sur son tabouret, le faisant pivoter, avec les pieds dans le vide.

À la mi-juin, il s'est enfin décidé à lui demander si elle était libre.

— En général, ou ce soir en particulier ?

— Ben, les deux.

— Les deux.

— Est-ce que t'accepterais de m'accompagner, je sais pas, au cinéma ? On pourrait aller manger aussi, mais j'ai l'impression que je fais juste ça, manger, quand je suis avec toi.

— Est-ce que t'aimes le bowling ?

— Le bowling ? Mets-en que j'aime ça ! Bonne idée !

Elle se sentait à l'aise avec lui, devant lui. Elle lui parlait comme à quelqu'un qui était apparu dans sa vie sans qu'elle l'ait prévu, mais sans non plus qu'elle ait à remettre en question sa présence, apaisante et presque sereine. Albert était nerveux de son côté du comptoir mais ce qu'il disait, ce qu'il faisait, allait de soi, et elle captait l'étiolement graduel de cette nervosité qui l'avait séduite au départ et qui était remplacée par autre chose d'encore plus charmant, une sorte de maladresse qui se manifestait uniquement avec elle. Quand Albert s'adressait à quelqu'un d'autre, par exemple, quand il discutait avec Richard ou avec Margaret, son ton se stabilisait, son débit s'affermissait. Elle aimait prononcer son nom à la française, comme lui : *Al-bear*.

Laura a refait sa queue de cheval en quelques gestes experts, l'élastique entre les dents. Il a attrapé sa tasse presque vide et a bu la dernière gorgée sirupeuse. Il a essuyé ses mains sur ses jeans. Elle a remonté ses lunettes. Ils se sont regardés et on peut tous comprendre ce qu'ils ont ressenti, même s'ils sont loin de nous et qu'on ne les a jamais rencontrés. Albert a demandé s'il devait passer la chercher chez elle, mais elle a répondu non, ce serait mieux qu'ils se retrouvent là-bas directement, au salon de quilles. Il y en avait un sur Brainerd, un peu en périphérie, pas trop loin de la station de Greyhound. Elle a retourné le napperon d'Albert et a sorti son stylo de son tablier pour lui dessiner une carte rapide, avec les numéros des autobus qu'il devait prendre. Passer chez elle avant aurait été absurde, comme elle habitait au nord dans Woodmore, dans un quartier résidentiel tortueux où il se perdrait sans aucun doute. Acquiesçant de la tête, Albert a plié le napperon en quatre et l'a glissé dans sa poche de chemise. Quand il a payé son café et son déjeuner, il avait l'air sérieux d'un homme en mission. Il l'a regardée une dernière fois avant de sortir dans la rue et elle a compris le message exact qu'il lui envoyait.

Cet après-midi-là, la mère de Laura est venue la retrouver dans sa chambre à l'étage de la maison et lui a posé des questions assez précises pour que Laura devine que quelqu'un lui avait parlé d'Albert. Sa mère s'est d'abord installée dans l'embrasure de la porte et, à mesure que Laura répondait, de manière évasive et enthousiasmée en même temps, elle est entrée au complet et s'est assise sur le lit. Laura tenait grandes ouvertes les portes de sa garde-robe, indécise et fascinée par le choix qui s'offrait à elle.

— Comment il s'appelle ? a demandé sa mère.

— Albert.

— Il est français ?

— Canadien français. De la Gaspésie.

Laura s'est collé une robe contre le corps, retenant le cintre sous son menton, en se tournant devant le miroir en pied, mais elle s'est souvenue que pour les quilles ce n'était pas idéal.

— De la Gaspésie. C'est loin ça. Et qu'est-ce qu'il fait ici ?

— Il fait des recherches.

— Des recherches sur quoi ?

— Sur la guerre civile, je pense.

— Comment ça, tu penses ? C'est un étudiant ?

— Je pense pas, non. C'est des recherches personnelles.

— Il t'a pas expliqué ce qu'il cherchait ?

— Oui, oui. Il m'a expliqué.

— Il est catholique, j'imagine ?

— Mom, je sais pas, pourquoi je saurais ça ?

— Tous les Canadiens français sont catholiques, tout le monde est catholique là-bas.

— Qu'est-ce que ça fait ?

— Ça fait que tout le monde sait que les catholiques sont –

— Mom, peux-tu me laisser m'habiller s'il te plaît ?

— OK, OK. Je te laisse tranquille. Je voulais juste le connaître un peu.

— Peut-être que tu vas le rencontrer bientôt. Si ça se passe bien ce soir. Peut-être que vous allez le rencontrer.

— Ça va nous faire plaisir de le rencontrer, dear.

Et elle a refermé la porte derrière elle en envoyant un baiser sonore à sa fille, avec la paume de sa main sous le menton, comme une rampe de lancement. Laura cherchait la paire de jeans délavés qu'elle avait achetée en l'honneur de Debbie Harry et de ses cheveux blond platine. En voyant sa robe de bal au fond de la garde-robe, le satin crème, les froufrous, elle a pensé que c'était probablement ce que sa mère aurait voulu qu'elle porte.

Le jour où Laura Howells est morte, quelque part au-dessus de l'océan Atlantique, entre New York et Paris à bord d'un vol d'American Airlines, ça faisait presque quinze ans qu'elle n'avait pas vu sa mère. Quand cette dernière est venue chercher son petit-fils abandonné à son sort, il n'a pas su tout de suite comment réagir.

Thomas la connaissait de nom et de réputation. Il en avait entendu parler. Il croyait souvent l'apercevoir dans la ville, en sortant de l'école, ou au parc. N'importe quelle silhouette pouvait faire l'affaire, c'était une sorte de sensation sur l'épiderme, comme si on l'épiait. Cette femme était une présence invisible mais constante dans sa vie, une femme invisible qui rôdait dans les parages, toujours en périphérie de son existence et de celle de ses parents, dont il connaissait pourtant l'histoire mieux que la sienne. Il savait qu'elle possédait des photos de lui bébé, qui avaient circulé en secret, à l'insu de son père. Des photos avaient été échangées à travers des réseaux de communication occultes et embrouillés. Mais même après le départ définitif d'Albert, après le divorce, et malgré le ressentiment accumulé, Laura n'avait pas changé son discours sur ses parents. Seul avec elle, les soirs de semaine, dans la maison faiblement éclairée pour éviter d'agresser les yeux fatigués, il l'écoutait raconter ses histoires de famille et lui définir des concepts comme l'intransigeance, l'imbécillité, la bigoterie. Madame Howells surtout y passait.

Laura aimait la décrire comme une sorte d'hystérique repliée sur elle-même, qui avait tout gâché sans même s'en apercevoir. Les gens qui cherchaient à bien faire étaient parfois les pires, elle le rappelait à Thomas, elle insistait. Et elle lui disait « méfie-toi des prieux », ceux qui se croisent les mains devant toi et hochent la tête en signe d'empathie condescendante. C'était exactement ça qui résumait la mère de Laura : là où son père était pieux jusqu'à l'excès, sa mère était une prieuse. Elle se souvenait de sa réaction quand son père avait exigé qu'elle cesse immédiatement de fréquenter ce jeune Canadien, un athée sans valeurs, un avorteur, un ami des nègres (il s'était excusé tout de suite après avoir dit ça, *nigger lover*, il avait dit « je n'aurais pas dû dire ça, mes paroles ont dépassé ma pensée », mais ça ne changeait rien). C'était en juillet 1979. Elle était déjà enceinte. Personne ne le savait ; elle non plus. Ils étaient tous les trois dans le vestibule, immobilisés sous le lustre en cristal allongeant leurs ombres. Elle venait de rentrer d'une marche en montagne, ses clés à peine sorties de la serrure. Elle n'avait même pas vu Albert cette journée-là, mais c'était le surlendemain du souper où il avait révélé sa vraie nature. Ses parents l'attendaient en robe de chambre malgré la chaleur, dédoublés dans leur posture respective, chacun sur une marche de l'escalier, mains dans les immenses poches, pantoufles aux pieds. Son père n'avait pas parlé longtemps. Une série de courts énoncés performatifs qui avaient mis les choses au clair : c'est lui ou c'est nous. Elle avait cherché les yeux de sa mère et celle-ci, passant la main sous le bras de l'homme, fixant Laura d'un regard profond et plein de pitié, s'était mise à prier silencieusement pour le salut d'Albert. Peu importe la question qu'elle se posait, Laura avait eu sa réponse.

Elle était partie de la maison quelques jours plus tard, pour aller se marier avec son mécréant au mauvais anglais devant un employé de la ville et n'avait plus jamais adressé la parole à ses parents. Du moins c'est ce qu'elle avait raconté mille fois à Thomas, et c'est ce qu'il avait toujours considéré comme la vérité, jusqu'à ce qu'on sonne à la porte le lendemain de l'annonce du décès.

La veille, mercredi soir, le coup de téléphone après l'école avait changé sa vie. Ça avait fait soudainement de lui un orphelin, quoi que ça veuille dire, et maintenant une femme d'une soixantaine d'années, fardée, les lèvres minces, assez belle, se tenait devant lui, droite, sans s'appuyer sur quoi que ce soit. Il avait mal aux fesses d'être resté assis sur le divan du salon pendant plusieurs heures, presque sans bouger, avalant la nouvelle lentement et laborieusement, comme un boa constrictor digérant un œuf d'autruche. Il était resté immobile dans le silence de la maison vide. Le téléphone sans fil sur les genoux, il était resté immobile assez longtemps pour avoir le temps de commencer à croire que rien n'allait se produire. Non seulement rien ne changerait, mais rien n'arriverait non plus. Personne ne viendrait, personne n'interviendrait. Aucune larme n'était sortie de ses yeux pour l'instant, comme si elles avaient été occupées ailleurs, derrière les yeux, à lubrifier ses idées mélangées. Il s'est levé pour aller répondre à la porte avec en tête les mots en boucle de la personne responsable et empathique qui lui répétait sweetie, are you alone, is your dad home ? There's something I have to tell you. There's been an accident.

Sa grand-mère était debout devant lui, il a su tout de suite que c'était elle. Derrière se tenait en retrait un agent des services sociaux, à l'allure latino-américaine. Elle a prononcé elle aussi le mot sweetie et Thomas a eu un puissant haut-le-cœur. Juste après, elle a dit son nom, et c'était la même voix que celle de sa mère, comme reproduite dans un visage qui lui ressemblait mais qui n'avait rien à voir avec elle. D'un seul coup, sans avertir, elle s'est retenue sur une des colonnes du balcon et s'est mise à pleurer.

Pendant qu'il était immobilisé sur le divan du salon, le mécanisme s'était enclenché et des arrangements avaient été pris, des autorités s'étaient consultées. Il s'était endormi en position assise et pendant ce temps-là ailleurs on avait statué sur son sort. Il a demandé à sa grand-mère si elle avait parlé à son père. Non, mon cœur, non, ils n'avaient pas parlé à son père. Personne n'avait parlé à son père. On avait peut-être essayé de le joindre, mais personne ne savait où il était. On savait qu'il était hors du pays, ce qui compliquait encore plus les recherches. Les recherches ? Façon de parler, personne n'était à la recherche d'Albert, on voulait simplement le prévenir de ce qui était arrivé, pour qu'il sache. On n'attendait rien de lui, seulement qu'il soit au courant.

Elle conduisait comme sa mère, les deux mains bien serrées sur le volant, la main gauche à dix heures et la main droite à deux heures. Elle le regardait du coin de l'œil par moments, sans lâcher la route des yeux. Il comprenait qu'elle n'aimait pas conduire et qu'elle se forçait pour prendre un air assuré, en lui parlant, en faisant correctement ses angles morts. Elle lui a expliqué que c'est eux, elle et son grand-père, qui le prendraient en charge pour l'instant. Leur maison, là où Laura avait grandi, était accueillante, ils étaient des gens accueillants, aimants. Ils auraient aimé le connaître avant, dans de meilleures circonstances, mais la vie était difficile à comprendre parfois. En l'absence d'Albert, c'était ses grands-parents maternels qui avaient été désignés pour s'occuper de lui, idéalement jusqu'à sa majorité. Certains mots qu'elle prononçait sonnaient exactement dans sa bouche comme ceux de sa mère. Elles avaient le même timbre, elles avaient le même rire nerveux qui sortait au mauvais moment, que

Thomas adorait et qui le prenait toujours par surprise. Sa grand-mère était une copie vieillie de sa mère. Il pouvait la voir dans ces traits comme aiguisés par les rides, redéfinis par l'âge, disparue la veille mais aussitôt remplacée par cette illusion d'optique un peu angoissante qui continuait à parler, à lui confirmer avec la voix de sa mère que sa mère n'existait plus. Thomas écoutait, poli, concentré.

— On a une chambre toute prête pour toi. C'est la chambre de Laura, la chambre de ta mère, celle où ta mère a dormi durant toutes les années où elle a habité avec nous. Tu vas voir, ce n'est pas une chambre trop féminine, ta mère n'a jamais été très féminine, elle aimait beaucoup le sport, elle aimait le football et le basketball, elle voulait jouer au basketball professionnel quand elle était adolescente. Ta mère faisait beaucoup de sport et elle avait beaucoup d'amis quand elle était jeune, elle n'était pas du genre à se retrouver toute seule à ne rien faire. Elle a commencé à travailler pour avoir de l'argent de poche à seize ans, elle était toujours prête à nous aider. Tu sais que quand Laura a rencontré ton père, en 79, Margaret, la propriétaire du Galaxy, était en train de réfléchir pour lui offrir le poste de gérante. Tu savais que ta mère avait travaillé au Galaxy, n'est-ce pas ? Si elle n'était pas partie à ce moment-là, avec ton père, elle serait probablement devenue gérante dans les mois suivants et, on ne sait pas, après, peut-être qu'elle aurait pu remplacer Margaret. Ton grand-père et moi, remarque, on était fiers d'elle quand elle a décidé de retourner à l'école, après ta naissance, là n'est pas la question. On a toujours tout fait pour l'encourager dans ses projets. En tout cas, tu vas voir, tu vas être bien dans cette chambre-là. Pleine de beaux souvenirs, et de fanions d'équipes de sport sur les murs. On n'a rien changé. C'est comme quand elle est partie. J'ai même gardé ses toutous, mais ça on peut les enlever si tu veux, on pourra les ranger ailleurs. Laura aimait beaucoup les toutous, elle nous en parlait comme si c'étaient de vraies personnes, elle aimait beaucoup les caresser et les bercer. Si tu veux, on va les mettre dans une boîte parce que tu es un grand garçon, quatorze ans et tout. On ne va pas tarder à arriver, est-ce que tu connais le quartier de ta mère ? Dire que toutes ces années on habitait si près les uns des autres et qu'on faisait comme si de rien n'était. Tout ça à cause d'un malentendu, d'un absurde malentendu. C'est désolant. C'est tellement triste. C'est tellement triste.

Elle s'est remise à pleurer, en silence, sans renifler, juste à verser des larmes sur ses joues. Elle ne savait pas si Laura lui avait beaucoup parlé de Dieu, mais ils allaient quand même prier ensemble pour elle. Will you pray with me, sweetie ? Au prochain feu rouge ils allaient faire une courte prière, d'accord ? Thomas s'est mis à fixer droit devant lui, la route qui s'allongeait à perte de vue, le printemps du Tennessee rouge et or, les immeubles bas et décrépis de l'avenue McCallie et les trottoirs, les gens vivants, dans les voitures et dans les fenêtres, derrière des clôtures de métal rouillé. Il était poli avec cette femme qu'il ne connaissait pas personnellement mais dont il avait entendu parler si souvent. Sa nausée ne partait pas, légère, à la hauteur de ses poumons, il respirait la bouche ouverte, c'était une chose qu'il essayait de contrôler depuis longtemps, mais son nez était toujours un peu bouché. Il priait, tout seul, secrètement, pour qu'il n'y ait pas de feu rouge.

C'était étrange de voir quelqu'un pour la première fois, à quatorze ans, et de savoir qu'elle avait fumé en cachette durant des années, se promenant avec une flasque de parfum et des lingettes humides dans sa sacoche pour camoufler l'odeur. C'était étrange de savoir qu'elle était le genre de personne qui faisait ça, même si c'était une pure information, dépourvue de connotation, et d'être assis à côté d'elle maintenant, sans que quiconque l'ait prévenu. Il pensait à l'odeur que devaient avoir ses doigts, un mélange de nicotine et d'eau de toilette. Dans sa tête c'était une odeur sans image, parce qu'il ne s'imaginait pas en train de les sentir.

Ils filaient dans la ville et s'éloignaient toujours plus de sa maison de la 17e Rue. Tout semblait réglé au quart de tour et flotter dans le néant en même temps, un plan froidement programmé et fondu par la douceur du printemps qui approchait. Il n'avait aucun contrôle sur leur parcours et ça l'angoissait, mais en même temps ce parcours semblait tellement précis, matérialisé dans les poings de cette vieille femme serrés sur le volant, qu'il n'avait pas le choix de se laisser emporter. À côté de lui, elle était concentrée, replaçait une mèche parfois, ses ongles rouges lissant ses cheveux gris, et plusieurs bracelets cliquetaient sur son poignet.

Il savait qu'elle était coquette (sa mère disait *vaine* et son père, à l'époque, disait *matérialiste* avec un mépris évident), qu'elle avait voulu inculquer une féminité plastique et superficielle à sa mère. Elle était suffisante, fausse et hypocrite, c'est ce qu'il savait. C'est ce qu'il avait toujours su. Elle n'en faisait pas en ce moment, mais il savait qu'elle faisait souvent des petits bruits d'acidité avec sa bouche quand elle avait des reflux gastriques.

Cette impression d'être pris en otage, qu'il avait du mal à intégrer, qui lui donnait mal au cœur, se doublerait d'une forme de peur sourde quand ils arriveraient à destination et qu'il rencontrerait son grand-père. Il a continué à ne rien dire durant le reste du trajet, ses mains moites posées sur ses genoux, son dos bien droit dans le siège de la voiture, ses reins enfoncés dans le vieux cuir odorant.

Après le tunnel de l'autoroute, au bout duquel la lumière les a éblouis et a forcé sa grand-mère à descendre son pare-soleil avec un geste impulsif, dear God, ils sont arrivés dans des quartiers que Thomas ne connaissait pas. Il voyait soudainement beaucoup plus d'arbres, de vieux arbres hauts et massifs comme il y en avait très peu au centre-ville. Des arbres aux troncs larges envahis de mousse verte, recouverts d'une couche d'humidité, plantés là depuis des générations. Les rues étaient tortueuses et montaient et descendaient en courbes au lieu de s'éterniser sur une ligne droite. Il a voulu baisser sa fenêtre, mais elle lui a fait signe que non, la clim fonctionnait. C'était la première fois qu'elle le touchait, cette main sur son avant-bras, exerçant une pression délicate mais ferme, sweetie, non, la clim fonctionne, avec un sourire autoritaire. Pour le réconforter, elle a tourné un bouton près de la radio et a dirigé un de ses propres ventilateurs vers lui. Il voulait fermer sa bouche et respirer par le nez, comme un adulte, mais sa narine gauche était complètement bloquée, et ça faisait un bruit d'asthme désagréable.

Elle conduisait lentement, avec une prudence presque dangereuse. Ses arrêts obligatoires étaient comptés, un-deux-trois, il pouvait presque voir ses lèvres bouger. Les autres voitures les dépassaient avec un bruit d'accélération. Elle ne semblait pas s'en préoccuper. Il se demandait si elle pensait à Laura en ce moment. Ou si elle pensait aux avions en général, au trafic aérien, à la superficie de l'océan et à sa fille dedans, à un endroit précis que seuls des experts pourraient différencier des autres. Il se demandait si elle pensait aux mêmes choses que lui, ou si elle ne pensait à rien, si le vide se faisait dans sa tête quand elle n'exprimait pas ouvertement son chagrin, avec des mots.

Elle a mis son clignotant et s'est engagée dans une petite rue montante appelée Evergreen. Les arbres étaient hauts, Thomas n'arrivait pas à voir leur cime, même en se collant presque la joue sur sa vitre. Au bout de leur chemin sinueux, dans l'après-midi de mars où ils avaient traversé la ville d'ouest en est, se trouvait une maison victorienne à deux étages, de couleur fade, qui contrastait avec le vert des feuilles toutes jeunes qui venaient de sortir un peu partout. Elle lui a vaguement pointé une fenêtre, en haut, plantée dans un toit en pente, en tournant dans l'entrée du garage, en disant c'est ta chambre, c'est la chambre de ta mère. La voiture s'est immobilisée. Elle lui a dit de sortir, le lui a proposé, comme une évidence. Il a ouvert sa portière. Sur les murs de la demeure, la peinture craquelait, mais c'était peut-être le son de la nature environnante, ou le vent dans les branches hautes.

Laura revenait de son quart de travail à la bibliothèque municipale et ses épaules s'affaissaient dès qu'elle passait la porte. Elle adorait que Thomas soit là pour l'accueillir et pour passer la soirée avec elle. C'était une tradition qui s'était vite installée entre les deux, après le départ d'Albert, et souvent elle avait de la difficulté à réconcilier sa grande joie que son fils soit presque toujours à la maison et l'inquiétude de savoir qu'il n'avait pas vraiment d'amis. Dans sa chambre, il y avait une collection de pierres, des minéraux, des quartz, des roches ignées, dont il aimait prononcer les noms et énumérer les spécificités. Ensemble, ils étaient allés voir *Jurassic Park* et il lui avait dit que d'après ses recherches, à son avis, la théorie de la conservation dans l'ambre était tirée par les cheveux. C'était quand même un bon film, mais il n'avalait pas cette histoire d'ambre préhistorique. Elle lui avait demandé pourquoi et il avait répondu avec une longue phrase à propos de la différence entre la géologie et l'ADN, ou quelque chose comme ça. Elle avait pensé aux dinosaures pour la première fois autrement que comme à des êtres gigantesques, légendaires, faits pour amuser les enfants et donner du travail aux experts en effets spéciaux.

En revenant du travail, souvent tard le soir parce que la bibliothèque se trouvait dans un autre quartier, elle aimait s'installer avec Thomas dans le sofa du salon et lui parler de ses parents, de sa famille de pasteurs et de juges, parfois avec passion, parfois avec une animosité qu'elle déplorait par la suite, seule dans son lit. Les lumières tamisées, un verre de lait dans les mains, elle décrivait à Thomas l'atmosphère de sa jeunesse, les odeurs et les sons dans la maison familiale. Un soir en particulier, un an avant de mourir, elle avait essayé de décrire physiquement son père, en insistant, parce que c'était la meilleure façon de comprendre cet homme. Il fallait le regarder de loin, et ensuite de proche, analyser ses traits, la façon dont son corps se sculptait dans l'air pour le cerner. Son apparence et sa personnalité ne faisaient qu'un. Elle avait dit à Thomas que c'était quelque chose dont elle avait pris conscience sur le tard, une fois bien enfoncée dans son adolescence. Peu importait ce qu'il disait, ou ce qu'il disait penser, tout chez lui passait par la forme de ses yeux, de son nez, de ses lèvres, par l'allure de ses épaules et sa posture générale. Sans être particulièrement grand, ou même fort, il était si imposant que son ombre semblait parfois faire le tour de son corps, comme si la lumière ne savait pas trop comment l'aborder. Elle était persuadée qu'il n'avait pas dû changer. Elle avait bu une gorgée de lait en regardant Thomas, et avait dit qu'elle était persuadée qu'il n'avait pas dû changer d'une miette. Même après quinze ans, c'était le genre d'homme qui n'avait probablement pas vieilli. Quand elle pensait à sa mère, elle s'imaginait une femme différente de celle qu'elle avait connue, plus blanche, plus voûtée, mais son père était identique. Il avait gardé son maintien, sa stature, elle en était certaine. Peut-être qu'un jour Thomas le rencontrerait, mais elle ne le lui souhaitait pas.

Elle avait terminé son verre et avait allumé la télé. Thomas, juste à côté d'elle, s'était rendu compte qu'il n'avait pas touché au sien. La chaise berçante d'Albert était immobile dans le coin de la pièce, personne ne s'assoyait plus dessus depuis longtemps. Il avait pris son verre de lait et était retourné à la cuisine pour le verser dans un bol de céréales, histoire de ne pas gaspiller. Et il avait toujours faim après avoir écouté sa mère, comme si un vide se creusait dans son ventre à mesure qu'elle remplissait sa tête avec des images floues et étincelantes.

Par exemple, le visage de cet homme éternel, comme conservé dans de l'ambre ou de la glace cryogénique, refusant de vieillir et de s'affaisser, Thomas l'associait à celui de son père à lui, Albert, disparu depuis plusieurs années. C'était ridicule, mais il ne pouvait faire autrement. Il n'osait pas en parler à Laura, de peur qu'elle ne soit étrangement déçue de lui : non, tu n'as rien compris, ton père et mon père n'ont rien à voir, au contraire, ils sont à l'opposé l'un de l'autre. Oui, je sais, répondait Thomas, dans sa tête, mais c'est leur *absence* que j'associe, que je mélange. Il ne le pensait pas dans ces mots-là, mais c'est ce que ça voulait dire, ce magma d'impressions brumeuses, aux contours bien définis : son grand-père ressemblait inévitablement à Albert, dans les récits de Laura, parce qu'Albert possédait la même autorité dans ses souvenirs personnels. Il n'osait pas en parler à Laura, parce qu'il savait à quel point les deux hommes lui avaient fait du mal. À la fin des histoires de sa mère, jamais il n'aurait osé demander une photo, pour pouvoir comparer ses impressions, ses souvenirs et l'image qui se formait dans sa tête, pour effacer l'espèce de visage double qui se dessinait, les yeux d'Albert avec des sourcils cendreux, pointant dans toutes les directions, un Albert vieillissant ou plus simplement vieux, pourrissant, qui, si Thomas se concentrait pour le faire rajeunir, ne faisait qu'accélérer sa décrépitude, comme quand il essayait d'arrêter ou d'inverser le mouvement d'une roue tournant sur elle-même dans sa pensée. Il perdait le contrôle et il fermait ses yeux toujours plus fort, mais ça ne changeait rien, la roue tournait de plus en plus vite, impossible à ralentir, et c'était la même chose pour ce visage qui, à la manière d'une éponge marine rongée par le temps, ou comme dans un vieux film passé en accéléré, se ridait et se crevassait de l'intérieur. Son père et son grand-père devenaient une seule et même image concave, immobile dans le noir coloré de son imagerie intérieure, et il comprenait qu'il ne pensait à rien d'autre qu'à son père, presque tout le temps, presque en tout temps.

Thomas avait avalé son bol de céréales, célébrant une fois de plus le départ de cet homme, qui les avait quittés six ans plus tôt, avec une grosse gorgée finale de lait qui avait failli l'étouffer. Dans le salon, sa mère avait coupé le son de la télé.

— Ça va, mon cœur ?

— Oui, c'est juste qu'il restait des petits morceaux dans le fond du bol. J'ai bu trop vite. Ça va.

Alors il est descendu de la voiture. Il a fermé la portière en poussant dessus avec les deux mains, s'est regardé dans la vitre, en surimpression sur le siège de cuir, les grands arbres derrière et autour. Les grands arbres aux troncs mangés par la mousse verte qui montait plus haut que lui, plus vieux que l'ensemble des acteurs de cette histoire réunis. Il retardait le moment de regarder dans la bonne direction, mais sa grand-mère s'approchait de plus en plus, sûrement pour lui dire de regarder, pour le lui intimer gentiment mais fermement, avec solennité. Ça ne servait à rien d'attendre plus longtemps. L'asphalte de l'entrée de garage était craqué en plusieurs endroits. La porte du garage était neuve. Les fenêtres étaient neuves aussi. Aux deux étages les volets avaient été repeints, mais le reste des murs semblait s'effriter à vue d'œil. Les arbres étaient grands et puissants, enracinés sous l'asphalte, probablement jusque sous la maison, les racines se lovant autour des tuyaux et créant des sons la nuit, des gémissements. Ça ne servait à rien.

En apercevant l'homme qui les attendait, bien planté sous l'ampoule éteinte de la porte d'entrée de la grande maison centenaire, Thomas s'est souvenu de l'image utilisée par sa mère pour le décrire. Autour de lui, une auréole d'ombre attirait et repoussait simultanément la lumière. Il avait l'air d'un patriarche solitaire et calme, à qui on n'aurait pas encore appris la nouvelle de la mort de son fils unique dans les tranchées, mais en même temps il était un vieil homme affaissé à qui on venait d'apprendre la mort de sa fille unique dans l'océan Atlantique. Les mains enfoncées dans les poches d'un gilet à col relevé, une pipe descendant en angle le long de son menton, il était le genre d'homme qui pouvait convaincre une assemblée de l'intelligence du dessein de Dieu, avec des arguments rationnels et émotifs.

Thomas s'est approché sans volonté, comme happé par une gravité indépendante. La petite lune qu'était sa grand-mère vrombissait à côté, en dehors de son champ de vision. Le moteur de la voiture était éteint, on entendait les insectes former des essaims, se parler entre eux, appréhender le choc. L'homme ne bougeait pas, et la fumée rejetée par sa bouche et ses narines suivait les contours de son visage creusé, avant de disparaître. Il attendait que Thomas avance encore, encore un peu. Il attendait que Thomas fasse quelques pas encore, dans sa direction, pour qu'il comprenne bien qu'il était maintenant sur son territoire, pour qu'il sente bien la fermeté du sol qu'il foulerait désormais, avant de l'accueillir formellement, avec des mots rigides qui sonneraient comme des sommations à comparaître. Tu es ici chez toi. Ici c'est chez moi.

À côté, sa grand-mère s'est allumé une cigarette, et Thomas n'a pas compris comment elle pouvait le faire, puisqu'elle fumait en cachette. Laura lui avait raconté des dizaines de fois que sa mère fumait en cachette de son père, en insistant sur ce trait qui, selon elle, clarifiait sa personnalité, la définissait, permettait de mieux la comprendre, et en même temps mettait en contexte le genre de relation que ses parents entretenaient, teintée de secrets vénaux et d'hypocrisie. Thomas ne comprenait pas comment cette femme pouvait s'allumer une cigarette devant cet homme, comment elle osait poser un geste qu'elle avait caché toute sa vie, en traînant du rince-bouche dans son sac à main, en s'aspergeant d'eau de toilette. C'était un des détails qui revenaient le plus souvent dans les souvenirs de Laura : sa mère fumait une cigarette secrète entre le stationnement où elle garait la voiture et la porte d'entrée du centre commercial, un rituel qui l'avait marquée. Jamais elle n'avait dit à sa fille qu'il fallait que ça reste entre elles, mais Laura savait très bien à quoi s'en tenir.

Et voilà que Thomas se retrouvait entre deux fumeurs, entre une pipe et une cigarette, et des volutes de fumée qui ne se rendaient pas à ses narines mais qui teintaient l'air. Sa grand-mère la soufflait avec vigueur. Son grand-père la laissait s'échapper et ça lui sortait du visage en spirales opaques. Il se trouvait entre les deux. Personne ne disait rien. La nature bruissait, ou c'était peut-être un avion très haut dans le ciel, qu'il ne pouvait pas apercevoir à cause de la cime des grands ormes.

III

Avril 1998

Woodmore – Avondale

L'immense majorité des faits de la vie de Thomas Langlois sont de l'ordre de la banalité et du vraisemblable quotidien, malgré l'aspect qu'ils prennent ici, narrés par nous et compris à travers le filtre de notre imaginaire lointain et spéculatif. Pour le reste, se voir en lui n'est pas difficile, puisque les peurs et les émotions qui l'ont amené jusqu'ici sont les nôtres, les mêmes, semblables à mille autres, celles qu'on ressent au sortir de l'enfance, de l'adolescence, la peur de grandir sans l'appui de nos parents, rejetés ou disparus. Bien sûr, on a choisi de raconter la fuite de son père et la mort de sa mère, par désir de creuser et d'aller à l'essentiel d'une expérience, mais cela ne change rien à la monotonie de son existence durant les dix-huit années que résument les pages qui précèdent.

On aurait pu parler aussi de ces milliers d'autres jours où rien ne s'est passé, à Chattanooga, quand Thomas y grandissait, de plus en plus seul et concentré en lui-même. Des journées entières qui, à force de s'accumuler, finissaient par devenir la même, la même journée, toujours, avec le même ciel qui se dégageait vers la fin de l'après-midi pour laisser paraître le soleil, et le retour à la maison en passant par les petites rues longeant le chemin de fer. On aurait pu parler des tentatives de collectionner des objets hétéroclites, de trouver le lien qui les unissait. Du changement de couleur des feuilles, et de la même immense pierre coupée en deux sur le terrain d'un inconnu, croisée durant des années, en revenant de l'école ou d'une expédition en forêt, dans les boisés au sud de la rivière. Une immense pierre de taille, coupée en deux par la force d'une machine ou de la nature, d'un éclair ou d'une scie gigantesque. Thomas n'avait jamais posé la question à personne : comment une pierre pouvait-elle être coupée comme ça, en ligne droite, une fente droite au milieu ? Et la pierre était déposée sur le terrain à un endroit précis, pour faire joli, pour créer un décor, une scène. Il avait croisé cette pierre presque chaque jour durant quatorze ans, avant de changer de quartier, en marchant, en pensant, en réfléchissant à des choses. Parfois il la remarquait, s'arrêtait presque un instant, mais souvent il ne la remarquait pas. Elle avait fait partie de sa vie et permettait aussi de nous la faire comprendre, peut-être même plus que certains événements dramatiques créant une coupure nette entre un épisode et un autre. Durant des années aussi il avait capturé des insectes vivants, comme tout le monde, les avait placés dans des jarres et avait observé leur comportement, ce qu'il cherchait à voir, comme de la détresse, les pattes bougeant plus vite sur le verre transparent, incapables de s'agripper, les antennes pointant dans toutes les directions. Il finissait par libérer l'insecte et reposait la jarre sur le comptoir, en se rendant compte un jour ou l'autre qu'il n'avait plus le même point de vue sur celui-ci. Hier, avait-il l'impression, il voyait le comptoir d'en dessous, aujourd'hui il le surplombait. C'était une observation sur le fait qu'il avait grandi, sur le temps qui passe sans qu'on s'en aperçoive, sur le fait que les jours passent et finissent par se ressembler, comme deux phrases prononcées en même temps, et dont la signification se brouille. Il essayait d'articuler ce qu'il ressentait, mais en même temps il se contentait de toucher le comptoir et de hocher la tête, convaincu de quelque chose sans trop savoir quoi.

Dans la vie de Thomas Langlois, ces deux événements qu'on a racontés, tragiques et insolites, figurent donc comme des phénomènes inexpliqués, de ceux qui surviennent quand il n'y a pas de témoins, et qu'on essaie de décrire à nos amis incrédules, sans succès. Personne n'était là pour constater leur importance, leur juste valeur, alors on les dissimule afin qu'ils ne nous définissent pas et de ne pas y être associé. Thomas se disait que ses grands-parents étaient là, quelque part en dehors de son champ de vision, qu'ils l'avaient accueilli, mais qu'il n'en était pas moins seul pour comprendre et tirer des conclusions, sur l'absence, sur la mort, sur le manque, sur les souvenirs devenant de plus en plus flous, s'étiolant comme des méduses dans l'eau profonde.

Grandir seul, comme nous, Thomas avait commencé à le faire dès le départ de son père, se retranchant de plus en plus dans son imagination ignée, s'accrochant à Laura comme à une bouée, mais comprenant instinctivement que cette dernière n'avait aucune envie qu'on la réduise à ça. Il ne voyait jamais personne, n'avait pratiquement pas d'amis, mais, de son côté, sa mère avait recommencé à porter des jeans serrés et des verres de contact. Elle était belle, pourquoi pas ? Il n'avait rien à lui reprocher. Pour Thomas, le départ d'Albert ne changeait rien, ne modifiait en rien sa personnalité. À partir de maintenant, il y avait cette chose en moins dans sa vie, dont il reconnaissait l'importance, dont il ressentait le manque souvent, mais qui ne l'avait pas personnellement « libéré d'un poids », comme le disait sa mère, au téléphone avec son amie Mary.

Laura avait recommencé à porter des vêtements qu'elle avait laissés au fond de sa garde-robe pendant des années. Thomas ne se rappelait pas les avoir jamais vus. Des jeans déchirés aux genoux, des blouses avec des paillettes dorées. Il allait se coucher pour être en forme et ne pas dormir debout à l'école, et juste avant de s'endormir, dans un état trouble où il s'écoutait respirer par la bouche sans vraiment s'en rendre compte, il l'entendait sortir par la porte de côté, donnant sur la cuisine. Le bruit rouillé de la moustiquaire, un ou deux bruits secs de talons hauts sur le plancher, elle était dehors, démarrait la voiture. Durant cette période, surtout dans les dernières années avant sa mort, elle s'était mise à sortir de plus en plus souvent, la nuit, mais elle n'avait jamais manqué un déjeuner avec lui. Leurs déjeuners étaient comme des extensions silencieuses de leurs soirées, comme s'ils avaient passé la nuit ensemble à attendre que le soleil se lève et que, la gorge enrouée, ils observaient maintenant leur routine sans que Laura ressente le besoin de se justifier.

Avec sa mère il passait des soirées à discuter à sens unique sur le divan du salon, des soirées entières où elle lui parlait et faisait comme s'il lui répondait. Elle disait oui, tu as raison, je le sais, oui, c'est ridicule mais. Elle disait qu'est-ce que tu voulais savoir déjà, j'ai perdu le fil là, OK, attends voir que je t'explique. Elle parlait pour les deux, et Thomas ne s'en plaignait jamais, pourquoi s'en serait-il plaint ? Ils passaient des soirées entières ensemble et il aimait sentir leurs poids conjugués aplatir les coussins du divan, Laura avec ses jambes repliées sous elle, lui assis en indien bien tourné vers elle, un grand verre de lait dans les mains. Il revenait de l'école à cinq heures moins quart, elle arrivait du travail, épuisée, toujours épuisée, à six heures et demie, elle réchauffait des plats au micro-ondes en appelant Mary juste pour lui dire qu'elle était bien rentrée, elle soupirait d'un mélange d'aise et de fatigue qu'il avait du mal à circonscrire. Ils buvaient du lait sous les lumières tamisées et parlaient d'une autre famille, qui avait éclaté un jour, juste avant sa naissance, mais quand même un peu à cause de lui, ou à cause de l'idée qu'on se faisait de lui à l'époque.

En arrivant chez ses grands-parents, il avait pris le contrôle de sa solitude, si normale, en un sens : en équilibre, solide sur ses jambes, il s'était laissé emporter par le flot et il était devenu un jeune homme assez confiant, sans complexe majeur, sans affinités avec ses tuteurs mais ressentant une forme de vague respect pour eux, pour leur posture vieillissante mais encore imposante sous plusieurs aspects. Ni son grand-père Wright ni sa grand-mère Josephine n'étaient les monstres d'imbécillité que Laura lui avait décrits. En fait, même s'il comprenait ce que sa mère avait voulu lui communiquer, Thomas leur trouvait parfois des qualités secrètes, comme la discrétion, le sérieux, ou une sorte d'austérité, qui le rassuraient, qui s'harmonisaient bien avec sa personnalité. Ça lui rappelait son père, et même si leurs visages évidemment ne se ressemblaient pas, il y avait chez son grand-père, dans sa façon d'utiliser une chaise berçante pour fixer l'horizon à travers la fenêtre, quelque chose d'Albert qui survivait, comme à rebours. Thomas avait eu peur de lui pendant plusieurs jours, mais la force de l'habitude avait pris le dessus. Maintenant, à dix-huit ans, il ne parlait pas beaucoup à ses grands-parents, qui n'étaient pas bien plus que les deux piliers principaux de l'architecture de la maison dans laquelle il vivait et qui sans eux se serait probablement effondrée, mais il les respectait d'une certaine manière. Ils se croisaient en bas des escaliers ou, souvent, dans la salle à manger, et Thomas les regardait continuer à vivre et à se soutenir l'un l'autre, et il les admirait, d'une certaine façon. Oui, ça s'approchait de l'admiration. Dès qu'il pensait à sa mère il avait honte, mais c'était plus fort que lui. Certaines choses le laissaient admiratif.

Par exemple, Wright marchait avec le dos si droit que le sommet de sa tête touchait presque encore le plafonnier du couloir, malgré ses soixante-douze ans et les dizaines de raisons qu'il aurait pu trouver de se courber. Thomas l'observait du coin de l'œil et se rappelait que ce n'était pas si vieux, soixante-douze, mais les cheveux d'un blanc pur disaient le contraire, et la moustache taillée aussi. Wright se déplaçait dans la maison avec assurance et aplomb, son pas n'était ni glissant ni rampant. Il n'était plus le pasteur principal de la congrégation méthodiste depuis presque dix ans, mais continuait de se rendre à l'église chaque mercredi, chaque samedi, chaque dimanche, dans une énorme Buick aux sièges capitonnés qui lui demandait de boucler sa ceinture avec une voix féminine. Le matin très tôt, bien avant que Thomas ne parte pour la polyvalente, il se levait, dans le noir de septembre, à l'aube, se rasait, se coiffait avec un peigne de plastique noir qu'il gardait sur lui. Thomas, dans un demi-sommeil, l'entendait se racler la gorge dans la salle de bain, une seule fois, un son long et rocailleux. Il l'entendait descendre l'escalier principal, sortir sans rien avaler et démarrer la voiture. Dans ces moments-là, il s'imaginait ce que sa mère avait pu ressentir durant son enfance et son adolescence, en présence de cet homme droit qui avait écrit des articles dans les journaux de la paroisse, mais dont elle était trop jeune pour comprendre le sens réel. Des articles sur l'avortement, sur la contraception chez les filles comme elle. Des articles ayant fait sa notoriété, son visage imprimé en noir et blanc, qui la rendait fière et qui plus tard la rendrait honteuse. Thomas l'écoutait s'en aller, écoutait le signal électronique de la portière ouverte de la voiture, jusqu'au claquement sec et étouffé, et avait du mal, beaucoup, à réconcilier la honte transmise par Laura d'être le petit-fils d'un homme dévot, intolérant et raciste avec l'affection qu'il ressentait pour cet homme stable, solidement ancré dans le sol, dont les jambes et la colonne vertébrale semblaient si inflexibles.

Josephine non plus ne correspondait pas exactement à l'image qu'il s'en était faite. Peut-être à cause de la ressemblance avec sa mère qui sautait aux yeux au point où il était toujours un peu triste quand il était avec elle et se disait qu'elle aussi devait l'être quand elle se regardait dans le miroir. Elle portait des vêtements élégants, souvent sombres, bien agencés. Ses manières n'étaient pas brusques. Le ton de sa voix était posé, ses yeux étaient un peu inquiets, même quand elle souriait. Thomas aimait bien discuter avec elle parce qu'elle lui rappelait la manière unilatérale que sa mère avait de dialoguer avec lui. Avec Jo c'était un peu différent, toutefois : elle le laissait parler mais anticipait ses réponses. C'était une manie désagréable qu'elle avait et un don fascinant, qui l'intriguait et qu'il se surprenait à tester. Attablés le midi ensemble, alors que Wright était ailleurs, ils mangeaient et parlaient de tout et de rien, de l'école ou des gens qu'ils fréquentaient, des connaissances encyclopédiques qu'ils avaient en commun, et parfois Jo prononçait les mots qu'il allait dire avant même qu'ils ne sortent de sa bouche. Parfois elle se trompait d'intonation, ou elle insistait sur la mauvaise syllabe, échangeait le je pour un tu, lui laissant la paternité de l'idée, mais ça ne changeait rien. Elle disait ce qu'il allait dire avant qu'il ne le dise et disait yes, I know, oui, tu as raison. La bouche ouverte sur le vide de l'évidence maintenant énoncée, Thomas essayait de se souvenir si sa mère faisait la même chose, mais il était persuadé que c'était différent. Quand elle ne le faisait pas, Jo le laissait s'exprimer, mais sa manière de hocher la tête dépassait la simple approbation, ou la compréhension : sa manière de hocher la tête confirmait qu'il avait dit ce qu'il était censé dire, il ne s'était pas trompé. Ils s'assoyaient sur les tabourets du comptoir, tressés, sans dossiers, et ils fixaient souvent le mur au-dessus de la cuisinière, comme deux sages qui y auraient cerné un sens révolu. Jo était calme la plupart du temps, très calme, et Thomas aimait voir son menton reposer dans la paume de sa main, son coude sur le comptoir, une femme sans âge précis, élégante et sobre, qui l'appelait sweetheart sans réfléchir. Comment aurait-il pu lui en vouloir ? Elle n'était pas hystérique et, dans son regard soutenu, il n'arrivait pas à discerner d'hypocrisie.

Depuis son arrivée, il dormait dans l'ancienne chambre de Laura, entouré de fanions bleu et gris des Buccaneers de Boyd-Buchanan School, l'école privée que sa mère avait fréquentée jusqu'à la fin du secondaire. Lui allait à Brainerd High, à quelques coins de rue à l'est, il marchait jusque-là chaque jour. Avec ses grands-parents, il ne parlait jamais de Laura, ni d'Albert, ni de sa jeunesse avec eux. Après être descendu de la voiture, ce jour-là, quatre ans plus tôt, après s'être fait expliquer où il allait dormir par Josephine, il avait serré la main de son grand-père les attendant sur le seuil, ou plutôt il avait répondu machinalement à la main tendue de ce dernier, approchant la sienne par pur effet gravitationnel, et on n'avait plus parlé de Laura Howells, même si elle était présente dans la pièce où il vivait la plupart du temps, même si son absence se retrouvait quelque part dans le silence de la maison, parfois. On n'avait plus pleuré. Ses grands-parents étaient allés récupérer des effets personnels, mais ils ne lui en avaient pas parlé. S'il n'était pas un jour tombé par hasard sur le passeport gondolé de sa mère, il ne l'aurait jamais su. Son deuil s'était fait dans la quiétude et la stabilité d'une maison bien enracinée dans le sol, aux murs stables. Thomas n'arrivait pas à ne pas respecter ça.

Il détestait tout ce qu'il y avait de religieux chez ses grands-parents, mais n'en discutait jamais avec eux. Ce n'était pas un sujet de discorde. Wright et Jo avaient compris instinctivement que leur fille avait réussi à inculquer à Thomas les valeurs étrangères d'Albert Langlois, cette sorte de catholique français athée qui leur avait plusieurs fois manqué de respect, à leur propre table, sous leur toit, en remettant en question certaines évidences. Contrairement à ce que Thomas avait craint en arrivant chez eux, surtout après la prière de Josephine dans la voiture, Wright n'avait jamais insisté pour qu'il le suive à l'église, ou pour qu'il s'agenouille au pied de son lit avant de se coucher. Lors du bénédicité, Wright fermait les yeux pour ne pas voir que Thomas ne fermait pas les siens, ne prononçait rien avec lui, et qu'il ne joignait pas les mains. Wright ne disait presque rien à Thomas. Josephine lui parlait beaucoup plus, mais jamais pour lui dire de prier. Elle l'avait fait une fois, ne l'avait plus refait.

À quatorze ans, Thomas avait rêvé de devenir paléontologue, ou quelque chose d'autre finissant en « logue » et qui avait à voir avec des fossiles ou des artéfacts très vieux, qu'on retrouvait sous des couches de terre et de boue mouillée. En passant des heures à vérifier la racine étymologique du suffixe, logue, logos, logique, il avait eu l'impression qu'au fond, il voulait peut-être devenir philologue, même s'il comprenait à mesure que le terme n'existait plus vraiment, et qu'il faisait référence à des hommes au visage poudré, probablement ceux qui avaient réussi à convaincre son père que les années bissextiles annulaient les anniversaires. À dix-huit ans, il ne rêvait à rien de particulier, mais n'était pas inquiet pour autant. Ses bonnes notes lui avaient garanti d'être admis à l'université et les choix d'avenir se multipliaient. Il aimait autant les mots que les chiffres et il pouvait calculer les distances en claquant des doigts. Il était de ceux, rares, pour qui « cosinus » était plus qu'un mot étrange de trois syllabes, appris par cœur et oublié dès la fin des classes.

En général, on le trouvait sympathique, malgré son visage souvent sérieux, absorbé. Il pouvait parler avec n'importe qui, à des gens venant de milieux différents, surtout les adultes. Quand on le voyait s'éloigner, dans la lumière du soleil couchant, l'impression qu'il nous donnait, c'était qu'il irait loin. On se disait que, pour un jeune homme qui a été abandonné par son père et qui a perdu sa mère dans des circonstances tragiques, il a l'air de bien s'en sortir. On se disait qu'il ne se laisserait pas abattre. On se disait qu'il avait bien vieilli, qu'il avait l'air quand même épanoui, avec ses cheveux toujours propres, peignés, son style vestimentaire sobre et ses habitudes alimentaires saines. On n'avait jamais entendu dire du mal de lui. Ses amis se comptaient sur les doigts d'une main, mais qui pouvait vraiment prétendre en avoir plus ? Il avait une seule véritable amie, une seule personne avec qui il pouvait lui-même juger adéquatement de ses forces et de ses faiblesses, de ses réussites et de ses échecs et aussi de ce que l'avenir lui réservait.

Une des choses qu'on doit savoir dès maintenant, à propos de la vie de Thomas à cette époque, entre la mort de Laura et sa fuite dans les montagnes vers nos contrées, c'est qu'il avait gardé contact avec Mary, la meilleure amie de sa mère, sa collègue de la bibliothèque municipale. À peine quelques semaines après la nouvelle du décès de Laura, Mary s'était présentée à la nouvelle école de Thomas et l'avait attendu à la sortie, adossée à sa Cabriolet dans la fraîcheur de la fin d'après-midi. Elle lui avait dit de toute façon le chauffage ne fonctionne pas. Elle lui avait dit à quel point elle était triste et sa phrase était si directe et si sincère que Thomas s'était mis à pleurer avec elle, devant plusieurs élèves qui sortaient de la cour et qui montaient dans des autobus scolaires. Elle l'avait pris dans ses bras et il avait compris que c'était exactement ça qui lui manquait depuis l'accident. Une main dans ses cheveux, celle-là plus qu'une autre. Quand il était plus jeune, Mary venait à la maison parfois, il connaissait bien sa voix, son rire, et il l'aimait énormément, parce qu'elle ne prenait jamais sa place sur le divan, elle avait toujours préféré la cuisine. Entre elle et lui, il ne sentait aucune compétition : ils ne luttaient pas pour l'affection de Laura, leurs liens et leurs relations avec elle se vivaient dans des pièces différentes.

Il était monté dans sa voiture et elle l'avait emmené manger dans son quartier, à Avondale, dans un restaurant où il était le seul Blanc, où ils avaient commandé des frites et du poulet frit. Ensuite ils étaient allés chez elle et il avait rencontré sa sœur Michelle et son frère Byron. Sur le chemin ils avaient croisé des visages de plus en plus noirs, des centaines de visages de plus en plus foncés, comme si la ville était séparée en secteurs de couleurs, par quadrilatères précis, comme si entre Cleveland et Walker vivaient uniquement des mulâtres, et entre Windsor et Ruby vivaient uniquement des Noirs aux traits africains, descendants de Nigériens et d'Angolais. Mary lui avait présenté sa sœur, son frère et quelques adolescents dont il n'arriverait jamais à se rappeler correctement les noms, qui étaient assis sur les marches du perron, qui se faisaient des tresses ou roulaient des cigarettes, et ils étaient entrés. Dans une chambre au fond de la maison, les deux installés sur le lit, Mary lui avait montré des photos et avait insisté pour lui remettre une broche argentée que sa mère avait oubliée ici une fois. Thomas avait voulu refuser, mais Mary avait insisté. Il avait dit :

— Tu devrais la garder. Elle aurait aimé ça que tu la gardes, non ?

— Non. Elle aurait voulu que je te la donne, que tu viennes ici pour que je te la donne, pour que j'aie une excuse pour te faire venir ici, qu'on puisse parler d'elle, ensemble.

— Tu penses ?

— J'en suis certaine. Et de toute façon, faut pas que tu croies que je te laisse ce qui est le plus important pour moi.

Elle avait souri et la pièce s'était illuminée. Thomas n'avait jamais regardé quelqu'un de cette manière. Elle s'était levée une autre fois, pour aller vers la commode au fond de la pièce, sur laquelle était posée une radio. Elle avait appuyé sur un bouton et était revenue s'asseoir près de lui avec une cassette dans la main.

— Tu vois, ta mère m'a aussi légué quelque chose, et ça je le garde pour moi, comme ça on aura tous les deux notre souvenir personnel. Là-dessus, il y a toutes les chansons qu'on adorait écouter ensemble, qu'on chantait dans la voiture en allant travailler, ou quand on se préparait à sortir. Il y a de tout, il y a les Supremes, les Doors, il y a A Tribe Called Quest, un peu de tout. Aimes-tu la musique ?

Mary travaillait à la bibliothèque depuis les débuts, elle avait aidé à instaurer des programmes de participation citoyenne, des soirées de contes, des choses comme ça. La plupart de ses initiatives étaient populaires. Elle souriait et les lumières s'allumaient dans la pièce. À une certaine époque, après le départ d'Albert, elle et Laura s'étaient rapprochées, étaient devenues très intimes, et Thomas aimait beaucoup quand elle venait à la maison. Dans ces moments-là ils commandaient souvent de la pizza et elles l'aidaient à faire ses devoirs en déclamant les réponses comme dans des pièces de théâtre, avec des voix empruntées. Mais jamais sa mère ne l'avait emmené ici.

En montant les marches du perron de la petite maison à un étage de l'avenue Roanoke, suivant

Mary de près, il n'avait perçu aucune animosité dans les yeux des jeunes garçons et des jeunes filles en train de flâner sous le soleil descendant. Il avait levé la main pour dire bonjour et avait reçu leurs salutations avec soulagement, sans trop comprendre pourquoi. Sur le chemin du retour, dans la Cabriolet de Mary, il avait pensé à son grand-père et ses joues s'étaient mises à picoter. L'histoire n'était pas une de ses matières préférées, parce qu'il s'intéressait aux roches, aux montagnes et au fil sinueux des rivières, mais l'histoire pesait sur ses épaules en ce moment, dans le ciel rose du début du mois de mai, et il avait du mal à saisir pourquoi, exactement pourquoi. Ça avait à voir avec les cheveux blancs de son grand-père, avec la croix de la Confédération qu'il voyait flotter devant certaines maisons près de chez lui. Ça avait à voir avec une fierté austère aux cheveux blancs, avec des gens qui parlaient du passé et de l'histoire avec du feu dans les yeux, qui oubliaient d'avaler leur salive. Ce n'était pas sa matière forte, parce qu'il était persuadé que, contrairement à la géologie et aux strates, l'histoire n'existait que pour s'effacer à mesure et permettre aux hommes de passer à autre chose. Les drapeaux et les frontières disparaissaient, mais les plateaux et les vallées laissaient des marques. Il serrait la broche de sa mère dans son poing et Mary roulait vite.

Après cette première excursion dans Avondale, il était retourné souvent chez Mary, et depuis quelques années, il venait par ses propres moyens. Il prenait l'autobus et marchait seul dans les rues, même tard le soir. C'était devenu normal pour lui très rapidement. Les jeunes du coin le connaissaient, il était devenu « Thomas Jefferson » pour un des gamins, particulièrement volubile, qui traînaient sur les marches ou s'adossaient à la clôture de métal séparant les terrains. Thomas avait longtemps réfléchi à ce qu'il pouvait répondre et il avait finalement opté pour « Frederick Douglass », même s'il n'avait aucune idée du nom du garçon. Ça l'avait fait rire, il avait compris la référence, c'était ce qui comptait. Quand Thomas le croisait, il avait le sentiment de partager quelque chose avec lui, une sorte d'érudition secrète, doucement ironique, que personne d'autre qu'eux ne pouvait déchiffrer. Quand il entrait chez Mary, elle disait hey my big man, même s'il n'avait que quinze ans, et ensuite seize, et ensuite dix-sept. Il passait la porte toujours grande ouverte, même la moustiquaire, en faisant attention à ne pas marcher sur le seuil un peu décrépit, et il suivait la lumière pour trouver le sourire de Mary, dans une des pièces. Parfois elle disait hey honey. Elle avait au moins quinze ans de plus que lui.

Ses grands-parents n'étaient pas au courant de sa relation avec l'ancienne amie de sa mère. Pourquoi l'auraient-ils été ? Il ne leur avait pas parlé de sa première excursion ni des suivantes. Wright et Jo ne se mêlaient pas de ce qu'il faisait après l'école. L'été lui appartenait en entier. Souvent, quand il partait de la maison, après avoir mangé en silence, sa grand-mère s'allumait une cigarette dehors en le regardant s'éloigner. Elle se disait qu'il irait loin.

Mary et lui n'avaient jamais eu de contacts physiques autres qu'amicaux et accidentels, affectueux et innocents, aurait-elle dit. Thomas n'en espérait pas plus, mais il ne regardait personne comme il la regardait, n'écoutait personne comme il l'écoutait. Il portait attention à peu de choses, mais quand elle ouvrait la bouche pour parler, ou qu'elle lui faisait signe d'approcher, il était aussitôt disponible, attentif, attentionné. Elle était sa seule véritable amie et avec elle il pouvait raconter ce qui lui passait par la tête. Elle s'intéressait à ce qu'il avait à dire, aux informations qu'il cherchait à véhiculer. Quand il parlait des astéroïdes, ou qu'il lui décrivait les pluies de perséides dans le ciel de la fin août, elle fermait les yeux et il l'entendait soupirer à ses côtés, pas par ennui, plus par bonheur, par contentement. Il le savait d'instinct, la preuve c'est qu'il n'avait jamais eu besoin de lui demander pourquoi elle soupirait.

Au fil des ans, il s'était établi une routine entre eux, une manière d'être ensemble qui leur convenait. Elle n'était pas son amoureuse, mais elle n'était pas sa gardienne non plus. Thomas avait rempli ses papiers d'inscription à l'université chez elle, en sa compagnie. Elle l'avait aidé à choisir entre les différentes institutions qui lui offraient une bourse d'études. Parfois, il pouvait passer des journées entières dans Avondale, ou plus à l'ouest dans Martin Luther King, pas si loin de son ancienne maison, à discuter avec Mary, ou avec d'autres personnes qui, lui semblait-il, l'acceptaient sans réfléchir, même s'il venait d'un autre coin de la ville, où d'immenses arbres donnaient à croire que les habitants étaient là depuis des millénaires. Personne ici ne le regardait du coin de l'œil, avec méfiance ou avec mépris. Les gens souriaient à son passage. Sa présence ici était justifiée, comprise, intégrée, normale.

Or, ce qui est arrivé ce jour-là, le matin du 4 avril 1998, sort de l'ordinaire au point où on sent maintenant le besoin de marquer un temps d'arrêt et d'insister sur la nature véridique des événements. Le fait de les relater occasionnera une impression de rupture dans la narration de sa vie en raison de leur caractère décisif, instantané. Il y avait un avant, il y a eu un après. Bien au chaud chez nous, dans nos demeures du bord du fleuve, alors que l'hiver s'installe et que la fumée des usines devient opaque dans le ciel bleu acier, on discerne mal les contours de cette journée qui a changé le cours de sa vie à cause, entre autres, de l'éloignement, des mœurs, de la culture, des différentes tensions, qu'on n'a connues que par l'entremise des livres d'histoire et des documentaires. On essaie de se replonger là-dedans, là-bas, dans cette journée chaude d'avril au Tennessee, et on sait que c'est difficile à croire.

Pourtant, c'est bel et bien arrivé, on ne pourrait le nier, les journaux du lendemain en ont parlé, les téléjournaux aussi. Ses grands-parents l'ont appris en même temps qu'ils apprenaient la façon dont il passait ses journées depuis longtemps. Thomas s'est retrouvé isolé, entre deux mondes qui n'arrivaient pas à lui pardonner des actions que lui-même n'arrivait pas à se reprocher entièrement, mais dont il ne niait pas l'ampleur et l'impact. Bien sûr, il s'en voulait d'avoir fait peur à la petite, les conséquences avaient été terribles et elle en porterait les cicatrices, mais la réaction des gens, de part et d'autre, avait été si démesurée qu'il avait dû prendre l'unique décision possible : disparaître dans la nature.

Il était euphorique ce matin-là. Mary et lui avaient passé leur première nuit ensemble, couchés côte à côte sur le grand lit de la chambre du fond. Ils ne s'étaient pas touchés, mais pour la première fois il avait senti une sorte de léger malaise de sa part au moment de réaliser que ce qu'elle venait de lui proposer allait se concrétiser : il est tard, si tu veux tu peux rester coucher ici, j'ai de la place, c'est un grand lit. Il avait relevé la tête de son volume de mathématiques, repoussé ses lunettes sur son nez et simplement acquiescé en écarquillant les yeux, avant de se remettre à penser à des logarithmes ou à des nombres premiers. Mary était debout à côté du four à micro-ondes quand elle lui avait dit ça, une tasse de Cup-a-Soup à la main. Une demi-heure plus tard, en revenant de la salle de bain où elle venait de se changer, d'enfiler des pantalons de pyjama, une camisole sobre, bleue, elle s'était assise sur le lit où il faisait déjà un peu semblant de dormir, sous les draps, sur le dos, les bras le long du corps, immobile à la manière d'un jeune cadavre qui veut à tout prix éviter de déranger. La maison était silencieuse, dehors on entendait parfois un pneu crisser, des gens s'esclaffer. Il n'avait pas téléphoné à ses grands-parents pour avertir qu'il ne rentrerait pas.

Thomas avait regardé l'étiquette blanche qui dépassait de la camisole se dessiner sur la peau de Mary, c'est la dernière chose qu'il avait vue avant qu'elle ne tende le bras pour éteindre la lampe de chevet, et leur première nuit ensemble avait commencé, longue, pleine de demi-sommeils et de questionnements étranges, dont il doutait de l'origine, dont il hésitait à

établir la provenance. Dans sa tête se mélangeaient des notions vagues de mathématiques
appliquées et des images concrètes de cheveux
crépus et de lèvres foncées. Plusieurs fois durant
ces longues heures il avait pensé qu'un verre
d'eau lui sauverait la vie, mais il ne s'était pas
réveillé entièrement et il n'était pas mort non
plus. Sa sueur avait été absorbée par les draps.

Ils avaient déjeuné en silence et il était euphorique sans le montrer vraiment et quand il est
parti de chez Mary, assez tôt le lendemain, il
a croisé plusieurs groupes d'enfants qui marchaient vers l'école le long du boulevard Wilcox,
insouciants de la même manière que lui, un
bol de céréales dans le ventre, une journée
magnifique commençant à peine. Il se sentait
léger comme quelqu'un qui vient d'accomplir
une bonne action, qui vient juste d'aider une
personne âgée à descendre ou à monter un
chariot d'épicerie pesant dans un escalier. Sur
le trottoir il a croisé une marelle dessinée à la
craie et dans le mot HEAVEN il n'y avait aucune
faute d'orthographe.

C'est arrivé brusquement et c'était absurde,
c'était exagéré. À l'intersection de North Orchard
Knob et de Wilcox, quelques minutes à peine
après être sorti de chez Mary avec son sac sur
l'épaule, il a croisé un groupe d'enfants et une
des petites filles marchait à reculons et parlait
d'une voix animée à ses amis. Elle faisait de
grands gestes avec ses bras, en remontant sans
arrêt la bretelle de son sac d'école dispropor-
tionné et en la voyant Thomas a compris qu'elle
racontait une histoire de peur, avec beaucoup
d'émotion, et elle avait du succès, elle y croyait :

elle plaçait ses bras et ses mains au-dessus de sa tête, comme pour imiter un monstre, ou un fantôme. Thomas comprenait, à mesure, en s'approchant, il entrait dans le récit, son sourire grandissait. Elle marchait à reculons avec assurance, sans jamais regarder où elle mettait les pieds. Le trottoir semblait suivre ses déplacements. Sa voix était convaincante, malgré sa taille. On ne sait pas ce qui lui a traversé l'esprit à ce moment-là, mais Thomas a eu le réflexe de participer à l'histoire, d'en devenir le protagoniste. On pense qu'il a cru pouvoir s'intégrer au récit de la petite fille qui marchait à reculons et s'approchait de lui, meneuse d'un groupe d'amis captivés par son récit. On pense qu'il a soudainement eu la première impulsion totalement positive et investie de sa vie, à dix-huit ans, ce matin-là, après une longue nuit avec Mary, une nuit qui inaugurait peut-être quelque chose de nouveau pour lui, quelque chose comme devenir un homme, s'épanouir, mais c'est difficile de juger et de comprendre, parce qu'après ça tout a changé et même ceux qui l'aimaient beaucoup se sont mis à regarder par terre quand il approchait.

La petite reculait vers lui et racontait son histoire et les autres le voyaient s'approcher mais ne disaient rien, captivés par les gestes et les mots de la meneuse. Thomas, quelques pas avant d'intervenir, a placé son index devant sa bouche pour signifier aux autres de garder le silence. Ils sont devenus complices immédiate-ment, deux ou trois ont ouvert la bouche, mais c'étaient des bouches ébahies. Ils portaient tous le même uniforme bleu et blanc, comme s'ils allaient à l'école privée, mais ils marchaient vers l'école publique, un peu plus à l'ouest. D'après les articles de journaux qui ont relaté les événements, ils avaient entre sept et onze ans. Elle en avait huit. Thomas a mis son index devant sa bouche pour que les enfants ne révèlent pas sa présence et on a senti dans l'air une sorte d'électricité, comme avant une farce qui allait fonctionner parfaitement, juste avant que tout le monde n'éclate de rire, ensemble, aux dépens de quelqu'un, mais quand même ensemble. Il l'a laissée reculer encore un pas ou deux et juste au moment où elle levait les bras encore une fois pour imiter le monstre qu'elle imaginait, Thomas a levé les bras aussi et a rugi comme un lion, gigantesque et blond, sur le boulevard Wilcox, sous les arbres chétifs du quartier, dans le soleil de Chattanooga, mais il n'a jamais eu le temps de s'esclaffer avec les six ou huit enfants complètement ahuris devant lui parce que la petite a bondi dans les airs, s'est mise à crier et, dans un réflexe absurde, exagéré, impossible, imprévisible et indomptable, s'est projetée dans la rue, à gauche du groupe, où la limite de vitesse était fixée à quarante miles à l'heure, malgré la proximité de l'école primaire.

Un son déformé et ingrat est sorti de sa bouche une fraction de seconde plus tard quand elle s'est fait frapper par une voiture et qu'elle est presque morte sur le coup, quelques mètres plus loin sur la chaussée. Le choc a été brutal, elle a basculé vers l'arrière et a roulé sur son sac d'école. On ne les décrira pas en détail, mais les images de cette journée aux couleurs criardes et désespérées nous restent dans la tête depuis.

IV

Juin-juillet 1998

Avondale – Woodmore

Voici ce qui est arrivé juste après, quand le temps s'est mis à ralentir et à accélérer dans un même souffle. Les portes se sont ouvertes toutes en même temps sur le boulevard, les portes des maisons, des centaines de portes dans la tête de Thomas, et celle de la voiture, du côté conducteur. Une femme est sortie, a brisé son talon haut sur l'asphalte, et s'est précipitée vers la petite, immobile un peu plus loin, couchée par terre, qui ne bougeait plus du tout. Les cris des enfants se sont mêlés aux crissements des pneus des autres véhicules qui s'arrêtaient pour aider ou pour voir. Quelqu'un a sorti un cellulaire, le centre d'appels du 9-1-1 s'est fait inonder et une ambulance est arrivée quelques instants plus tard, précédée de plusieurs voitures de police. Les gens restaient sur leur balcon, ou descendaient les quelques marches qui les séparaient du trottoir, la plupart encore en pyjama et une main sur la bouche. La femme de la voiture criait dans le visage d'un policier qui tentait de la maintenir debout, fermement, pour éviter qu'elle ne s'effondre. On aurait dit que c'était la nuit, qu'il pleuvait, que les gyrophares brillaient en tournoyant dans la noirceur, mais c'était le jour et il commençait à peine.

Thomas n'avait pas bougé, incapable d'un seul geste, et sa vie venait de prendre une tournure imprévue en quelques secondes. À une dame qui s'est approchée de lui pour lui demander s'il avait vu ce qui s'était passé, tout en essayant de regrouper les autres enfants et en leur disant d'entrer chez elle pour attendre leurs parents, il a dit que c'était de sa faute. Il l'a chuchoté et elle s'est retournée vers lui pour dire *quoi*, les bras autour des épaules de deux fillettes qui avaient de la difficulté à marcher. Il regardait la scène d'horreur, l'événement tragique qu'il venait de causer, ses yeux perdaient le focus, les distances se brouillaient et tout devenait un ensemble de couleurs désunies, plaquées sans profondeur sur un canevas. Il ne s'était jamais évanoui mais il sentait que ça s'en venait, que c'était proche de s'en venir, comme une sensation chaude dans ses chevilles et dans son crâne en même temps. Il a répété c'est de ma faute, pour retrouver la focalisation, en prononçant les mots incriminants, honnêtes, les seuls possibles. La femme, aidée par d'autres voisines, a poussé les derniers enfants à l'intérieur, la porte à trois pas de l'action, et elle s'est rapprochée de Thomas en lui posant une main sur l'épaule. Il a avalé sa salive sèche et répété encore une fois :

— C'est de ma faute. Je lui ai fait peur par en arrière.

— Chut. Mais non, c'est un accident.

— Non, je lui ai fait faire un saut. Par exprès. Je lui ai fait faire un saut en criant derrière elle.

— Quoi ?

— Elle reculait en racontant une histoire et j'ai fait signe aux autres de pas lui dire que j'étais là et j'ai crié pour lui faire peur et la faire rire.

— Oh my God.

Comme les autres, elle a mis sa main devant sa bouche en murmurant ces mots, la main qui était sur l'épaule de Thomas. Elle l'a enlevée lentement, pendant qu'il expliquait, et l'a placée devant sa bouche. Elle avait la peau brune comme celle de Mary, des yeux foncés. Un des policiers qui déroulait un long ruban jaune s'est approché d'eux, il avait la peau noire, il a demandé à Thomas qui il était, ce qu'il faisait ici, ce qu'il avait vu. Thomas a répété la même chose, avec les mêmes mots, la même expression dans son visage neutre et son regard vidé, son cœur juste à la frontière de sa gorge et de sa bouche, appuyant sur son diaphragme et sa luette simultanément. Le policier a changé son expression faciale, il s'est retourné vers un collègue et a crié son nom pour qu'il s'approche. L'autre s'est approché, avec sa peau noire et ses yeux injectés de sang, comme s'il n'avait pas dormi de la nuit, comme s'il avait passé la nuit à rêver à cette petite fille qui allait se faire écraser dans quelques heures. Il s'est approché et les deux se sont parlé sans que Thomas puisse entendre, ou veuille entendre. Les voisins continuaient à sortir et à entrer, à sortir de leur maison pour voir, à rentrer pour téléphoner ou pour ouvrir la télévision afin de mieux comprendre, parce que les journalistes arrivaient et sortaient leur équipement. Tout le monde était noir, les ambulanciers qui poussaient la civière où reposait la petite fille, les conducteurs arrêtés autour qui parlaient dans leur cellulaire, les voisins qui se faisaient dire de reculer par des agents, les journalistes et les preneurs de son, les caméramans. Les enfants étaient tous noirs et la petite fille avait des tresses et des boucles en soie pour les retenir, une jaune et une rose, et aussi Thomas avait l'impression qu'elle portait des lunettes, mais là-bas, pendant que des hommes noirs la plaçaient sur la civière, elle n'en portait plus. Il n'en était plus certain, il ne l'avait pas vraiment vue de face, elle n'avait pas eu le temps de se retourner au complet, à peine un demi-tour stoppé, une arabesque de peur bloquée par la voiture arrivant sur la chaussée. Dans les jours suivants, personne ne lui demanderait de détails sur ce qu'elle portait ce jour-là, ça ne ferait pas partie de l'enquête, mais c'était de ça qu'il aurait envie de parler, parce qu'il s'en rappellerait. Son visage resterait flou, mais il se rappellerait ses vêtements, la couleur et les tissus.

Juste avant que la mère de la petite fille n'arrive en courant, en hurlant et en pleurant, prise d'hystérie et insistant pour savoir exactement ce qui s'était passé, cherchant la femme qui avait roulé sur sa fille, les deux policiers ont demandé à Thomas de bien vouloir les suivre, précisant qu'ils avaient des questions à lui poser, et qu'ils apprécieraient sa coopération. Thomas était encore figé et ils ont répété, l'un d'eux a demandé s'il comprenait ce qu'ils venaient de dire, Thomas a fait signe que oui, sans regarder dans la bonne direction. Ils l'ont emmené au poste de quartier dans une voiture bleue et blanche, pour l'interroger et tirer toute cette affaire au clair.

Dans les journaux du lendemain, on en discutait, plusieurs entrevues avec des témoins

révélaient des points précis, offraient différents angles de vue, mais la majorité des gens
à Chattanooga savaient ce qui était arrivé
parce que les chaînes d'information en continu
s'étaient mises sur le dossier à peine quelques
minutes après l'événement. La petite fille avait
été transportée immédiatement à l'hôpital, où
elle reposait dans un état stable. Elle s'appelait
Keysha-Ann. On parlait de contusions, de lacé-
rations, de commotion, d'impact amorti par les
livres scolaires, de vitesse réduite et de conduite
consciencieuse. On parlait d'un terrible accident,
où il n'y avait que des victimes, la conductrice
n'avait rien pu faire, le pauvre jeune homme
qui avait voulu faire une mauvaise blague était
puni par le sentiment de culpabilité incommensurable qui devait l'assaillir au moment où on se
parlait. Il avait été emmené au poste de police
et ensuite à l'hôpital où on craignait un choc
nerveux. Les autres enfants allaient bien. La
petite s'en sortirait. Les spécialistes répétaient
qu'elle s'en sortirait et tout à coup, le lendemain,
à partir d'une certaine heure de grande écoute,
très tôt le lendemain matin, une autre sorte de
spécialiste, tenant une autre sorte de discours,
un révérend à la stature impressionnante, est
venu sur un plateau de télé, puis un autre, pour
poser la question qui brûlait toutes les lèvres,
que personne n'osait poser dans une ville comme
Chattanooga, trônant honteusement au sommet
du palmarès national des crimes sur la personne,
dans un État comme le Tennessee, dans un
pays supposément libre et égalitaire comme les
États-Unis d'Amérique : pourquoi était-ce arrivé
dans ce quartier en particulier, posez-vous la

question, pourquoi la victime était-elle noire, comme d'habitude, et qu'est-ce que ce jeune homme blanc venait faire loin de son quartier aisé du nord de la ville, loin de son école privée, pourquoi encore une autre jeune victime noire, une de plus, dans une ville qui comptait plus de mille quatre cents crimes violents par année, un incroyable quatre-vingt-quatre pour cent de ceux-ci commis par et sur des personnes de race noire, posez-vous la question, regardez-moi dans les yeux et répondez à cette question, qu'avait ce jeune homme blanc à venir faire des grimaces dans le dos d'une innocente petite fille de race noire ? L'animatrice hochait la tête en écoutant l'expert, qui pointait son index vers le haut et le frappait sur la table ensuite, et répétait le geste, et ça lui donnait une grande autorité. Les gens l'écoutaient en silence, devant leur télévision, et plus tard le soir ses propos seraient repris sur plusieurs tribunes. Thomas était sorti de l'hôpital après quelques examens et des journalistes avaient voulu lui parler. Il était rentré à la maison dans la voiture de sa grand-mère et des journalistes l'attendaient dans la petite rue boisée. On voulait savoir ce qu'il faisait dans un quartier à prédominance afro-américaine ce matin-là, ce qu'il faisait sur le boulevard Wilcox juste avant le début des classes. On voulait savoir ce qui lui était passé par la tête, on voulait s'expliquer son impulsion, on voulait savoir s'il n'y avait pas une dose de cruauté et de, oui, de racisme derrière son geste, et il avait louvoyé jusque dans la maison en évitant d'ouvrir la bouche, sonné par la force de certaines questions dirigées droit vers lui.

Le jour suivant, c'était clair, il était désormais un indésirable dans Avondale.

Wright avait parlé d'avocat en premier. Il connaissait des gens compétents. La petite allait s'en sortir, elle n'était que blessée, mais mieux valait prévenir que guérir, mieux valait connaître le plus tôt possible les options qui s'offraient à nous. Wright avait accueilli Thomas en le serrant presque dans ses bras, il avait senti que son grand-père s'était presque avancé pour le serrer. Il avait vu Josephine se diriger vers la cour arrière pour fumer une cigarette. C'était la première fois qu'elle faisait ça, c'était pour éviter les journalistes devant la maison. Thomas était à peine entré dans le vestibule que Wright parlait d'un ami avocat qui saurait les conseiller, surtout pour cette histoire de supposé racisme latent, complètement absurde et qui prenait des dimensions grotesques avec le discours politiquement correct qui commençait à envahir les ondes. On aurait dit qu'on s'était passé le mot, personne ne s'arrêtait pour réfléchir. Thomas n'avait rien à craindre, Wright connaissait un bon avocat qui saurait les guider et les conseiller, l'important c'était qu'il reste tranquillement à la maison en attendant que ces agités se calment et que la tension redescende. Il parlait souvent en regardant à travers la fenêtre, le dos tourné, comme un vieil homme à la retraite qui s'inquiète de l'avenir du voisinage.

La petite fille était sortie de l'hôpital et les journalistes s'étaient intéressés à d'autres affaires pressantes, ils étaient restés quelques jours devant la maison des grands-parents de Thomas, avaient tourné un reportage sur la mort de sa mère en 1994 dans l'accident d'American Airlines dont tout le monde se souvenait très bien, quand l'avion s'était abîmé en mer, entre JFK et Charles-de-Gaulle. Il y avait eu, on s'en souvenait comme si c'était hier, plusieurs centaines de victimes, dont la mère de Thomas Langlois, une certaine Laura Howells, employée de la ville, bibliothécaire de son état, qui se rendait ce jour-là à un congrès international de revitalisation de l'image du livre. Le jeune homme était probablement désemparé, il était probablement à la dérive : il avait perdu sa mère, encore enfant, dans des circonstances tragiques. Il vivait maintenant chez ses grands-parents et, contrairement à ce que certaines personnes mal renseignées avaient pu laisser croire, ne fréquentait pas l'école privée. Thomas était un enfant du système public, il était allé à la polyvalente, comme tout le monde. Ça avait duré quelques jours, les analystes, les sociologues se renvoyaient la balle, les journalistes décrivaient la petite fille comme ils auraient décrit un ange apparu brièvement à quelques initiés et sa photo passait en boucle, avec un zoom lent sur son visage souriant. Personne ne parlait de la conductrice. Moins d'une semaine après le drame, les journaux s'étaient désintéressés de l'affaire, la petite fille n'était pas morte, elle ne garderait que quelques cicatrices, elle s'appelait Keysha-Ann Johnston et habitait avec sa mère à quelques centaines de mètres du lieu de l'accident. Personne ne parlait de la conductrice, ça se passait entre Keysha-Ann et Thomas, et soudainement personne n'en parlait plus.

Au téléphone avec Mary, Thomas a dit qu'il savait que c'était sûrement une mauvaise idée, qu'il comprenait son point de vue, mais qu'il pensait sérieusement à aller voir Keysha-Ann à la maison, chez elle. La poussière était retombée, elle était en convalescence, entourée des gens qu'elle aimait et qui l'aimaient. Il avait des choses à lui dire, des choses à préciser, c'était tellement important, Mary comprenait, non ? Mary comprenait, bien sûr, mais elle a répondu que c'était une très mauvaise idée quand même, et l'a répété plusieurs fois, a really, really, really bad idea. Les gens ici sont en colère, tu comprends ? Oui, bien sûr, Thomas comprenait, il serait en colère lui aussi, il se mettait à leur place, mais il les connaissait, et eux le connaissaient, ils comprendraient, ils finiraient par comprendre. Thomas n'avait pas d'autre choix que d'essayer, il devait s'excuser auprès de la petite, demander pardon à la communauté, et à sa mère aussi, il voulait montrer qu'il n'était pas un lâche, qu'il comprenait la portée de ses actes, qu'il était quelqu'un qui comprenait la portée de ses actes, et Mary l'a interrompu.

— Thomas, ça a rien à voir avec être un lâche ou pas.

— Je sais, mais quand même, ça change rien, il faut que j'y aille, tu comprends, j'ai pas le choix.

— Oui, je comprends, mais c'est toi, Thomas, qui dois comprendre qu'ils vont pas t'accueillir à bras ouverts. Et ce que tu dois comprendre aussi, c'est pourquoi ils vont pas le faire. Il y aura pas de pardon, ou je sais pas, il y aura pas de rédemption, personne va te prendre dans ses bras, tu comprends ?

— Oui, je comprends, je comprends parfaitement. J'ai aucune attente dans ce sens-là, Mary, j'ai aucune image de ce genre-là dans ma tête. C'est quelque chose entre moi et Keysha, faut que je le fasse pour elle et pour moi, tu comprends ?

— Oui, je comprends.

Il s'est présenté à la porte du petit bungalow quelques jours plus tard, en fin d'après-midi, dans la chaleur de la fin juin, avec rien dans les mains, les mains le long de son corps, en tee-shirt blanc, ses nouvelles lunettes bien propres, ses cheveux peignés. Il a sonné et a entendu des voix à l'intérieur, une féminine et l'autre masculine, qui s'approchaient. La porte s'est entrouverte et la mère de Keysha-Ann l'a fixé dans les yeux et en une fraction de seconde elle s'est mise à pleurer et, incapable de faire quoi que ce soit d'autre, a reculé un peu avec la main sur la poignée. Au fond du corridor il a entendu la voix masculine crier c'est qui, ou c'est quoi, il n'était pas sûr, et la mère de Keysha-Ann n'avait pas l'air de comprendre pourquoi Thomas se trouvait devant elle, quelqu'un qu'elle n'avait jamais vraiment vu sauf à la télé, qui avait presque tué sa fille en l'apeurant, en la faisant sursauter par derrière. Ses mains se sont instantanément mouillées et il a voulu les essuyer sur ses jeans. Elle le regardait toujours, les larmes aux yeux. Elle lui a demandé ce qu'il voulait et il n'a pas eu le temps de répondre, la voix masculine est revenue, plus forte, comme une vague de son menaçante, dans ses oreilles, comme une vague et le ressac en même temps, à faire trembler les murs en plâtre. Mom ! What is it ? Elle s'est retournée, la porte s'est ouverte toute grande et Thomas a vu qu'elle portait un bébé dans ses bras, dans un de ses bras. Il était plus pâle qu'elle, son visage, il était presque rose, mais ses cheveux étaient noirs et frisés. Elle a répondu à la voix qui venait du fond de la maison.

— C'est rien, bébé, c'est juste lui, le gars.

That guy. Him.

— Qui ?

Thomas a dit tout bas, pour ne pas réveiller le bébé :

— Je suis venu voir Keysha-Ann, est-ce que…

Elle a répété, plus fort :

— Le gars. Thomas.

— Quoi ?

Et le ressac, comme une lame de fond puissante, a fait vibrer les murs et le toit de la maison et Thomas a vu une forme noire se dessiner dans le corridor en face de lui. Il ne portait pas de chemise, ni de tee-shirt, le haut de son corps était brun foncé et luisant. Il s'est avancé et Thomas a eu le réflexe de mettre un pied en arrière, s'enfargeant dans la marche descendante du petit balcon de béton. Le jeune homme a poussé sa mère, qui s'est mise à crier, à lui crier de se calmer, il avait le même âge que Thomas, ça paraissait, ses bras et son torse étaient musclés. Ses mouvements étaient extrêmement violents, on voyait ses muscles se tendre dans son cou et au-dessus de ses clavicules. Thomas a basculé vers l'arrière en s'enfargeant et il a atterri sur le trottoir, en se retenant sur la clôture de métal. Thomas s'était à peine remis debout, en position défensive, dans un repli qu'il voulait non agressif, que le jeune homme s'était mis à le pousser sur la poitrine en criant, en l'invectivant. Il criait si fort en le poussant toujours plus loin vers la rue qu'il a craint pour ses tympans avant de craindre pour sa vie. Le jeune homme, quand Thomas est tombé en bas du trottoir, s'est arrêté. À ce moment-là les voisins commençaient à sortir, à cause du bruit. Il a pointé son index vers le visage de Thomas, touchant presque son front, et lui a dit de ne plus jamais revenir ici. De ne plus jamais essayer d'entrer en contact avec sa sœur. Qu'il allait le tuer si jamais il le revoyait dans le coin.

La semaine suivante, Wright Howells a fait paraître un article dans un petit journal méthodiste à circulation restreinte. Ça faisait plus de dix ans qu'il n'avait rien écrit, mais il venait de retrouver sa verve. Ses déplacements dans la grosse Buick étaient de plus en plus longs, il partait rencontrer des gens, planifier des événements. Il revenait à la maison avec de la documentation légale et des données statistiques. Thomas n'arrivait pas à ouvrir la bouche en sa présence, le vieil homme l'intimidait de plus en plus. Il se sentait mal à l'aise, assumant difficilement cette espèce d'alliance improbable entre eux que son grand-père semblait chérir, comme si le fait que Thomas avait failli tuer une petite fille et en subissait les conséquences les avait rapprochés. Wright parlait sans arrêt des excités des zones centrales, de l'« auto-ghettoïsation » de la ville, de la prise en otage de la périphérie du centre-ville par une « ceinture noire » de violence et de drogue. Avec Thomas, il utilisait des termes sociologiques, en évitant consciemment toute rhétorique religieuse, sous lesquels se lisait une profonde colère, l'exaspération d'un homme juste considérant avoir tout donné à sa communauté et voyant celle-ci se noyer devant ses yeux. Ils avaient agressé son petit-fils. Wright avait parlé d'abord d'engager des avocats, mais il parlait maintenant de sortir dans les rues et d'organiser des soirées d'information, de réunir les paroisses et de condamner en masse les grossières accusations que certains bien-pensants portaient contre Thomas, faisant de lui ce qu'il n'était pas. Il dénonçait le fiel de certains leaders d'opinion qui n'avaient aucune idée de quoi ils parlaient. Josephine ne savait pas comment réagir, elle n'avait pas vu Wright dans cet état depuis des années. Thomas essayait de se rapprocher d'elle, lentement, sans trop s'en rendre compte, mais elle semblait s'éloigner de son côté, dériver vers des pensées et des souvenirs qui lui apparte-naient et qu'elle n'avait pas envie de partager, se contentant d'approuver de la tête quand Wright lui posait une question directement, quand il lui demandait sans détour : am I right ? Un matin très tôt Wright est entré dans la chambre de Thomas, ce qu'il ne faisait jamais, et il lui a dit, dans la pénombre du jour en train de se lever, those niggers ain't gonna get us, boy. Et dans les oreilles de Thomas, venant de son grand-père, cet homme à la stature martiale et intègre, celui dont sa mère lui avait raconté tant d'histoires, lui avait dressé tant de portraits, ce n'est pas le « nigger » qui l'a choqué, dans son incongruité, il s'y attendait, mais le « ain't » asyntaxique, populaire, fautif.

En descendant de l'autobus qui longeait le boulevard Wilcox au complet, le même dans son quartier que dans celui de Mary, les grands ormes en moins, il a cru remarquer que les trois jeunes hommes qui se passaient un joint, adossés au mur du 7-Eleven, le fixaient. Il a cru qu'ils continuaient à le fixer, à fixer son dos qui picotait, quand il s'est mis à marcher en direction de chez Mary. Il a eu peur qu'ils se mettent à le suivre. Sa démarche manquait de naturel, et le fait d'en être conscient empirait l'impression. Son dos piquait, les fibres de sa chemise frottaient sur la sueur qui s'accumulait dans le creux de sa colonne. Il faisait chaud, une vraie journée d'été du Tennessee, de celles qui annonçaient des rafales de vent dans la soirée, des orages et peut-être la première tornade en une décennie. On n'en voyait jamais par ici, on n'en avait pas vu depuis longtemps. Les tornades se développaient rarement entre les montagnes et dans la cordillère entre les monts Lookout et Signal.

Thomas est arrivé chez Mary avec le regard lourd de mille personnes sur les épaules, elle l'a accueilli avec un sourire, mais il n'a pas pu s'empêcher d'avoir le sentiment qu'elle observait la rue après l'avoir fait entrer, en refermant la porte. Après une longue conversation durant laquelle Mary a beaucoup pleuré, en servant le café et en posant une main sur celle de Thomas

100

aussi, elle lui a montré la lettre qu'elle avait reçue le matin. Une lettre d'Albert Langlois destinée à son fils, adressée à Mary, un court message d'introduction expliquant à celle-ci qu'il préférait passer par elle, même s'il savait qu'elle ne devait pas le porter dans son cœur, qu'il lui avait toujours fait confiance, qu'il l'avait toujours respectée, dans un anglais étrange, qu'il qualifiait lui-même de « rouillé ». Sur une feuille séparée, Albert expliquait à Thomas où il se trouvait, dans quelle partie du monde, pourquoi il y était et ce qu'il y faisait. Lisant ces informations, au milieu desquelles se trouvait une courte phrase exprimant la tristesse d'avoir appris le décès de Laura, longtemps après les faits, Thomas ne ressentait aucune surprise, chaque ligne était une confirmation, un détail après l'autre, de ce qu'il avait toujours su sans le savoir : son père était retourné vivre au Québec, dans un village de la Gaspésie appelé Sainte-Anne-des-Monts, où il était né et où il avait grandi, entre les monts Chic-Chocs et le fleuve Saint-Laurent, pas très loin de nous, quand on y pense. Son père était parti de Chattanooga parce qu'il croyait avoir enfin trouvé ce qu'il avait cherché durant plus de treize ans, sans interruption, à propos de son ancêtre, un certain Aimé Bolduc, il croyait avoir résolu l'énigme qui l'avait d'abord amené au Tennessee, où il avait rencontré Laura et où il s'était marié avec elle et où il avait eu un fils.

Il lisait les mots de son père, Albert Langlois, qui avait déserté sa famille et s'en voulait. C'était la première fois depuis son départ qu'il entrait en communication avec Thomas, et il attendrait la réponse de celui-ci avant de recommencer.

Si Thomas acceptait, ils pourraient essayer de reconstruire les ponts démolis, effondrés, par les années et le silence.

Il a relevé la tête et Mary le regardait avec presque de l'amour, ce qu'il interprétait comme de l'amour en train de s'étioler ou de s'échapper sous la pression de diverses émotions qu'elle n'arrivait pas à juguler correctement. Elle le regardait avec ses grands yeux noisette et lui a demandé si c'était ce qu'il attendait, cette lettre. Est-ce que ça lui faisait plaisir ? Il a répondu qu'il ne savait pas exactement ce que ça lui faisait, mais qu'il était content de savoir que son père allait bien, ou en tout cas qu'il était vivant, là-haut. Mary a reposé sa main sur la sienne et lui a dit Thomas, je pense pas que c'est une bonne idée que tu reviennes ici, en tout cas pas pour le moment.

Elle lui a offert de l'accompagner jusqu'à l'arrêt d'autobus, pour s'assurer qu'il était en sécurité, le tenant par la main et le protégeant des gens qui lui voulaient du mal, les gens qui étaient persuadés qu'il cherchait uniquement à les provoquer en continuant à rôder dans le coin. Elle l'a tenu par la main jusqu'à ce que l'autobus s'arrête devant lui et qu'il grimpe à l'intérieur, mais ça n'a rien changé, parce qu'il s'est fait tabasser durant le trajet par une bande portant des manteaux noirs et des bottes de travail même sous la chaleur suffocante, et le chauffeur n'a rien pu faire.

Avant de s'évanouir il a pensé aux vagues se fracassant sur les rochers, à la brise salée et à l'odeur du varech, mais c'était peut-être une illusion, le mélange de sang et de poussière au coin de sa bouche et dans ses narines.

Deuxième partie

ALLEGHENIES

V

Décembre 1864
Newport, Vermont

Selon toute vraisemblance, Aimé a quitté
Montréal au mois de novembre de cette année-là
et a passé la frontière quelques semaines plus
tard, aux environs de Stanstead, à la faveur
de la nuit, on imagine, quelque part au milieu
d'un champ ou à l'orée d'une forêt pas encore
défrichée, ou encore à bord d'une embarcation
de fortune dirigée par deux Abénaquis qu'il
connaissait bien, flottant sur les eaux glaciales
du lac Memphrémagog. Peut-être qu'il a pris la
diligence, fendant la distance au son des sabots
et des renâclements, mais c'est peu probable,
puisqu'à ce moment-là, il cherchait à se faire
oublier et à passer inaperçu.

Les documents et les témoignages épars
recueillis par Albert Langlois, au cours de
plus d'une décennie de recherche, le placent
pour la plupart à Newport, au Vermont, dès
le mois de décembre 1864, où il aurait fait la
rencontre de la famille Van Ness, parvenant
à s'introduire dans leur cercle. Mais les documents sont contradictoires, et il est difficile de
confirmer quoi que ce soit. Afin de retracer

son histoire et de lui conférer un minimum de linéarité, il faudra parfois privilégier une piste au détriment d'une autre, en gardant en tête la possibilité que des erreurs factuelles se soient glissées ici et là. L'honnêteté intellectuelle et le respect des sources nous obligent à ne jamais perdre de vue l'éventuelle incompatibilité entre l'horizon d'attente du conteur et la rigueur de sa démarche. On pense que c'est ce qu'Albert aurait voulu, même s'il est trop tard maintenant pour le lui demander.

Au début de décembre, la petite communauté était en émoi, sûrement en raison du départ récent d'un contingent de jeunes recrues, qu'on avait honoré d'un discours et de pleurs réprimés sur le parvis de l'hôtel de ville et qui s'en allait directement à Washington, mais surtout parce que des cavaliers avaient dans les derniers jours rapporté des nouvelles d'une attaque des rebelles à St. Albans, sur les rives du lac Champlain, à une centaine de kilomètres à l'ouest. Les hostilités se rapprochaient dangereusement. Une vingtaine d'hommes menés par Bennett Young étaient arrivés armés par la route du nord, prenant possession de la rue Principale, plantant une crosse de fusil dans la terre et proclamant l'appartenance de la ville aux États confédérés d'Amérique, clamant la victoire au nom du président Jefferson Davis. Ils avaient mis le feu à des granges, ils avaient réussi à cambrioler les trois banques, dont la City, malgré les soldats postés à l'entrée. Ils avaient fait un mort et, après une escarmouche de quelques jours, s'étaient envolés avec une somme considérable. On disait d'eux qu'ils s'étaient réfugiés à Québec ou à Montréal, où l'administration royaliste les protégerait sans doute de l'extradition vers l'Union. On disait qu'ils avaient voulu tuer le gouverneur et brûler sa maison, mais qu'ils s'étaient contentés de vider les banques et de tirer dans les airs avec leurs fusils, en imitant de façon réaliste des cris de guerre sioux et apaches.

On disait qu'ils étaient repartis trois jours plus tard, à l'aube du 21 octobre, et les nouvelles arrivaient maintenant à Newport, avec le décalage habituel et l'urgence d'un cavalier sautant au bas de sa monture. Les gens se barricadaient, certaines familles avaient laissé partir tous leurs fils et il ne restait plus que le vieillard pour astiquer l'arme à feu et s'entraîner à la brandir et à la recharger comme durant la guerre de 1812. Les gens se rendaient chez le forgeron pour qu'il coule des balles avec des bijoux et des bagues. Les gens se réunissaient pour analyser le plan de la ville et pointer les endroits stratégiques où poster des hommes.

Débarqué au milieu de cette ambiance qui teintait aussi la nuit, parce que les torches brûlaient plus vivement et que les rondes étaient fréquentes, Aimé s'est installé à l'hôtel appartenant à Frederick Van Ness, où on l'a d'abord soupçonné d'être un espion, comme tous les voyageurs en ces temps troubles, mais sans grande conséquence. Il y avait beaucoup d'étrangers en ville, surtout des Canadiens venus pour travailler ou écrire des articles, et il ne se démarquait que par son léger accent, difficile à cerner. Les préparatifs prenaient beaucoup de temps et d'énergie, on avait envoyé des émissaires un peu partout dans les campagnes environnantes afin de rapatrier les quelques hommes restant sur leur terre et d'organiser une milice. Le Collège militaire de Norwich avait envoyé une division qui arriverait incessamment, par le chemin de fer. On passait la journée à couler des balles et à ramoner des canons de fusil. Le soir, on se retrouvait dans le lobby de l'hôtel ou sur les marches de l'église et on attendait l'ennemi en silence, ou en s'affairant bruyamment, en vue d'une riposte éventuelle.

Quand il lui a parlé pour la première fois, Frederick Van Ness a cru qu'il était d'origine hollandaise et a préféré ne pas le confirmer en le lui demandant. Il a préféré ne rien lui demander, sauf l'essentiel : combien de temps pensait-il rester en ville, par quel moyen paierait-il, on n'acceptait plus les devises étrangères, pour éviter l'inflation. Aimé s'est présenté au comptoir de l'hôtel et Van Ness a été frappé par la ressemblance avec son fils William. Ils ont échangé quelques mots, des formules d'usage, et Aimé s'est dirigé vers l'escalier central pour monter à sa chambre, avec la vigueur et la fatigue d'un homme qui avait à la fois vingt-six ans et cent quatre ans. Dehors, dans les rues, des gens couraient avec des torches et parfois on entendait les cris distants d'une patrouille qui croyait avoir aperçu des chevaux au loin, à l'embouchure de la rivière. On avait préparé des plans d'évacuation pour certains dignitaires, qui partiraient par bateau vers les Cantons-de-l'Est, où plusieurs sympathisants les accueilleraient. L'alerte a résonné deux fois durant ces quelques jours de panique contenue, et des citoyens se sont battus après avoir échangé des propos injurieux dans une taverne restée ouverte trop tard.

Il ne s'est rien passé. Aucun raid ennemi n'a renversé les lignes de défense et les barricades sommaires n'ont été tachées que par la neige grise de cette fin d'année. Environ une semaine plus tard, les habitants de la ville ont commencé à desserrer les dents, une sorte de calme est revenu et les miliciens ont été démobilisés. Les étudiants sont retournés au collège. À Noël, on n'en parlait plus, et les recruteurs de l'armée sont revenus pour insister sur l'importance de s'enrôler, sur le fait que ça concernait tout le monde, qu'il fallait absolument freiner l'avancée des Confédérés qui venaient de reprendre la rive nord du Potomac, à la hauteur de la vallée de Shenandoah.

Le lendemain des festivités sobres que la municipalité avait organisées, ils ont installé un bureau de recrutement près de la poste et se sont mis à réclamer la présence de la population entière. Ils feraient le point sur le déroulement des hostilités et répondraient aux questions des familles. Chacun d'eux portait un chapeau, une redingote bleu foncé et plusieurs galons dorés. Leurs bottes brillaient du lustre de la guerre, celui qui fait envie aux fils de cultivateurs, et ils étaient bien mis, se tenaient droit. On les observait avec respect et avec crainte.

L'un d'eux s'est mis à déclamer le nom des soldats tombés vaillamment au combat, assassinés par les traîtres menés par Robert E. Lee, Jefferson Davis et consorts, morts sur l'herbe boueuse d'endroits exotiques comme Tupelo, Peachtree Creek, Chickamauga, Spotsylvania, Chattanooga et Smithfield Crossing, certains aussi éloignés dans les esprits que la Californie ou le Mexique.

Il tenait une longue feuille déroulée devant son visage et parlait haut, en articulant chacun des noms de famille : Osborne. Macpherson. Woods. Thorngood. O'Reilly. Keller. Langston. Murray. Aimé se tenait en retrait, il avait l'impression qu'ils s'appelaient tous John, que tous les morts portaient le même prénom. L'autre s'est avancé et il a dit qu'aujourd'hui, jusqu'à la fin de l'après-midi, les familles concernées par l'annonce des morts étaient invitées à se présenter et à réclamer les documents appropriés. Il a dit qu'ils seraient en ville moins d'une semaine, jusqu'à la veille du jour de l'an, et qu'ils espéraient repartir avec au moins une trentaine de volontaires. Le temps n'était plus aux tergiversations et aux excuses, les femmes américaines étaient là pour s'occuper des enfants et des récoltes. Ils s'attendaient à repartir avec au moins trente braves volontaires, et pas seulement des fils de fermiers : cette guerre concernait aussi bien les ouvriers agricoles que les riches héritiers. Ce n'était plus le temps des prétextes et des excuses, c'était le temps de la bravoure. Ils promettaient des uniformes neufs. Si les hommes ne se présentaient pas de leur plein gré, ils se verraient dans l'obligation d'appliquer la loi sur la conscription passée au Congrès en mars de l'année dernière. Ça ne servait à rien de se cacher.

Derrière lui flottait un drapeau de l'Union en parfait état, planté dans le sol par les mains puissantes de la machine de guerre fédérale, avec des ornements dorés disséminés dans le tissu.

Surtout à cause de la ressemblance physique, qui créait une sorte de dédoublement étrange

110

et inévitable entre les deux, selon plusieurs, et même s'ils partageaient peu d'intérêts et peu de connaissances, Aimé et William se sont vite rapprochés et l'échange s'est fait presque naturellement. À peine s'étaient-ils croisés dans le vestibule de l'hôtel qu'ils se reconnaissaient l'un dans l'autre. William, à vingt-cinq ans, commençait une carrière d'avocat, il pensait de façon logique et raisonnable, il avait été entraîné durant des années à trouver des solutions simples à des problèmes complexes. Il savait le latin et se passionnait pour la physique. Aimé, lui, avait depuis longtemps l'impression de n'avoir plus rien à perdre. Il avait atterri ici, dans sa fuite, mais Newport n'était pas une destination en soi, ce n'était qu'un lieu où quelqu'un comme lui, et il n'y en avait pas beaucoup, pouvait trouver une nouvelle voie à suivre. Ils se sont croisés un matin dans le vestibule de l'hôtel, alors que William était venu saluer son père et s'enquérir d'une affaire pressante à propos de la marche à suivre avec les représentants de l'armée. Il parlait avec nervosité et quand il a entendu quelqu'un s'approcher il a sursauté. Frederick a fait les présentations, après un moment de silence inconfortable durant lequel Aimé s'était arrêté au bas des marches, le regard fixé droit sur William, sur ses favoris hirsutes et ses lèvres pleines, sur sa peau jaunâtre gardant les traces d'une fièvre infantile. Ils se ressemblaient d'une manière qui n'était pas forcément inquiétante, mais qui faisait se retourner la plupart des gens. On les voyait sur la rue principale, en conciliabule. Sous les portes cochères, dans l'ombre des ruelles, ils tramaient quelque chose. On les voyait devant l'hôtel Van Ness, ou près du lac, marchant le long des quais, où les vents cinglants de décembre faisaient vrombir leurs longs manteaux. William tenait son chapeau de la main gauche dans la bourrasque et gardait la main droite derrière son dos. Aimé s'exprimait avec un léger accent canadien-français, à peine perceptible quand il parlait vite, qu'on pouvait confondre avec un zozotement. Sa maîtrise de l'anglais, pourtant, ne faisait aucun doute, comme s'il s'amusait à faire semblant de ne pas manier parfaitement la langue. Il connaissait plusieurs choses sur les oiseaux et parlait avec affection, comme s'il l'avait déjà rencontré, d'Audubon et de ses dessins.

En quelques semaines, ils étaient devenus ce qu'on aurait pu appeler des amis, pourquoi pas, même s'ils ne connaissaient rien l'un de l'autre. Aimé avait dit à William qu'il était parti de Montréal par pur besoin d'aventure et, malgré (ou à cause de) la guerre qui sévissait aux États-Unis, il lui avait paru évident que l'aventure commençait ici, et il pointait l'index vers le sol, en marchant d'un pas assuré, en traçant une ligne vers les montagnes et le sud avec son bras. William ne posait pas de questions, il réfléchissait à une possible sortie de secours et tâtait le terrain, amicalement : Aimé cherchait l'aventure, avait-il pensé à la carrière militaire ? Aimé n'avait visiblement pas d'attaches, ni de famille, ni de bouches à nourrir. Avait-il besoin d'argent ? Était-il au courant des possibilités que l'armée offrait ? Certes, il n'était pas citoyen américain, ce n'était pas sa guerre, ce n'était pas sa cause, il n'y avait pas d'esclaves au Canada, y en avait-il ? Y avait-il des esclaves au Canada ? Certes, ce

112

n'était pas sa guerre, mais la guerre était grandiose et enlevante quand on y pensait. Il y avait une tradition et une noblesse dans la guerre, il n'était pas le premier qui le disait. William développait son idée, en répétant souvent qu'il avait de l'argent, qu'il savait se montrer généreux et qu'il savait aussi se montrer reconnaissant. Il tournait autour de son idée, de l'idée qu'il se faisait de tractations entre deux hommes aux intérêts divers, mais qui pouvaient visiblement s'entendre et se reconnaître parmi une foule d'inconnus. Il regardait souvent par-dessus son épaule. William retenait son chapeau quand un vent fort arrivait du nord du lac Memphrémagog, d'au-delà de la frontière, et son compagnon, arrivé en ville depuis moins d'un mois, tournait le dos à la tempête qui semblait se dessiner à l'horizon, qui allait probablement marquer le début de l'année 1865. Quand ils observaient le lointain, c'était évident : les nuages défilaient vite et ne mentaient pas. La vieille neige sèche craquait sous les pas.

William avait vingt-cinq ans et venait de se fiancer avec Margaret Tarrant, la fille de Cornelius Tarrant de Montpelier, l'homme qui avait construit le chemin de fer entre le Vermont et le New Hampshire, et les avait reliés au reste de la Nouvelle-Angleterre. Il avait toute la vie devant lui, si seulement cette guerre immonde pouvait finir, si seulement cette loi immonde sur la conscription était amendée. Il essayait d'avoir l'air plus indigné qu'effrayé par l'éventualité de la mort au combat, ou encore de l'invalidité. Il avait vu des hommes, des adolescents en fait, revenir des champs de bataille sans leurs jambes, sans leurs bras, sans pension, sans rien pour les soutenir eux et leur famille, sans aucune perspective d'avenir. On avait vu des gamins revenir tellement abîmés que personne n'osait leur parler, de peur d'attraper quelque chose.

Quand Aimé lui a offert de prendre sa place, il a eu l'air sincèrement surpris, mais il a accepté tout de suite. Un soir qu'ils étaient à l'hôtel, dans le salon privé où les lumières étaient faibles et accueillantes, où le cuir des fauteuils sentait le feu et la cendre, Aimé a proposé l'idée comme si elle était la sienne, comme s'il y avait réfléchi depuis longtemps, comme s'il avait pesé le pour et le contre. Ils se ressemblaient tellement, ça allait presque de soi. Ce n'était pas une faveur. Ce n'était même pas officiellement illégal, il fallait seulement y mettre le prix. Aimé ne demandait pas grand-chose au fond, juste assez pour s'assurer qu'il ne manquerait de rien sur le plan matériel, qu'il aurait toujours la possibilité de se trouver une nouvelle paire de bottes, ou un caleçon pas trop usé. Il ne voulait pas avoir à piller les morts pour survivre un jour de plus. C'était assez simple en fait. William n'aurait qu'à s'isoler quelques semaines, à l'hôtel il serait bien, il n'avait qu'à disparaître quelque temps, jusqu'à ce que la poussière des sabots soit retombée, ou que la neige ait fondu, et il pourrait reprendre le cours normal de ses activités. On avait entendu parler de nombreux cas dans de nombreux comtés. Le père de William et son futur beau-père étaient d'accord avec l'idée, d'accord avec le principe. Aucun des deux n'était républicain dans l'âme, même s'ils avaient appuyé l'effort de guerre à de nombreuses reprises. Van Ness n'avait jamais caché son scepticisme quant à l'issue de la campagne de Lincoln, un pari trop grand pour un seul homme, qui tournait dangereusement à la propagande et au populisme : à cause de lui cette guerre ne finirait jamais et personne ne gagnerait, à cause de lui le pays finirait par perdre l'ensemble de ses jeunes hommes, et pourquoi, disait-il en privé, pour qui sinon des êtres fondamentalement inférieurs qui ne méritaient peut-être pas d'être enchaînés, mais pour lesquels son fils ne méritait certainement pas de mourir. Tarrant, lui, avait voté démocrate toute sa vie, avait soutenu McClellan et l'aile pacifiste du parti durant l'élection, même après les luttes intestines grotesques qui lui avaient coûté la victoire. Ardent pacifiste, il continuait à dire à qui voulait bien l'entendre que, si seulement Lincoln s'était assis avec Davis devant une bouteille de whisky et une boîte de bons cigares, tout ce gâchis aurait pu être évité. Aussi, quand Aimé s'est proposé à William comme substitut et a dit qu'il se présenterait à sa place au poste de recrutement, dès le lendemain matin, les deux hommes d'honneur ont accepté sans hésiter. On a parlé d'argent rapidement, on est passé vite sur le sujet, on a conclu un marché qui faisait l'affaire de tout le monde. Aimé s'est fait dire qu'on ne l'oublierait pas de sitôt. Margaret, qui somnolait à l'étage, a été mise au courant.

Aimé n'avait rien à perdre, sa vie avait duré tellement longtemps déjà qu'il ne se rappelait même plus ce qu'étaient l'enfance, l'ignorance, la peur, la peur de finir sur un champ de bataille loin de chez soi, même s'il avait déjà connu des sentiments similaires un jour. Il était en train d'oublier et, sans doute un peu pour cette raison, n'écartait plus aucune possibilité de se mettre en danger et d'affronter la mort qui semblait ignorer consciemment son existence. La mort l'avait frôlé sans même le voir à de multiples reprises. Il ne savait plus quoi en penser. Parfois il formulait presque littéralement son immortalité, en se regardant dans le miroir, le mot lui venait à la bouche et se coinçait dans sa gorge. Il y pensait, mais continuait néanmoins à se convaincre que c'était impossible, que c'était absurde et exagéré. Un jour, sûrement, il mourrait, comme les autres. Il se faisait rire de désirer encore, malgré le temps écoulé, presque arrêté, sans emprise visible, quelque chose d'aussi commun.

C'est sous le nom de William Van Ness, sergent d'infanterie, porteur d'étendard, tambour, héros de la cavalerie ou simple fantassin, qu'il surgit ici et là dans certains registres peu fiables de la guerre civile américaine, où il aurait combattu d'abord en Virginie et en Géorgie, et où il aurait quelques mois plus tard participé à certaines actions illicites de milices privées et obscures en Alabama et au Tennessee, bien après la reddition des États confédérés et le démantèlement de l'armée du général Lee. Il n'apparaît jamais dans la liste des morts.

VI
Février 1760
Québec

Dans des conditions difficiles à décrire, difficiles à concevoir pour nous qui sommes si
confortablement installés dans nos fauteuils,
c'est sans aucun doute dans la souffrance et
dans la peur, dans le purin ou dans le foin qu'il
est né, sous la protection et le joug de l'armée
d'occupation, derrière une porte mal fermée qui
craquait et le Union Jack qui claquait à chaque
rafale sur la plus haute tour de la forteresse.

Les soldats entraient dans les maisons et
débusquaient des miliciens cachés sous des lits,
dans des penderies, des insoumis qu'ils appelaient déjà des traîtres, comme s'ils étaient en
rébellion contre un ordre immuable. Ils entraient
dans les maisons et avertissaient les occupants
dans les deux langues, ceux qui se cachaient ici,
d'abord en français, puis en anglais. Ils portaient
des habits de feutre lourds, rouge et blanc, qui
leur pesaient sur les épaules, et des fusils per-
fectionnés venant tout droit d'Angleterre, venant
des entrepôts privés du vieux roi George II, où
l'arsenal britannique était mélangé à l'or et aux
bijoux de la couronne. Ces armes ne prenaient

117

jamais feu et n'explosaient jamais à la face des soldats, comme menaçait toujours de le faire la poudre à canon volatile des colons. Sur le chemin de Sainte-Foy, au nord de la ville et bien au-delà des fortifications, juste avant la falaise qui menait aux campagnes et aux fermes, on entendait le bruit des dernières échauffourées, où des poches de résistance surgissaient encore par à-coups. La ville était bruyante, pleine de soldats britanniques et d'immondices, les rues mouillées par la neige fondue lors des redoux et, d'autres jours, pétrifiées par le froid cinglant. On se cachait des soldats anglais, de leur visage rouge et de leur élocution parfaite malgré les engelures aux lèvres.

Les gens étaient maigres et ne ressemblaient plus à des hommes et des femmes, mais ce n'était rien en comparaison de l'allure qu'ils auraient dans quelques mois. Avec le printemps ne viendraient pas les vivres attendus. Il n'y aurait pas de récolte féconde et de toute façon personne ne serait là pour cueillir quoi que ce soit.

La femme qui a donné naissance à Aimé tard dans la nuit du 29 février était aussi maigre que les autres, et personne ne s'était aperçu de sa grossesse, elle non plus. Ses nausées étaient banales, elle n'avait pas passé une seule journée sans nausée depuis l'âge de dix ans, ses dents étaient décolorées par l'acidité quotidienne des vomissements. Elle portait des vêtements bruns, beiges, blanchâtres, comme une seconde peau malade et sale, déchirée aux endroits les plus sensibles. Son regard fuyait aussi vite que des ailes d'oiseau-mouche.

Les crampes l'ont prise alors qu'elle se dirigeait vers le campement militaire pour aller rejoindre un officier anglais qui avait exigé de la voir une dernière fois avant d'être envoyé à Montréal. Elle marchait seule dans le noir et s'est soudainement pliée en deux, et on a entendu ses cris jusque dans les couloirs de pierre suintante de l'Hôtel-Dieu, où étaient soignés des centaines d'estropiés, des deux camps, plusieurs mois après la bataille, qui avaient reçu dans le corps des éclats de métal, à qui on avait scié les jambes pour stopper l'infection.

Sortie avec un manteau de fourrure sur les épaules, une lampe à l'huile dans la main tenue bien loin de son corps, la mère Juchereau de Saint-Ambroise l'a trouvée couchée dans la neige, à peine animée, entre deux évanouissements elle gémissait et soufflait. Elle était jeune, la religieuse aussi, qui s'est retournée pour appeler au secours. D'autres lumières sont apparues. Entre les jambes de la fille, dans le sang qui collait déjà, on voyait la tête du bébé. Elles ont déposé un lainage sur le sol et ont cherché à lui faire de la chaleur le plus possible. Certaines d'entre elles avaient à peine quatorze ans.

En voyant qu'elle était déjà rigide, mais que le bébé respirait et pleurait fort, on ne les a pas fait entrer par la même porte dans l'hôpital. Les religieuses l'ont fait passer par un couloir qui menait à l'endroit où gisaient les cadavres de plusieurs autres personnes mortes durant la journée et même durant la semaine. Il faisait extrêmement froid, on ne pourrait pas creuser de trou avant des mois. Elles l'ont déposé, son corps, à côté de celui d'un jeune homme à qui il manquait un œil, mais qui semblait quand même intéressé par elle. Couché sur le côté, un bras pendant dans le vide, il avait l'air de vouloir s'approcher d'elle et profiter quelques instants de la chaleur encore présente de sa peau. Mère Juchereau s'est chargée de la nettoyer sommairement et a jeté les guenilles utilisées. Pendant ce temps-là, on amenait Aimé, minuscule et ensanglanté, dans une autre salle, un étage plus haut, dans une autre aile, où il serait baptisé au plus vite, parce qu'on ne savait pas s'il allait passer la nuit.

Elle n'a jamais été identifiée, personne n'a réclamé son cadavre et personne ne s'est présenté dans les jours suivants pour réclamer l'enfant. On ne sait pas qui elle était ni qui l'avait engrossée, mais on sait qu'elle portait des traces de violence dans le visage, des plaques tuméfiées par autre chose que le froid et les fièvres. Autour des ailes de son nez, et aux sourcils, elle avait des brûlures. Elle avait été mordue plusieurs fois, à l'avant-bras gauche, par un chien ou par un loup.

Les sœurs de la congrégation ont fait baptiser Aimé, quelqu'un en autorité lui a donné un nom comme si on avait voulu de lui, et il a été transporté, à l'aube, sûrement dans un couffin, au Séminaire, où le père Clovis avait organisé dans une salle retirée de l'aile ouest une sorte d'orphelinat plus ou moins officiel.

Sur la route, balancé au bout du bras infatigable d'une jeune augustine, il a croisé plusieurs soldats en uniforme, portant des tambours et des caisses claires, préparant une autre parade militaire avec un officier et des drapeaux anglais, fièrement plantés dans le sol gelé. Avec les quelques centaines d'hommes encore valides, ils préparaient une offensive sur le poste de Saint-Augustin, ils en discutaient en attendant que des bateaux britanniques viennent confirmer leur victoire et leur prise de possession. Il y avait toujours quantité de monde sur les remparts pour fixer l'horizon et se préparer à crier la bonne nouvelle.

Les habitants mouraient moins du scorbut et les officiers répétaient à leurs troupes de les traiter correctement, qu'ils allaient mourir s'ils ne pouvaient pas compter sur l'aide de la population. Arrêtez de défoncer des portes. Arrêtez d'insulter les femmes. Ne touchez pas aux provisions privées. Personne ne pouvait plus pointer du doigt parce que les doigts étaient gelés. Le réflexe de s'approcher du feu était le pire qu'on puisse imaginer, il fallait plutôt, contre nature, se frotter avec de la neige, attendre patiemment que la chaleur revienne dans les articulations. Plusieurs régiments étaient réquisitionnés pour aller chercher du bois à quatre miles de distance à l'ouest des fortifications, avec des chariots de fortune.

Dans la pièce au fond d'un couloir, des nourrices s'activaient avec des nouveau-nés, que personne ne voulait laisser mourir sans avoir essayé de leur donner une chance. En échange de quelques morceaux de pain et d'eau fraîche à rapporter au logis, des femmes se présentaient en file indienne pour aider le père Clovis et ses œuvres. Les autorités n'étaient pas au courant, il y avait une entente presque sereine entre ces femmes et le religieux. On ne parlait pas, on rendait service, les bébés aussi gardaient le silence sur ce qui se tramait ici, comme s'ils étaient les fils et les filles des colons tués et des Français mal équipés qui avaient dû se replier vers Montréal. Depuis la fin septembre, on avait recueilli trente bébés et veillé trente mères, mortes de froid et de malnutrition, mortes de ne pas avoir reconnu les symptômes de la grossesse ou d'avoir été abandonnées par quelqu'un qui n'avait pourtant pas de mauvaises intentions.

Aimé a été le seul enfant à survivre à l'hiver. Quand la chaleur est revenue, comme ramenée par les navires britanniques et les cris de joie de la garnison, il avait déjà pris un bon poids, il était solide sur ses jambes et piaillait dans trois ou quatre langues inconnues. On le regardait et on aurait dit qu'il allait vieillir prématurément, grandir vite, mourir jeune d'avoir été trop impatient de s'en aller dans le monde.

VII

Août 1863

Montréal

La première fois qu'Aimé a aperçu Jeanne Beaudry, elle descendait d'un tramway tiré par deux chevaux, sur la rue Saint-Laurent. Il était appuyé sur une des colonnes de bois pourri d'une échoppe, une pomme à la main. La chaleur écrasait la ville, les immeubles vibraient dans les mirages des rues récemment pavées et le ciel bleu créait un dôme opaque au-dessus de l'artère commerçante. Tout le monde criait, mais les voix, étrangement lourdes, retombaient quelques mètres plus loin, inoffensives.

Aimé avait volé des fruits qu'il gardait dans sa besace et il portait un foulard au cou, attaché mollement. Son épaule accotée à la colonne en testait subtilement la résistance, il aimait percevoir les craquements du matériau à travers le chaos des cris et des appels. Personne ne lui parlait, mais ça gueulait fort partout autour de lui. Les gens se bousculaient et s'invectivaient avec une sorte de plaisir et de gaieté qui accélérait le rythme des transactions humaines. On allait et venait sur le boulevard, les carrioles zigzaguaient et évitaient les piétons de justesse.

Sur un étal à côté d'Aimé, il y avait d'énormes poissons à l'œil vif déposés sur de la glace concassée. Le marchand criait des prix et des propositions et ne s'occupait pas de lui. Aimé a croqué dans sa pomme et, de l'autre côté de la rue, elle est descendue du tram, posant délicatement le pied sur la chaussée sale. À sa suite, elle traînait des enfants, certains semblaient presque avoir le même âge qu'elle, d'autres paraissaient très jeunes. Aimé en a compté cinq, sans la compter elle, elle était déjà à part.

Elle a posé une chaussure par terre, puis une autre, en s'accrochant fermement à la barre métallique du tram arrêté au coin de la rue Sainte-Catherine. Les enfants se sont massés autour d'elle et se sont donné la main, formant une troupe bariolée et vivante. Rajustant son chapeau, elle a traversé la rue en direction d'un magasin où elle est entrée sans regarder Aimé dans les yeux et y découvrir quelque chose d'important qu'ils auraient partagé en une fraction de seconde et qu'ils auraient chéri pour le restant de leurs jours. En plein milieu du brouhaha, il a laissé tomber sa pomme et s'est approché rapidement de la devanture pour l'observer dans les reflets de la vitrine.

Même de dos, et malgré la fadeur de ses habits, elle resplendissait dans l'atmosphère poussiéreuse. Il n'avait jamais rien vu d'aussi beau, sa robe brune descendait jusqu'au plancher et cachait les souliers élégants aux coutures apparentes qu'il avait entraperçus plus tôt. Les jupons dépassaient à peine alors qu'elle s'approchait du comptoir à l'intérieur, et un des enfants, une petite fille, s'est penchée pour défaire un pli. Aimé a pensé que c'était sûrement sa sœur, et que les quatre autres devaient être ses frères. Du peu qu'il avait vu de son visage, de son profil surtout, pendant qu'elle marchait presque vers lui, il déduisait leur parenté. Le plus vieux, celui qui était pratiquement de la même hauteur qu'elle, avait l'air impatient. Il se retenait. Peut-être avait-il envie de prendre les commandes de cette sortie en famille, de parler aux commerçants comme s'il était le patriarche. Mais, Aimé le comprenait aisément, c'était elle l'aînée, c'était elle qui s'occupait de diriger le groupe. Après avoir donné sa commande au marchand, sans se retourner vers son frère, elle a posé une main gantée et autoritaire sur son poignet. Il a baissé les yeux, et a semblé aussitôt respirer plus lentement.

Sur le coup, Aimé lui a donné seize ans, et il n'avait pas tort : elle était née en 1846, première d'une famille qui compterait bientôt dix enfants, le dernier n'étant pas encore arrivé. La petite fille s'est retournée et a failli l'apercevoir en train de les espionner, mais il s'est dissimulé juste à temps, derrière la saillie du mur mitoyen. Il frottait la moiteur de ses mains sur ses pantalons et se demandait comment elle pouvait bien s'appeler. Vue d'ici, elle avait l'air d'une Marie, ou d'une Angéline. Il pensait à des noms de baptême beaux comme des perles lentement limées ou des billes de verre fondues avec expertise. L'agitation était palpable dans la rue et ça se répercutait sur lui, dans sa poitrine et jusque dans ses bottes. D'une manière naturelle, à un rythme régulier, il est passé devant la fenêtre et a glissé un œil à l'intérieur, comme si de rien n'était, comme s'il marchait d'un commerce à l'autre de la Main, comme s'il s'en allait acheter ou voler du pastrami chez le Juif en bas de la côte. Pendant une seconde, après s'être immobilisé de l'autre côté, il s'est demandé s'il n'aurait pas dû entrer simplement, entrer derrière elle et attendre qu'elle ait fini pour commander n'importe quoi, ou rien, pour entendre le son de sa voix, pour l'entendre réprimander son frère et peut-être la voir se retourner vers lui au son de la clochette de la porte. Elle se serait retournée et ils auraient compris la même chose au même moment. Et ils se le seraient raconté leur vie durant, ce moment, même si à sa mort à elle Aimé savait qu'il aurait l'apparence d'un homme mûr, à peine vieillissant, à peine entamé par la vieillesse et les courbatures. Il le sentait déjà depuis si longtemps, ce ralentissement métabolique que personne ne lui avait jamais expliqué, dont il ne parlait pas, même pas à lui-même, ou si peu, mais qui le définissait et expliquait sa présence incongrue partout où il allait. Ça faisait partie de lui comme le reste, comme ses goûts et sa mémoire, comme ses frustrations et ses colères qui ne duraient pas. Il était sympathique, amène, il plaisait à la plupart des gens. Il avait eu le temps, énormément, de développer des réflexes de séduction, il mentait facilement et sans se poser de question. Le dernier travail qu'il avait eu consistait à embarquer des tonneaux et des caisses sur des bateaux en partance pour l'Europe. Il volait allègrement et sans arrière-pensée. Aucune prison n'avait réussi à le garder enfermé plus que deux jours. On ne se rappelait jamais de lui une fois qu'il s'échappait.

Il observait l'intérieur du magasin, où le marchand revenait maintenant derrière son comptoir avec une immense tranche de lard salé et d'autres provisions dans un panier, et il pensait pour la première fois à partir en Europe. Avec cette fille, pourquoi pas ? La traversée de l'océan ne l'intéressait pas, il y avait tant de choses à découvrir du nord au sud, mais si elle le lui demandait, il n'hésiterait pas.

Dans sa tête il élaborait un plan afin de leur dénicher des billets pour l'Angleterre ou la France, sur un navire de croisière luxueux, avec des chandeliers pendus au plafond, des lustres en pierres précieuses, quand elle est sortie avec sa marmaille derrière elle. La petite, qui s'était retournée, a fixé Aimé dans les yeux et il lui a envoyé un sourire, reconnaissant, comme si déjà elle devenait sa complice et que, dans cet échange de regards avec sa sœur, il y avait leur histoire, celle d'Aimé et de cette jeune femme magnifique, encapsulée et prête à être saisie, prête à commencer.

Il a appris son nom dans les secondes suivantes, quand les cinq enfants se sont mobilisés en chœur pour lui sauver la vie en criant *Jeanne* ! très fort, juste avant qu'un fourgon laitier propulsé par quatre percherons ne l'écrase en pleine rue. Aimé se préparait à arnaquer un commissaire de la Royal Steamships et il a eu un réflexe guttural profond en s'élançant vers elle, commençant à lever le bras, retenant au dernier instant son geste. La température a encore monté de quelques degrés, et les visages apeurés se sont couverts de sueur. Le chauffard ne s'est pas arrêté, il n'a même pas ralenti. Jeanne a posé la main sur son cœur. Le bruit des seize sabots s'est perdu dans le vacarme ambiant et chacun des enfants a ramassé un article de la commande. Le plus jeune, qui marchait à peine, a pris la miche de pain et l'a nettoyée brièvement avec ses doigts enduits de salive. Le pouls de Jeanne a ralenti. Ses sourcils sont restés froncés, anxieux et stupéfaits, mais son cœur a ralenti, en même temps que celui d'Aimé, et ils se sont fixés sur un rythme conjoint.

À une centaine de mètres au sud du magasin, la petite troupe s'est installée pour attendre le tramway qui est apparu bientôt, bondé comme d'habitude, et faisant tinter une clochette familière. Les enfants se sont frayé un chemin à travers les gens coincés dans le véhicule, en continuant de se tenir par la main, Jeanne portant le panier. Aimé les a suivis sans se faire remarquer des marchands ni des commères, qui continuaient de crier l'importance et la fraîcheur de leur stock. D'un mouvement fluide, il a grimpé à l'arrière, s'accrochant au poteau métallique, le corps à moitié dans le vide, la jambe pendante.

Aimé portait un pantalon rapiécé et des bretelles croisées dans le dos, sa chemise bouffante avait déjà été blanche et la fausse brise créée par le mouvement du tram y entrait par le col ouvert, faisant vibrer son foulard. D'autres hommes étaient en veston et chapeau, et rien n'aurait pu les leur faire enlever, même pas une journée aussi chaude. Ils suaient avec dignité, collés les uns sur les autres, les épaules rentrées, et plusieurs se sont levés pour laisser Jeanne et sa sœur s'asseoir. Au sud, on commençait à apercevoir la ligne du fleuve, les coups du soleil sur l'eau miroitante. La rue descendait en pente raide et le tram prenait de la vitesse. L'approche de l'activité portuaire modifiait les sons ambiants et une puissante odeur de farine et de mélasse s'est répandue dans l'air en même temps qu'un immense nuage de fumée grise aussitôt vaporisé.

À la hauteur de la rue Notre-Dame, ils sont descendus du tram et ont attendu le passage de celui qui allait vers l'ouest. Jeanne et les autres regardaient la foule se diriger du côté du Champ-de-Mars. Des femmes et des hommes se déplaçaient en groupes volubiles ou en famille. Certains avaient apporté des parapluies et s'en servaient, et ça faisait rire les enfants, de loin, surtout les plus jeunes. Jeanne a expliqué que ça pouvait servir aussi à faire de l'ombre, à transporter son ombre avec soi d'une certaine manière, que ça donnait de la fraîcheur, et ils sont tombés d'accord pour dire que c'était une bonne idée, au fond. La petite qui avait souri à Aimé avait les yeux pétillants, comme si le tra-vestissement d'un objet si familier, associé à une situation si différente, la rendait heureuse à un point tel qu'elle avait du mal à se contrôler. Sa main dans celle de sa grande sœur, elle gigotait et continuait à sourire, émerveillée. Dissimulé, Aimé avait envie d'aller les rejoindre et de payer leur passage comme si de rien n'était, sans que ça crée de malaise, il avait envie de les accom-pagner, d'accompagner Jeanne et d'endurer les cinq autres comme autant de chaperons. Il était encore loin d'eux, posté en retrait de la scène, mais il était bon avec les distances, et il savait que le tramway approchait, à la manière d'une deuxième chance.

Sans hésiter, il a franchi les quelques mètres qui les séparaient et a hélé le conducteur en levant le bras, bien haut cette fois-ci, pour qu'on le voie bien. De l'autre main, il a sifflé en collant ses doigts sur sa langue et en pinçant les lèvres. Les chevaux se sont arrêtés juste devant eux, disciplinés, et le conducteur a cligné de l'œil, complice lui aussi de l'aventure qui débutait, et en se retournant vers elle, en se courbant poliment pour leur faire signe de monter, Aimé a su que Jeanne le regardait enfin. Ça a duré à peine un instant, il a senti son regard, sur son cuir chevelu, sur ses joues rougissantes, lui donner une profondeur et une soudaine raison d'être, mais lui demandant néanmoins de ne pas en faire plus pour l'heure, sous peine de tout gâcher.

L'un en face de l'autre, comme ça, ils avaient l'air d'avoir le même âge, d'avoir partagé des expériences semblables et de venir du même endroit : deux jeunes gens grandissant dans une grande ville, apprivoisant peu à peu leur indé-pendance, laissant de côté certaines conventions du passé pour s'assurer d'être plus heureux que leurs ancêtres. Les cheveux tressés serré de Jeanne laissaient paraître une discipline et une éducation respectable, mais ça n'empê-chait pas Aimé d'y voir enfouie une forme d'éloge des courbes et des tracés sinueux, de ceux qui permettent aux événements fortuits de se produire. Il n'a pas payé leurs billets, en comprenant qu'il devait s'effacer de nouveau, mais il a payé le sien, pour la première fois, cinq sous. Il est allé s'installer au fond, déjà oublié, redevenu invisible. Le long du trajet, alors que les banques laissaient place à un mélange d'usines et de champs cultivés, il a continué à inventer cette jeune femme dans son imagination et à faire de cette rencontre le point de départ d'une histoire commune. Dans quelques semaines, quand il aurait fait sa connaissance, il s'apercevrait que la plupart de ses intuitions étaient justes : c'était comme s'il la connaissait d'avance, tout se confirmerait. Dans quelques semaines, quand ils se mettraient à se fréquenter et à se voir dans des lieux secrets, désignés par lui ou par elle, sur de petites feuilles passées clandestinement, il apprendrait ce qu'il y avait à savoir et à aimer chez elle. La façon qu'elle avait de pointer du doigt les sons, comme s'ils existaient à un endroit précis dans l'espace, juste à côté d'elle, près de son oreille ; ses angoisses par rapport à l'avenir immédiat de ses proches, après la mort subite de son père, Jean, peut-être assassiné ; la colère parfois malsaine de son frère cadet, qui remettait toujours plus en question son autorité, la peur qu'il se décide finalement à prendre en charge la famille et qu'il l'envoie dans un couvent ; la façon qu'elle avait de toujours protéger la flamme de sa lampe à l'huile, même une fois dans la grange, où le vent ne pouvait pénétrer entre les planches, pour s'assurer qu'aucune étincelle ne s'échappe et mette le feu aux bottes de foin sur lesquelles Aimé l'attendait ; et la façon qu'elle avait d'oublier brièvement ce qui l'inquiétait, dans ses bras.

Il pouvait le voir. Ça arriverait comme ça, et il ne cesserait de s'en étonner, de s'étonner de la justesse de ses fantasmes. Ici, dans le tram, il le vivait en y pensant, et plus tard, il y penserait en le vivant. Dans sa tête, en pleine histoire d'amour, ils étaient silencieux, Jeanne ne disait rien et lui non plus, les heures défilaient avec douceur, autour d'eux le monde se déroulait dans la violence ou se délitait dans la stupeur.

Trop excité, il a fermé les yeux, il fallait qu'il prenne son temps, et pour la première fois de sa longue vie, de sa vie parfois monotone, parfois excentrique, c'était agréable de se souvenir qu'il n'était pas pressé.

Le véhicule s'est immobilisé et plusieurs personnes sont descendues. Aimé s'est reculé dans son siège, Jeanne ne pensait pas à lui, pas encore. Pour la centième fois, elle a paru compter les têtes de ses frères et sœurs pour s'assurer qu'ils étaient encore avec elle et, au cri du conducteur, au claquement d'un fouet, les chevaux sont repartis en direction du village des Tanneries.

VIII

Juillet 1893
Philadelphie, Pennsylvanie

Aimé avait répondu par pneumatique à l'annonce discrète dans le *Ledger* et il s'est présenté à la porte du studio, au deuxième étage d'un immeuble en plein cœur de Southwark, avec ses souvenirs toujours aussi vifs, colorés comme des toiles criardes et anachroniques. Un enfant crevait de faim juste à côté de l'entrée principale quand il est monté. Assis sur les marches, la bouche ouverte et les yeux hagards, il ne quêtait rien et semblait attendre qu'on vienne le chercher pour l'emmener dans un meilleur endroit, où il pourrait rencontrer des animaux exotiques et sentir différentes épices. Aimé ne s'est pas arrêté pour le détailler autant que nous, il est passé sans même le remarquer, à peine. Il en avait vu d'autres, des pires, partout au pays, surtout dans les villes frontalières et dans les montagnes, à l'ouest du Piedmont, où la suie des mines et de la dynamite s'accrochait aux visages, creusait des rides et bouchait les voies respiratoires. Il avait déjà vu un enfant de neuf ans environ cracher une glaire noire en se raclant la gorge durant plusieurs secondes et lever des yeux défiants vers lui ensuite comme pour dire

133

quoi, qu'est-ce que tu me veux ? L'enfant sur les marches, lui, avait le visage propre et il tremblait des mains. Un petit chien brun somnolait à côté de lui, ses oreilles se soulevaient au moindre bruit, chaque fois que le garçon reniflait.

Il ne lui a pas demandé son nom, ni son âge, il ne lui a pas lancé une pièce de monnaie, mais il a grimpé les marches de l'entrée deux par deux, en tenant les revers de son veston. On pouvait voir la chaîne d'une montre de gousset, et l'élégance se lisait dans ses gestes et dans le reste de ses vêtements, malgré la hâte et la chaleur. Son maintien était contagieux, les murs de briques de l'immeuble, d'un orange foncé, semblaient plus droits quand il s'est glissé à l'intérieur. Quantité de fenêtres laissaient voir de la vie, laissaient entendre des rires, et des vêtements et des draps pendaient à des cordes au-dessus de la rue.

Juste avant de se rendre au lieu de rendez-vous, Aimé était allé visiter Independence Hall, parce qu'il se sentait Américain depuis plusieurs décennies. Au milieu de la foule de pèlerins, de notables et de jeunes pickpockets, il s'était faufilé jusqu'à la verrière où une copie originale de la Constitution était affichée. Là, il s'était recueilli, sans rien laisser paraître. Il avait observé les signatures, toutes les teintes d'encre infiltrant le grain du vieux papier. C'était la première fois qu'il mettait les pieds à Philadelphie et il avait rendez-vous avec un journaliste, un écrivain, un poète venu de New York pour faire des recherches.

APPEL AUX VÉTÉRANS – Informations précises et témoignages de première main recherchés au sujet de divers affrontements ayant eu lieu

134

au Tennessee, en Virginie-Occidentale ainsi qu'en Géorgie, durant les campagnes de Grant, Hancock et Hooker entre 1863 et 1865. Simples soldats, fantassins, lieutenants et porteurs de drapeaux de préférence. Expérience directe des combats nécessaire. Aux fins de portrait narratif prenant éventuellement la forme d'un récit historique véridique (PAS un ROMAN) et d'un hommage au courage et à la noblesse des combattants. Rencontre amicale. Confidentialité complète. Toute personne correspondant aux critères ci-haut mentionnés est priée de s'adresser à STEPHEN J. CRANE, par l'intermédiaire du *Public Ledger*, 6, Chestnut Street.

Il avait trente-quatre ans, quelques mèches grises, une ossature proéminente à la mâchoire et aux arcades sourcilières, et le jeune homme qui lui a ouvert la porte n'a pas pu réprimer un air sceptique en le voyant. Aimé a souri, dans l'embrasure de la porte, d'une voix polie il a dit :

— Je sais ce que vous pensez, mais j'ai juste l'air très jeune. Je suis plus vieux que vous pensez.

L'autre continuait de douter, visiblement, c'était impossible que cet homme ait combattu lors de la guerre civile. Il s'était attendu à recevoir des dizaines de réponses à son annonce, surtout à Philadelphie, où, selon plusieurs articles récents, de nombreux anciens militaires s'étaient retirés. Pourtant, une seule personne s'était manifestée, et maintenant il l'avait devant lui : un bambin presque, un dandy à peine plus vieux que lui. Une moustache fine et bien taillée. Pas un signe de vieillesse apparent, sauf peut-être une profondeur dans les pupilles, mais qu'est-ce que ça pouvait bien vouloir dire ? La porte était à moitié fermée et à moitié ouverte, il hésitait, il n'était pas certain de vouloir faire entrer cet homme dans l'appartement. Il n'avait pas envie de perdre son temps avec un illuminé. En sortant du train, deux semaines auparavant, il avait été accosté sur le quai par un homme barbu avec une jambe de bois, qui l'avait retenu en le tirant par la manche, répétant que le gouvernement ne payait pas la pension à laquelle il avait droit, que le gouvernement n'avait jamais reconnu son travail. Qu'il avait pensé se venger, prendre le contrôle. Mais quand le jeune homme lui avait demandé s'il avait combattu pour l'Union ou pour les Confédérés, le vieil homme avait pris un air offusqué, gonflant la poitrine : Vous ne me reconnaissez pas ? Je suis Stonewall Jackson. Je suis Thomas Jonathan Stonewall Jackson, ils m'ont tiré dessus à Chancellorsville, les enfants de chiennes. Il était parti sans formule de politesse, et le jeune homme n'avait pas envie que ça se répète aujourd'hui.

— Quel âge avez-vous dit que vous aviez ?

— J'ai quarante-sept ans.

— Vous avez quarante-sept ans. À quel âge vous êtes-vous enrôlé ?

— À seize ans. Je peux entrer ?

— Et vous vous appelez William Van Ness, c'est bien ça ?

— C'est bien ça. Je sais ce que vous pensez, mais ce n'est pas ça. Ne vous inquiétez pas. Je suis, comment dire, j'ai eu de la chance, je suis bien conservé.

— C'est juste que –

— Je ne suis pas ici pour vous faire perdre votre temps. Si vous voulez des informations sur la guerre, je suis votre homme. J'étais là. J'ai tout vu. J'ai pratiquement tout vu.

Le jeune homme, de son côté de la porte, avait à peine vingt ans, ça se voyait à la couleur de ses joues, à la pâleur de ses cheveux en plein juillet, et à leur texture fine de fils de maïs. Quelques cheveux flottaient dans l'air, pleins d'électricité statique. Lui aussi portait la moustache et ils avaient tendance à la toucher en même temps, dans un réflexe, esthétique et nerveux à la fois. Aimé restait aimable, droit comme les murs autour de lui dans le couloir sombre, et attendait que ce Stephen J. Crane l'invite formellement à le suivre à l'intérieur. Crane le jaugeait, l'analysait, tentait de percer l'incongruité de sa présence et de sa prétention d'avoir « tout vu ». Cédant à la curiosité, il a reculé dans la pièce en ouvrant grand la porte, gracieux, et a fait signe à Aimé d'entrer.

M. Van Ness était le bienvenu. Qu'il s'assoie et attende quelques secondes, Crane revenait à l'instant. Il y avait du bourbon, il irait chercher des verres, et un peu de poudre de cocaïne sur la table, si ça intéressait Van Ness. Qu'il ne se formalise pas de l'apparence du logement, Crane ne faisait que l'emprunter à un ami fidèle le temps de sa visite. Qu'il ne s'arrête pas au désordre, c'était en fait un endroit très confortable, où il faisait bon penser, même quand on n'était que de passage. Crane était personnellement de New York, mais avait grandi à Newark et à Hoboken, de l'autre côté de l'Hudson. Il aimait Philadelphie, il aimait que l'idée qu'il s'était faite de Philadelphie se marie bien avec la réalité de Philadelphie, si Van Ness comprenait ce qu'il voulait dire. Il a parlé comme ça, détendu, en allant chercher les verres.

Aimé s'est installé dans un fauteuil de cuir qui détonnait avec le reste du mobilier et la couleur des murs. Plusieurs peintures étaient accrochées ou simplement déposées sur le sol, des chevalets abîmés et tachés traînaient ici et là. Crane faisait du bruit dans les armoires de la cuisine, une minuscule pièce au fond du studio. Il est revenu et avait perdu toute trace d'inquiétude, dans son visage ne se lisait plus que l'impatience et l'excitation de pouvoir enfin parler de vive voix avec un homme qui avait connu de près ce qu'il s'apprêtait à mettre en mots : la fougue des combats, le danger imminent, les balles sifflantes et le bruit assourdissant des canons qui forgeaient l'espoir de la victoire à mesure que les tympans se détruisaient. Il a détaché les boutons de son veston bleu marine et s'est assis sur le sofa, face à Aimé, a croisé ses jambes, soufflé un peu, et s'est décroisé les jambes pour s'avancer vers la bouteille. Il a versé de l'alcool dans un des verres et l'a tendu à Aimé, qui l'a gardé dans les airs en prévision d'un toast. Crane s'est servi et a choqué son verre sur celui d'Aimé. Ils se sont souri et se sont touché la moustache, en cirant une pointe vers le haut. Crane s'est réinstallé confortablement au fond du sofa en se croisant les jambes. Il regardait Aimé et on lisait de l'ironie dans ce regard.

— Vous êtes vieux pour votre âge.

Aimé n'a rien dit, mais a commencé à ouvrir la bouche. Crane a continué :

— Ou le contraire, c'est difficile à dire.

— Oui, je sais. C'est difficile à croire. J'ai toujours eu une bonne santé. Mais je me sens vieux, en même temps, c'est étrange, dans ma

138

tête on dirait parfois que je suis bicentenaire, vous voyez ce que je veux dire ? Je me *sens* vieux quand j'y pense, mais mon corps répond encore très bien à ce que je lui demande : mes jambes ne sont pas fatiguées, mes bras bougent bien, je n'ai pas de douleur musculaire particulière.

— On dit souvent que la guerre fait vieillir les hommes prématurément, pourtant. Qu'est-ce qui a bien pu se passer dans votre cas ?

Crane a bu une gorgée. Lui aussi, quand on y pensait, quand on le regardait comme il faut, avec l'intérêt qu'il suscitait partout où il passait, peu importe ce qu'il entreprenait, semblait étranger à son âge, au fond. Il avait l'attitude de quelqu'un de plus vieux, qui avait vécu mille vies avant de s'arrêter brièvement dans celle-ci. Il bougeait et répliquait avec une sorte de sagesse prise on ne sait où, une rapidité d'esprit qui s'écartait de la simple vigueur.

— C'est comme si la nature vous avait oublié.

— Vous êtes trop aimable.

Aimé a bu une gorgée. Le bourbon était de mauvaise qualité, la dépression frappait tous les secteurs. Il fallait être riche pour se payer du bon whisky. Aimé avait accumulé plusieurs bouteilles de Dickel et de Old Bushmills au fil des ans. Il a gardé le liquide longtemps dans sa bouche, l'a fait rouler sur sa langue et sur son palais comme si c'était du vieux whisky irlandais. Ça goûtait le moonshine trafiqué dans le fond du Kansas.

— Je ne sais pas si c'est un compliment. Oui, c'est comme si vous aviez été laissé de côté, comme si la nature vous avait abandonné à votre sort.

— Je vous fais cet effet-là.

— Comme si c'était à vous de décider ce qui allait arriver, vous voyez ce que je veux dire ?

— Oui.

— À vous seul. C'est angoissant.

Il s'est avancé encore une fois pour ouvrir un petit écrin de métal sur la table. À l'intérieur il y avait une quantité de poudre blanche très fine.

— Ou pas. Je ne sais pas. Peut-être que vous allez vieillir d'un coup, aussi, et mourir assommé d'un coup, comme par un éclair, une explosion, par un coup de massue. Qui sait ? Un piano qui tombe, un chat noir.

— Pour l'instant, tout semble se dérouler normalement. C'est juste une question d'apparence, au fond. Dites-vous que c'est seulement une question d'apparence, et qu'il ne faut pas s'y fier, comme chacun sait.

Crane a reniflé une petite clé de fer qu'il avait trempée dans la poudre et a offert l'écrin à Aimé, qui l'a attrapé avec délicatesse. Crane lui a signifié du regard qu'il était le bienvenu, qu'il n'avait qu'à se servir. La clé était toute petite et de la poudre en tombait. Il a inspiré avec force et s'est pincé les ailes du nez. Chez lui, quelque part en Oregon peut-être, ou au Nouveau-Mexique, dans une cave scellée et déshumidifiée, il avait plusieurs bouteilles de whisky accumulées depuis longtemps. La poussière se déposait sur elles et elles prenaient du goût. Il attendait une bonne occasion pour les ouvrir.

Un rayon de lumière est entré par la fenêtre et a coupé la pièce en deux. Entre midi et une heure, s'il faisait beau, le soleil illuminait les immeubles de la rue, serrés les uns contre les autres, il fallait en profiter. Quand le rayon est apparu, Crane s'est levé et est allé ouvrir grand les rideaux. Ensuite il est revenu s'asseoir et ils ont commencé à parler de choses sérieuses. Aimé pensait que l'autre allait prendre des notes, griffonner dans un carnet ce qu'il racontait, mais non. Crane écoutait, souriait parfois d'aise au contour d'un détail plein de couleur, se peignait la moustache du bout des doigts. Il relançait Aimé quand celui-ci semblait se perdre, lui posait des questions très précises sur le type d'armes qu'il avait manipulées, sur le nombre de canons qui avaient lancé l'assaut à Morrisville, en avril 1965. Une des dernières batailles de la guerre, un des derniers mouvements coordonnés de la cavalerie.

Ensuite, Aimé s'est mis à décrire des choses plus personnelles, et c'est devenu intéressant. Crane a changé d'expression. Son sourire ironique avait disparu. Il n'était plus tout à fait assis sur le sofa de son ami artiste, on ne pouvait plus dire qu'il était assis. Il écoutait Aimé et les personnages sur les toiles, disposées un peu partout et n'importe comment dans le studio, semblaient faire de même.

Il a décrit comment le soleil, en s'infiltrant à travers de longs nuages de pluie grise, lui avait donné l'impression que c'était terminé, et que tout le monde allait rentrer chez soi, marqué mais vivant, que ça lui avait donné cette fausse idée de la fin de l'horreur un nombre incalculable de fois. Mais c'était inévitable, il ne pouvait pas arrêter d'y croire. Il a expliqué comment il avait pensé à sa mère, qu'il n'avait jamais connue, mais qu'il aimait s'imaginer lui dire au revoir en pleurant silencieusement, lui dire au revoir près de la clôture qu'ils auraient construite ensemble pour protéger les poules des renards et des coyotes. Il ne pensait pas à sa femme, ou à son amoureuse, ou à une amante de passage qu'il aurait abandonnée, mais à une mère qui aurait accepté de le laisser partir à la guerre, lui et ses illusions sur l'héroïsme et le courage, pleurant silencieusement avec des yeux stoïques.

Il aimait penser à cette mère et la revoir dans son esprit quand l'artillerie ennemie pilonnait les environs sur des miles de distance. Elle l'accompagnait, comme une image imprimée dans sa tête. Il pensait à elle au milieu de la furie des canons et des fusils, des crachats et des quintes de toux des hommes autour de lui, des cris d'un officier stoppé court descendu de son cheval par une balle dans le visage. Juste avant d'exploser, sa bouche lançait un ordre, son bras pointait dans une direction, vers l'affrontement principal, là où ils devaient aller pour entrer concrètement dans le combat. Quoi qu'ils aient pu en penser, et malgré l'incontestable violence des explosions et des éclats d'écorce et de pierre qui virevoltaient partout, ils n'y étaient pas, ils étaient loin du champ de bataille. Des officiers gueulaient sans arrêt pour leur dire de bouger, de se mouvoir à la fois individuellement et comme un corps collectif, un géant se soulevant et qui écrasait l'adversaire.

Une des choses que devait comprendre Crane, c'est qu'il est impossible de décrire correctement une bataille d'un point de vue particulier, à moins d'être un aigle, un général devant une carte, ou un historien après le passage du temps.

Aimé a décrit comment, une fois la bataille commencée, elle se mettait à prendre sa propre forme vivante, à avoir une vie propre, avec une écologie, une géologie, et un souffle imprévisible, parfois haletant, parfois court, parfois étrangement reposé. Peu importe où le soldat regardait, il y avait toujours une excroissance de la violence, en périphérie, souvent à des lieues et des lieues de ce qu'il croyait être l'endroit névralgique où se décidait le sort de la guerre et de la nation.

Aimé a parlé de l'importance, pour sentir la puissance des combats, de bien cerner le contrepoids de l'ennui qui était le lot d'un soldat et d'un régiment, et qui durait si longtemps qu'on en venait à croire que la victoire ou la défaite se ferait sans nous, sans notre apport. De cet ennui surgissaient le potentiel héroïque, les mirages, les hallucinations dans la nuit froide, les rêves agités qui transformaient le plus humble des hommes en empereur conquérant. Il ne se passait rien durant si longtemps que lorsque ça commençait, c'était irréel, presque inconcevable. Le régiment marchait, marchait, marchait, traversait, lui semblait-il, des États entiers, des chaînes de montagnes entières, pour arriver, après des semaines et des semaines, dans une clairière anonyme où tout explosait, où l'univers se concentrait brusquement, dans les couleurs, dans les sons, dans la peur viscérale qui s'installait, dans une telle cacophonie que plus rien n'était compréhensible. À quelques lieues de la clairière, une ferme abandonnée, dont l'architecture craquée de partout et la toiture sur le point de s'effondrer, construite avec des matériaux de fortune, faisait comprendre à quel point on était loin de Washington, de Savannah ou de Richmond, là où des décisions se prenaient et où des mouvements de troupes étaient envisagés.

Aussi, en reprenant de la cocaïne et en se laissant servir un autre verre de bourbon, il a raconté à Crane, sans insister, mais en cherchant à lui faire comprendre que le sens véritable de la guerre, de n'importe laquelle, se trouvait là, dans l'apparente contradiction entre son désir d'héroïsme et sa lâcheté, il a raconté comment il avait couru dans la mauvaise direction, sans trop savoir pourquoi. Aimé, engagé volontaire, persuadé dans la sagesse mal avisée de sa jeunesse que rien ne pouvait l'effrayer, avait couru loin du champ de bataille en se fiant au son de l'artillerie qui semblait toujours plus à sa gauche. Il a expliqué à Crane qu'il avait perdu le contrôle de son corps et de ses jambes surtout, à cet instant-là. La bataille se déroulait plus haut dans la montagne et il avait couru vers le bas, vers la clairière, vers le ruisseau qu'ils avaient croisé quelques jours avant. Il se disait qu'il allait chercher de l'eau pour les autres, qu'ils allaient manquer d'eau. Il ne désertait pas, il était simplement assoiffé, et les autres aussi, le lieutenant était assoiffé, ça se voyait quand il criait, cette absence de salive qui rendait sa voix rauque et sourde, qui blanchissait les commissures de ses lèvres.

En reniflant, il a expliqué à Crane, le regardant dans les yeux, sans chercher à le convaincre, que c'était peut-être ça qu'il devait essayer de mettre en mots, dans le livre qu'il préparait : ce mouvement incontrôlable des jambes qui avait fait courir Aimé loin des coups de feu et des boulets de canon, le plus loin possible. Peut-être que les mots de Crane allaient pouvoir expliquer, mais ce n'était pas le bon mot, il ne connaissait pas le bon mot, pourquoi il s'était sauvé, et ce que ça signifiait, dans la vie d'un soldat et dans l'économie globale de la guerre, expliquer le sens donné à la guerre par différentes catégories d'hommes. Aimé était-il quelqu'un qui se sauvait ? Est-ce comme ça qu'on pouvait le décrire, lui en particulier, ou représentait-il quelque chose de plus grand que lui-même ? Crane se mordait la lèvre inférieure et peignait sa moustache, il se retenait visiblement de poser une question. Aimé a arrêté de parler et a attendu.

Avait-il été blessé ?

Oui, il avait reçu un coup de crosse de fusil sur la tête qui avait failli le tuer, d'un soldat de l'Union à qui il avait demandé où se trouvait la bataille. Quand il s'était finalement décidé à revenir au sein du régiment, après avoir couru en périphérie des affrontements durant plusieurs heures, éperdu, s'enfargeant dans des cadavres, il avait demandé à un groupe de soldats qui avaient aussi l'air en pleine désertion où se trouvait la bataille, et un des hommes l'avait bousculé, finissant par lui frapper la tête avec son arme. Aimé s'était évanoui et plus tard, en retrouvant les autres, il s'était fait soigner par un médecin militaire persuadé qu'une balle l'avait frôlé. Sa plaie avait la forme d'une égratignure de balle qui aurait sifflé en le rasant. Il n'avait rien dit, incapable de mentir ouvertement ni d'avouer la vérité. On l'avait traité en héros.

Aimé s'est penché et a incliné la tête pour montrer la vieille cicatrice à Crane, sans qu'il ait rien demandé. Là où des mèches grises parsemaient ses cheveux, Aimé a posé ses mains et a dégagé un espace où une ligne de chair boursouflée s'étendait en zigzaguant. Il y avait une forme de fierté sobre et digne dans ce geste, comme s'il défiait Crane de trouver de la lâcheté dans cette cicatrice, dans cette blessure reçue dans le feu de l'action, au milieu d'une déroute aussi bien personnelle que collective.

Ils avaient bu, la cocaïne faisait son effet. Les phrases d'Aimé, dans son anglais riche et anachronique par endroits, se faisaient longues et tortueuses. Il exprimait une peur soudaine qui saisissait le torse, la cage thoracique, les trompes d'Eustache, utilisait des mots presque scientifiques, des expressions anatomiques comme pour éviter de sombrer dans le lyrisme. Son discours était de moins en moins clair et concentré, il tournait autour de plusieurs points nodaux de son histoire privée. Il parlait beaucoup des couleurs du paysage, des nuances de gris, de rose et de bleu foncé qui s'étendaient à l'horizon, qu'on admirait mais qui n'avaient rien à voir avec ce qui se déroulait ici, à Five Forks, à Fort Braggs, ou à Selma. Partout c'étaient les montagnes ancestrales et éternelles qui encerclaient les troupes, qui semblaient bouger quand les affrontements devenaient si violents qu'on attendait l'apocalypse. On attendait que le soleil s'éteigne, que les flancs des montagnes s'affaissent, que les troncs gigantesques des ormes et des chênes se mettent à craquer autour et s'effondrent sur les armées. Aimé se posait la question : qu'est-ce qui donnait ces impressions, à la fois lugubres et comme extralucides ? Était-ce la peur ou le courage ? Tout se passait au niveau des intestins, entre le diaphragme qui se soulevait et le côlon qui se contorsionnait. Impossible d'identifier la sensation, celle qui faisait courir dans un sens ou dans l'autre, pointer le fusil et tirer sur des formes grises et floues à la limite du champ de vision ou décamper. Décamper vers la forêt protectrice et les sommets calmes et impassibles, touchant les nuages, des Blue Ridge à perte de vue, disparaître dans les Alleghenies.

Quelques heures plus tard, quand la bouteille vide s'est retrouvée couchée sur la table, à cause d'un mouvement raté de Crane, Aimé a dit qu'il devait partir. Crane a fait craquer son dos, et ensuite ses doigts, vers l'intérieur et vers l'extérieur. Ils se sont levés en même temps, sans trop tituber se sont dirigés vers la porte que Crane a ouverte pour Aimé. Ils se sont serré la main et Crane a commencé à formuler des remerciements. Ses tempes battaient visiblement, il se concentrait, son attention était entière entre les sourcils de son hôte. Il a répété encore une fois : You look so young, man.

Aimé a souri et a eu un petit rire avec ses narines, un rire sans humour, rationnel et empathique. Il a cligné des paupières en signe d'assentiment et a libéré sa main de la poigne de Crane. En sortant de l'appartement, il a presque buté sur la rampe de l'escalier et pendant qu'il descendait il a entendu le jeune journaliste lui indiquer la direction pour retourner au centre-ville. Sa voix s'est perdue dans le couloir, puis dans les marches de l'escalier tournant, dans les méandres étroits de l'immeuble. L'air vicié et la noirceur absolue qui entouraient Aimé se sont dispersés quand il a ouvert la porte d'entrée et a émergé sur le perron menant à la rue.

Aucune lumière municipale n'éclairait le quartier, mais des gens se promenaient avec des lanternes à l'huile. Les flammes ballottaient et attiraient le regard, comme des pendules. En s'avançant sur les quelques marches qui le séparaient de la terre battue, Aimé a entendu une série d'aboiements aigus et il a levé la tête pour la diriger vers le son. À une des fenêtres de l'immeuble, peut-être au septième ou au huitième étage, un homme était penché. Il tenait un petit chien brun et le faisait tourner dans les airs en riant. Derrière lui, au milieu des aboiements et des gémissements de l'animal, on entendait aussi les pleurs d'un enfant. L'homme s'est retourné et a crié shut up, vers l'intérieur. Dans un mouvement élégant, franc et sans aucune hésitation, il a lancé le chien dans le vide, qui s'est mis à tournoyer sur lui-même très rapidement dans un silence soudain. Le petit chien a traversé l'espace au-dessus de la tête d'Aimé, est allé se frapper sur le mur de l'immeuble en face et a terminé sa chute au milieu de la chaussée, avec un bruit sourd, atténué par la poussière et les roches soulevées dans l'air sec. L'homme a reculé à l'intérieur, riant encore, a fermé les volets. Certaines lanternes étaient tournées vers le chien, d'autres vers la fenêtre d'où on n'entendait plus de pleurs ni rien. Une femme qui ramassait ses draps sur la corde avait un sourire d'épingles à linge dans la bouche, mais paraissait sous le choc, immobile sur un balcon, en hauteur. Aimé a cherché Crane dans les interstices des murs, entre les éclats aveuglants des lanternes, sans succès.

IX

Septembre 1837

New Echota, Géorgie

Les armes confisquées aux hommes et aux adolescents de la nation cherokee étaient empilées dans une des maisons de Major Ridge, à qui on n'avait pas demandé la permission. Comptabilisées rapidement, elles étaient là, les canons longs d'un côté, les pistolets de l'autre, pour être redistribuées à la milice privée qui accompagnerait l'armée au cours du déplacement de masse du début de l'année prochaine. C'était une mesure de protection, pour les Indiens comme pour les pionniers, les fermiers et les soldats. Ça se ferait de façon civilisée, personne n'en doutait, même pas les shamans.

Les armes attendaient d'être distribuées, dans une maison à quelques kilomètres au sud de New Echota, capitale de la nation cherokee. Quelqu'un s'occupait de les garder et de les protéger contre une éventuelle insurrection des Indiens, mais on savait qu'on pouvait compter sur la collaboration de Major, signataire principal du récent traité avec l'ex-président Andrew Jackson, et celle des autres chefs d'envergure. On n'avait pas peur des Indiens, on savait qu'ils s'entretueraient si un des leurs venait à mettre en danger la sécurité des familles. La semaine précédente, trois hommes avaient été retrouvés morts parce qu'ils avaient décrié publiquement le traité de déplacement vers l'ouest. Quelqu'un de furtif leur avait tranché la gorge durant leur sommeil.

Major Ridge avait déjà émigré avec sa famille sur les terres allouées aux Cherokees, il n'avait aucune idée de ce qui se tramait en son nom, mais ça ne changerait rien au bout du compte. Il continuait à avoir confiance en la bonne foi des parties impliquées, à faire écrire des missives tentant de convaincre les récalcitrants de venir les rejoindre de l'autre côté des montagnes, in the land of milk and honey. Là-bas, le climat était bon, les terres généreuses, il y avait du bétail et des troupeaux sauvages. Là-bas, les Américains laisseraient enfin les Cherokees vivre en paix, jamais les États-Unis ne s'étendraient jusqu'aux confins des territoires, c'était inconcevable. Et le père Jackson, comme ils l'appelaient encore, qui avait maintes fois prouvé qu'il était un homme de parole, le leur avait promis : les Cherokees seraient libres là-bas, par-delà le Mississippi, par-delà l'Arkansas, les terres consenties de bonne foi par les Américains ne leur seraient jamais enlevées, ne seraient jamais envahies par les Blancs. Il y avait de la place pour tout le monde, ça s'étendait à perte de vue, le paysage et les perspectives bien droites.

Un seul garde de l'armée était posté à la maison de Ridge, où il pouvait compter sur l'assistance de la trentaine d'esclaves africains du chef si un ou deux inconscients décidaient de se révolter. La nuit était calme, on avait tué une des dernières vaches durant l'après-midi, pour nourrir les troupes qui n'allaient pas tarder à arriver sur place, dépêchées de West Point. On avait donné plus de huit ans aux Indiens pour partir de leur plein gré, et l'armée se préparait maintenant à les déporter. Les rumeurs circulaient, les gens commençaient à parler d'une longue marche forcée qui se tiendrait quelque part en février ou en mars. À New Echota, les assemblées des chefs cherokees étaient houleuses, pleines d'amertume et de rancœur, des clans se formaient, mais la dissension n'était pas encouragée. Si un des chefs avait parlé fort, plus haut que les autres, il s'excusait avant que l'assemblée ne soit terminée et chacun rentrait chez soi en ravalant sa colère. Il fallait sauvegarder les apparences et prouver aux Américains que les Cherokees savaient s'entendre. Ici, sur l'immense ferme désertée depuis des mois par Ridge, il n'y avait plus que quelques bêtes et des dizaines d'armes à feu. Une ou deux bicoques de colons avaient poussé dans la plaine, déjà. On distillait de l'alcool, on construisait des clôtures pour éloigner les coyotes. Dans la nuit on apercevait de minuscules lumières scintiller.

Trois ans auparavant, quelqu'un avait trouvé une pépite dans le flanc d'une des montagnes ou le lit d'une des rivières et il l'avait rapportée en ville pour la faire évaluer. Il avait dit, en arrivant au bar où il avait payé une tournée, et les suivantes, probablement avec humour, qu'à partir de maintenant, les Peaux-Rouges allaient devoir faire de la place, parce que les hommes blancs arrivaient : il y avait de l'or dans le ventre des Appalaches. Et dès le lendemain les ventes de tamis et de matériel d'excavation avaient explosé.

Dans un des carnets d'Albert, entre deux listes de dates griffonnées qui concordent avec les phases de la lune et le mouvement des marées, mais qui ne concordent pas nécessairement entre elles, on apprend qu'Aimé était probablement le dernier maillon d'une chaîne complexe d'opérateurs qui commençait sur la rive sud du Saint-Laurent, dans les environs de Saint-Jean, et qui se déroulait de façon tentaculaire jusqu'en Géorgie et en Alabama. Un certain Arthur Pothier, docteur et notaire, l'avait engagé, c'est à peu près tout ce qu'il savait, et il en savait à peine plus que nous. Il savait qu'il devait livrer les armes à un jésuite en périphérie de Chattanooga, le reste ne le préoccupait pas. Il n'avait jamais rencontré Pothier, leurs échanges avaient eu lieu par missives ultrasecrètes, alors qu'il se trouvait dans les environs de Boston, cherchant des sensations fortes. Intuitivement, il savait que les armes serviraient à préparer l'insurrection imminente au Bas-Canada, mais il n'avait jamais traité avec qui que ce soit qui se serait réclamé ouvertement de la Société des Fils de la Liberté. On pense que son nom circulait dans certains milieux : il était fiable, téméraire, et ne posait pas de questions. Il avait de l'expérience. D'après les sources disponibles, dont on ne pourra jamais être pleinement satisfaits, Aimé n'était qu'un maillon, probablement le dernier, ou le premier, d'une longue chaîne d'influence et de contacts qui cherchaient à armer les rebelles par tous les moyens possibles.

Pendant que Louis-Joseph Papineau tentait de convaincre Martin Van Buren, fraîchement assermenté, d'appuyer le Parti patriote si les pourparlers avec la Couronne britannique venaient à s'envenimer, d'autres réseaux s'étaient mis à s'organiser. Le nom d'Aimé circulait, c'était un jeune homme sur qui on pouvait compter, un homme d'honneur malgré ses activités mercenaires. Il connaissait bien les États-Unis, le long des Appalaches, il connaissait plusieurs personnes d'intérêt et on avait entendu dire qu'il ne craignait rien.

C'est une des versions de son parcours, une de celles qui se sont rendues jusqu'à nous, et qu'il faut manipuler avec soin. Selon des sources orales et écrites qui se recoupent et qui convergent, il se trouvait là, dissimulé sous un mélèze, prêt à voler les fusils confisqués aux Indiens, afin de les livrer à un jésuite dont le nom s'est perdu. Ce dernier leur aurait ensuite fait traverser le pays, et ultimement la frontière, par les mêmes passages clandestins qu'emprunteraient une vingtaine d'années plus tard les esclaves en fuite cherchant à rejoindre les États abolitionnistes du Nord. Personne n'aurait demandé la provenance des armes, et personne ne l'aurait révélée, même sous la torture.

Sortant de sa cachette sous les épines, Aimé s'est infiltré sur la propriété sans se faire remarquer, éclairé dans le dos par une lumière lunaire indécise et laiteuse. La surveillance était pratiquement inexistante. Des nuages circulaient lentement dans le ciel, masquant certaines étoiles avant les autres, et accentuant l'effet de courbe de l'horizon, comme si la Terre était ronde. Il s'est

avancé rapidement sur l'herbe coupée et ensuite
sur un chemin de terre entre deux collines de
peu d'envergure et la maison est apparue dans
son champ de vision. À sa hanche il traînait un
couteau pour s'en servir au besoin. Il le touchait
avec ses doigts en s'approchant des fenêtres de
la grande véranda virginienne qui entourait la
maison de Major Ridge. Il a regardé à travers
une fenêtre du rez-de-chaussée, celle d'une sorte
de boudoir, bien meublé, faiblement éclairé, où
somnolait un jeune soldat engoncé dans un uniforme sale, étendu sur un Récamier. La lueur
des chandelles, posées sur une table à proximité,
vacillait avec sa respiration. Aimé a fait le tour
de la maison pour vérifier qu'il était seul, pour
s'assurer de la véracité des informations reçues.
Loin, à l'est de la demeure élégante, construite
sur deux étages, se trouvaient les casernes où
vivaient les esclaves. Aucune lumière ne venait
de ce côté, mais Aimé connaissait leur emplacement, et les allées et venues s'arrêtaient après la
tombée de la nuit. Il s'est approché de la porte
d'entrée et s'est glissé à l'intérieur, sans bruit,
sans hésiter. La moustiquaire n'a pas craqué, ses
mouvements étaient souples et précis. On aurait
dit qu'il faisait ça depuis longtemps, qu'il l'avait
fait souvent, dans des circonstances diverses, qui
demandaient toutes une sorte de contrôle aiguisé
sur le corps et les membres.

Pour atteindre la pièce où se trouvaient les
fusils, il a longé le couloir en marchant sur le
tapis déroulé sur plusieurs mètres devant lui.
Les murs rapprochés du couloir étaient peints
en blanc et des boiseries ornaient les poutres de
soutien au plafond. Aucune trace de la culture

cherokee n'était visible dans les chandeliers ni dans les bols d'eau fraîche disposés sur une longue étagère encastrée. En jetant un œil dans le boudoir par la porte à sa gauche, Aimé a vu la tête du chevreuil au mur du fond mais il n'a pas pu voir celle de l'ours qui lui faisait face et la regardait dans les yeux. Le soldat dormait, il était presque quatre heures du matin. En sortant, Aimé attraperait son fusil également, peut-être le garderait-il pour lui.

Les armes confisquées aux hommes de la nation cherokee étaient empilées dans une pièce du fond, sorte de réduit qui n'avait pas le lustre du reste de la maison. On avait déposé les fusils le long d'un mur en lattes de bois grossières et les pistolets sur le sol. L'obscurité était presque totale, il se servait de ses mains pour s'orienter, tranquillement mais avec assurance. On aurait dit qu'il était déjà venu ici. Ses mains se déplaçaient sur les murs comme des pulsations rythmées et assurées. Aimé a étendu par terre un grand sac de jute dans lequel il a commencé à transférer les fusils. Ça deviendrait lourd très vite, mais il avait promis une certaine quantité et n'aurait pas à les traîner sur une trop grande distance. L'important, c'était que la courroie de cuir qui formait la bandoulière ne se brise pas. Aimé a pensé qu'il n'hésiterait pas à trancher la gorge du jeune soldat s'il le surprenait, s'il tentait de sonner l'alarme ou d'appeler à l'aide. Il n'avait jamais tué personne, c'était quelque chose qu'il n'avait pas encore vécu, une sensation qui était encore de l'ordre de l'inconnu. C'était possible de vivre aussi longtemps et ne tuer personne. Il n'avait jamais tué qui que ce soit, mais il savait qu'il n'hésiterait pas : ça serait un mouvement parmi les autres, un geste décisif au milieu d'une longue série, un geste nouveau, inédit, mais emmagasiné dans le profond bagage collectif qu'il traînait avec lui, sur sa hanche, quelque part dans le couteau de chasse accroché à son étui de cuir retourné.

Il travaillait vite, ne ressentait pas de peur. Il ne s'arrêtait pas au moindre craquement de la maison, des murs, des embrasures, il saurait reconnaître la différence dans le son si le soldat venait à se réveiller, une sorte de langueur délibérée, humaine, dans les vibrations. Son sac plein, il a tiré les cordes pour refermer l'encolure et se l'est passé sur l'épaule. Ça pesait des dizaines de kilos et Aimé s'est affaissé un peu sous le poids, en sentant un bout de métal lui pousser dans le dos, entre deux vertèbres. Il est sorti de la pièce froide et noire et s'est dirigé vers la porte d'entrée. Il est revenu sur ses pas et a furtivement retraversé le corridor en sens inverse pour monter à l'étage. La porte de la chambre des maîtres était entrouverte, laissée à moitié fermée depuis le départ de la famille Ridge. Aimé a poussé dessus avec ses doigts tendus. Les lumières distantes de la nuit pas encore civilisée pénétraient par la grande fenêtre. Une peau d'animal servait de tapis à l'avant du lit. La pièce respirait la présence humaine, comme si les habitants venaient de la quitter, à peine cinq minutes auparavant. Le baldaquin élégant flottait dans le souffle subtil qu'Aimé avait créé en poussant sur la porte. Après quelques secondes où il a eu l'impression qu'un spectre fluorescent s'évadait à travers la vitre fermée, sans la fracasser, en passant au travers, il s'est avancé vers le grand chiffonnier d'acajou et a dérobé des objets précieux, quelques bibelots, des bijoux, et un capteur de rêves qu'il allait pouvoir revendre en ville.

En repassant près du jeune soldat, sans le mépriser pour son sommeil et l'absence de résistance qu'il lui avait opposée, il a volé son pistolet, comme prévu. Aimé ne ressentait aucun mépris, il trouvait qu'ils se ressemblaient, leur visage et leur manière de profiter d'un moment de calme avant le déclenchement des hostilités. Il savait qu'à cause de lui, ce jeune homme perdrait probablement son poste et sa pitance. Il serait accusé formellement de négligence par ses supérieurs. Il finirait quelque part dans une allée de Savannah, oublié, gisant dans sa pisse, avalé par une dernière lampée d'alcool frelaté. Aimé s'est demandé en le regardant ce que ça voulait dire, être un bon soldat, si le jeune homme qu'il avait devant lui aimait son pays au point de vouloir en porter les couleurs au quotidien. Il se demandait quelle était la différence entre porter les couleurs d'un pays, porter une arme réglementée, des galons, rêver à l'avancement d'une nation, ou à son avènement, et agir pour soi, dans l'obscurité, sans se faire remarquer jamais. Ça a duré une fraction de seconde, cet échange intime, à sens unique, entre Aimé et le soldat endormi.

Tout de suite après, il est sorti de la maison de Major Ridge et s'est mis à courir dans la nuit. Les fusils s'entrechoquaient et le cliquetis rythmé du métal et du bois le rendait nerveux. Il courait en ligne droite, et en contrebas il a commencé à percevoir dans le noir les casernes, éteintes depuis plusieurs heures, pour quelques heures encore. Il a traversé le champ de coton laissé à l'abandon depuis plusieurs mois et avait presque atteint les collines et un peu plus loin les bois quand il a entendu du bruit, une branche cassée, qui a résonné dans le vide de la propriété abandonnée. Aimé s'est arrêté, un homme noir de grande taille, besace à l'épaule, gourde pleine d'eau dégoulinante en main, les vêtements foncés, déchirés, se tenait sur le chemin, à un ou deux pas de lui. Des gouttes d'eau tombaient de la gourde. Il était presque invisible, se fondait dans l'obscurité. La seule chose qu'Aimé voyait, presque, c'était le rose de l'intérieur de ses lèvres, et le blanc grisâtre entourant ses iris. Ils se sont regardés en silence. Aimé a déplacé lentement sa main droite vers le manche du couteau de chasse à sa taille et a tendu les muscles du haut de son corps. L'autre l'a regardé faire, respirant par sa bouche ouverte, une expression neutre dans le visage, entre le bâillement, la souffrance réprimée et l'indifférence, comme un long début d'éternuement qui ne viendrait jamais. Il a eu l'air de penser à ce qu'il devait faire. Lentement, il s'est écarté du chemin, ses deux pieds nus se déplaçaient sur le sol en raclant la terre sèche et en soulevant des particules de sable invisibles. La lumière de la lune est tombée sur lui. Retirant sa main du couteau, soulevant les paumes en signe de bonne foi, Aimé est passé à côté de l'homme noir, qui ne portait aucune chaîne aux chevilles ni au cou, mais qui avait une cicatrice épaisse et rugueuse le long de la joue. Ils ne se sont rien dit, pourquoi se seraient-ils dit quelque chose ? Aimé ne savait pas quoi dire à un esclave, même pas merci, c'était inconcevable, il n'aurait pas su quoi dire, même en essayant. Il a remarqué la cicatrice boursouflée qui a laissé une marque dans son imagination et il est reparti en courant, vers les cimes des arbres devant, qui lui bloquaient la vue des étoiles et derrière lesquelles la lune était en train de disparaître.

Aimé avait laissé son cheval et sa petite carriole dans la forêt dense près des berges de l'Oostanaula. Il faisait plus ou moins attention à ne pas reprendre le même chemin qu'à l'arrivée. Il a lancé le sac dans la carriole et a attrapé les rênes en sautant sur le siège. Chattanooga était juste au-delà de la frontière de l'État, à quelques dizaines de miles au nord, le long de la rivière. Il savait que les Indiens de la nation cherokee n'auraient aucun mal à remonter sa piste, les indices étaient nombreux, mais il savait aussi que personne ne leur demanderait de le faire.

Quelques semaines plus tard, dans un champ en bordure du Richelieu, à l'ombre du mont Saint-Hilaire, un groupe de quatre habitants choisis par maître Pothier pour leur discrétion a découvert une malle contenant onze carabines Springer datant de la guerre de 1812, vingt-deux pistolets Deringer de calibre.50 en mauvais état et plusieurs bijoux de métal ayant appartenu à Susanna Wickett, la femme sang-mêlé de Major Ridge, qui les avait abandonnés derrière elle. Elle n'en aurait pas besoin, sur les territoires où l'attendait une vieillesse tranquille et prospère. Ici, dans le nord, en prévision de la bataille qui aurait peut-être lieu à Saint-Denis, ou ailleurs, on pourrait les fondre pour en faire des balles.

X

Mars 1776

Québec

Cet hiver-là, alors qu'il vivait seul et se débrouillait pour mendier de quoi se nourrir, il s'est aperçu que les douleurs de croissance dont il souffrait depuis sa naissance s'étaient arrêtées. La douleur était devenue partie prenante de sa vie, alors ça a pris du temps avant qu'il ne réagisse. Le long de ses jambes, quand il marchait bien sûr, mais surtout quand il ne marchait pas, quand il s'étendait pour dormir, n'importe où, là où on l'accueillait temporairement ou dans une allée, quand il était assis et tendait les muscles, ça faisait des années qu'il avait mal. C'était lancinant et supportable, toujours à la limite du supportable, mais ça le faisait tiquer, ça lui occasionnait de ces mouvements involontaires dès qu'il était immobile trop longtemps. Il essayait de se débarrasser de la douleur en massant, comme les sœurs l'avaient fait quand il était tout petit, et se rendait compte qu'il avait des spasmes.

La douleur était pire dans ses jambes, mais il ressentait sensiblement la même chose dans ses bras, au niveau des coudes, traversant les veines de son avant-bras jusqu'au poignet, et aussi à la jointure de l'épaule, près de la clavicule. C'était une douleur interne, intouchable en un sens, quand il poussait sur sa peau avec ses doigts, ça ne l'accentuait pas, c'était complètement indé-pendant, ça défilait comme du liquide dans ses muscles et dans ses cartilages, comme une rivière irriguée et stable. On lui avait expliqué, avec des regards savants et fiables, qu'il pous-sait trop vite, que son corps semblait vouloir vieillir à une vitesse improbable. Quelques mois à peine après sa naissance, on le lui avait dit, il pesait plus de vingt livres et avait l'air étiré, comme si des forces maléfiques tiraient sur ses jambes et son cou en même temps, comme sur une pâte à pain, pétrie et longiligne, manipulée longtemps. Peut-être allait-il mourir très jeune, dans un corps de vieil homme chenu.

C'était le début de sa dix-septième année, mais il n'en était pas conscient, il pensait surtout à manger et à continuer à survivre, comme les autres fantômes qu'il croisait sur son chemin et dont personne ne voulait. On ne le recueil-lait plus nulle part, dans aucune maison, ce n'était plus le rôle de personne de s'occuper de lui depuis sa fuite du Séminaire. Autour de lui, Québec était une immense porte close où il cherchait des recoins, profonds et secs, pour se faire oublier et être en sécurité pour un temps. Il connaissait les passages, les voûtes, les ruelles dans lesquelles la puanteur et les fumées en spirale donnaient une fausse impres-sion de chaleur.

Quelques jours après que le mal s'était dissipé, sans avertir, il s'en est rendu compte, en plein milieu d'une tempête de neige. Il s'était réfugié sous un porche dans le passage du Chien d'Or avec une miche volée et des allumettes pour se brûler les doigts de temps en temps, sans trop attirer l'attention, et il s'est mis à ressentir la morsure du froid sur ses mollets et ses tibias comme jamais auparavant. Tout son corps se crispait pour combattre le vent, les loques qu'il avait sur le dos étaient percées, comme ses bottes, aux orteils, trouvées sur le cadavre d'un patriote américain oublié par les infirmiers. Il a bougé les jambes et s'est mis à courir sur place pour se réchauffer, en comprenant petit à petit que plus rien ne le contraignait, c'était comme si ses cuisses et l'arrière de ses genoux étaient soudainement libérés d'un poids immuable. Il a fait craquer une ou deux articulations, dans sa cheville gauche, et a prié silencieusement, en bougeant quand même un peu les lèvres, pour que ça dure. Il s'est senti bien pour la première fois depuis sa naissance, malgré le froid intense, bien dans son corps, qui lui donnait une seconde chance, pour ainsi dire.

Deux cents ans plus tard, il repenserait à ce moment et l'idéaliserait à un point tel qu'il aurait de la difficulté à ne pas en parler aux gens qu'il rencontrerait, partout sur le continent. Mais il ne dirait rien. Il aurait de la difficulté à ne pas raconter cet instant précis aux autres, où il avait arrêté de grandir. Dans son esprit, ce moment deviendrait le plus important de sa longue vie, mais il n'en parlerait jamais, ne le décrirait nulle part, dans aucun livre de mémoires, dans aucun document. Il n'en resterait aucune trace. Et pourtant, peut-être cela serait-il le cœur de son secret, le centre névralgique de son mystère personnel.

Les bourrasques soufflaient du fleuve vers l'intérieur des terres, montaient le cap sans difficulté, poussées par leur propre mouvement, et redescendaient de l'autre côté, vers les champs et les fermes, après avoir tournoyé sur elles-mêmes dans les fortifications, autour des postes d'observation où les sentinelles fixaient le sud, là où ça s'agitait toujours plus. L'assaut donné sur la ville par l'Armée continentale stationnée à Montréal à la toute fin de l'année avait été désastreux. On trouvait encore des morts congelés dans les boisés autour des murs. Les prisonniers, qu'on avait entassés dans l'aile la plus vieille, étaient bruyants, difficiles à contrôler, on les entendait par-delà les plaines réclamer leur liberté. Certains criaient des insultes aux soldats anglais et d'autres criaient des mots de paix et de séduction aux colons francophones. On entendait les prisonniers crier dans des dizaines d'accents différents, avec des tonalités d'un anglais qu'on ne reconnaissait pas, on les entendait crier à la ville de les libérer, de les soutenir dans la révolution. Le mot revenait souvent, plein de fureur et d'échos dans la nuit, comme s'il avait un pouvoir d'incantation.

Aimé dévorait sa miche et restait indifférent aux appels des détenus, qui voyageaient avec le vent du fleuve. La peau de son visage craquait et les fins poils d'une barbe naissante gelaient sur ses joues. Il se faisait discret parce que le nombre de soldats avait augmenté considérablement, et ils étaient intraitables avec les indigents et les pauvres. Ça ressemblait à une forme de méfiance à l'endroit des habitants des faubourgs, surtout, qui venaient se réapprovisionner dans la citadelle ou qui cherchaient à vendre des produits périmés sur la place Royale. Les hommes en uniforme rouge et bleu marchaient en groupe, au pas, et soudain s'arrêtaient et s'avançaient vers quelqu'un et se mettaient à l'interroger : d'où venait-il, où allait-il, que faisait-il dehors par ce temps ? Souvent, satisfaits des réponses mais toujours inquiets, ils le raccompagnaient jusqu'à la maison et même jusqu'aux portes, avant de le regarder s'éloigner sur le chemin menant à Saint-Roch, le long de la rivière.

La quantité de soldats avait augmenté, et les gens se faisaient de plus en plus rares dans les rues. Tant que les colonies au sud ne se calmeraient pas, ou ne seraient pas écrasées par la puissance britannique, le couvre-feu resterait en vigueur, et les sentinelles continueraient d'observer la ligne d'horizon, et les forêts de Lévis, là où Arnold et Montgomery avaient lancé l'artillerie contre la ville. Certains jours, on croyait apercevoir une ligne de feu dans le ciel bas, au loin, alors que Boston, New York, Philadelphie, Baltimore et les autres s'apprêtaient à se soulever ensemble.

Après avoir avalé la dernière bouchée, Aimé a craqué une allumette et se l'est passée dans les paumes, et sur le bout des doigts. Il l'a approchée de ses lèvres et de ses narines. Elle s'est éteinte et il a recommencé avec une autre. La petite flamme est presque morte sur-le-champ à cause d'un coup de vent pénétrant sous le porche où il s'était réfugié. Ses jambes ne lui faisaient plus mal comme avant et ça le rendait euphorique d'une manière qu'il n'arrivait pas à concevoir correctement. C'était comme du bonheur qu'il ressentait mais les mots pour le comprendre n'étaient pas disponibles. Il avait extrêmement froid et en même temps il ne savait pas quoi faire d'autre que de prier et remercier le Seigneur pour ce répit. Il portait une petite croix dans le cou et pensait à l'embrasser, mais oubliait à cause d'une bourrasque glaciale ou à cause de la neige poudreuse qui le forçait à fermer les yeux.

Un morceau de glace s'est détaché du toit qui le surplombait juste au moment où une brigade passait dans la côte de la Montagne. Les soldats se sont arrêtés et Aimé, immobile, a cessé de respirer. Dans le noir, c'était possible de rester invisible, en se fondant dans les ombres et les interstices des briques, mais pas s'ils entraient dans le fin passage pour vérifier l'origine du bruit. Un des hommes a pointé sa baïonnette dans l'obscurité et, sous l'ordre de son supérieur, s'est avancé lentement. Aimé a compris qu'il n'avait pas d'autre choix, et il a pensé à la chaleur relative d'une cellule, d'un sol couvert de paille. Il a levé les bras en signe de soumission et a signifié sa présence avec des mots clairs en essayant de ne pas effrayer le soldat.

Ils lui ont demandé de sortir de là, de s'appro-cher dans la lumière de la lanterne sans faire de faux mouvement. Qu'est-ce qu'il serrait dans sa main ? Qu'est-ce qu'il avait dans ses poches ? Qu'est-ce qu'il faisait là ? C'était une propriété privée. Quelques secondes plus tard, l'officier de la brigade en l'inspectant remarquait ses bottes trouées et les pointait du doigt. Il postillonnait. Il s'exprimait dans un anglais qu'Aimé associait aux riches marchands qui circulaient près du port et de la douane.

— Where did you get those boots ?

Et Aimé a hésité, parce que la peur a remplacé la parole qui aurait dû sortir immédiatement. Le mensonge salutaire n'est pas venu et il a seulement ouvert la bouche sur le silence, dans le froid au milieu de la rue alors que les hommes le tenaient en joue avec leurs fusils. L'officier a répété, un peu en français, plus fort :

— Où vous avez trouvé ces boots ? Answer me.

Aimé ne savait pas comment se sortir de là, cinq soldats l'entouraient, impossible de se sauver. L'un d'eux a retenu son chapeau sur sa tête juste à temps, avant qu'il ne s'envole avec la poudrerie soulevée par le vent. Aimé a réfléchi très vite. Il a accumulé les possibilités de réponse dans sa tête, mais aucune ne fonctionnait, toutes le menaient directement en prison. Les trous aux orteils ne changeaient rien, c'était du matériel appartenant à l'armée, aussi bien le cuir que les boutons dorés et les semelles décousues. En trouvant les bottes, Aimé s'était débarrassé des guêtres détachables, pour éviter de se faire remarquer. Malgré cette précaution, l'officier les avait reconnues sans problème, même si elles appartenaient à un uniforme ennemi. Aimé sentait sa nervosité, son impatience, tout le monde savait que des prisonniers de guerre s'étaient évadés de la prison mal gardée, difficile à encadrer alors qu'une attaque était toujours possible. Certains parlaient même d'une véritable insurrection qui partirait du peuple, menée par

167

les milices chaotiques d'un certain Ethan Allen, et appuyée par les Canadiens. La propagande américaine continuait d'arriver de Montréal et de s'infiltrer dans la ville, sans qu'on y puisse quoi que ce soit. On trouvait des pamphlets et même des lettres imprimées. Signées des noms de Franklin et d'Adams.

L'officier fixait Aimé du regard, mais ses pupilles étaient étrangement vides, comme si la faculté de voir lui avait été retirée avec l'hiver infini qu'il subissait depuis son arrivée. Ses dents n'existaient pratiquement plus et à mesure qu'il criait à Aimé de s'expliquer, de lui expliquer qui il était, elles finissaient de se désintégrer. Le clocher des Ursulines a sonné huit heures et l'officier a crié un ordre péremptoire. Les hommes ont saisi Aimé par les épaules et les bras, par ses épaules et ses bras qui ne lui faisaient plus mal, et ils se sont remis en marche. Ils l'ont amené rejoindre les quelque trois cent cinquante survivants de la marche de Benedict Arnold sur Québec, entassés dans les cellules suintantes de la prison militaire.

Le vent pénétrait par les meurtrières, mais il faisait chaud, les corps se touchaient quand ils se déplaçaient. Les hommes faisaient le tour de la cellule et revenaient à leur point de départ. Aimé a cherché à s'installer dans un coin et à profiter un peu de la chaleur, jusqu'à ce que son nez et le bout de ses doigts dégèlent. On lui avait enlevé les bottes et on l'avait poussé dans la cellule sans lui donner d'explications. Il ne savait pas s'il serait jugé aujourd'hui même ou dans plusieurs semaines. Jugé pour vol de matériel militaire et profanation de cadavre. Ça l'inquiétait, et pourtant, l'absence de douleur dans ses membres avait quelque chose de réjouissant, dont il voulait profiter en silence, en bougeant un peu les lèvres tout de même. Il y avait une euphorie dans son corps qu'il assimilait tranquillement. Il a touché la croix dans son cou en la sortant de sa chemise et un homme s'est approché pour lui souhaiter la bienvenue. La main craquelée, pleine de gerçures, qu'il a tendue à Aimé laissait voir qu'il était resté trop longtemps dehors, à tenir le siège de la ville en décembre dernier, et qu'il en garderait des cicatrices. Il lui a parlé en anglais, ses cheveux étaient gras et pointaient tous dans le même sens, comme s'il venait de se faire arracher une perruque. Aimé a répondu dans son anglais chancelant, avec une politesse de circonstance. L'homme était visiblement un haut gradé, les autres lui cédaient le passage quand il se déplaçait, à la manière d'insectes ouvrant la nuée dans la chaleur tropicale.

Aimé et lui ont discuté longtemps, pendant que le jour s'apprêtait à se lever et que les autres détenus dormaient ici et là, ou criaient par la meurtrière, endurant les rafales. Par moments, un garde venait leur dire de la fermer, mais il ne récoltait que des insultes et des imitations de son accent. Aimé, chaque fois que l'homme arrêtait de lui parler pour remettre un de ses subordonnés à sa place, ou pour se frotter les tempes avec ses deux majeurs crottés, disparaissait dans sa tête et se mettait à planifier son évasion. On l'avait jeté en prison plusieurs fois déjà. Il observait les murs, la composition de la roche. Il touchait les barreaux de fer pendant que l'homme se présentait, avec détails, avec passion et une sorte d'honneur que personne ne lui enlèverait jamais. Ses jambes étaient amaigries, et ses mollets étaient glabres. On ne lui permettait pas de fumer, malgré son rang.

Il s'appelait Daniel Morgan, capitaine de l'armée du Congrès continental. Il avait participé avec Arnold à l'attaque de Québec du côté nord, par les faubourgs de la basse-ville, le long de la rivière Saint-Charles. Ils avaient voulu, lui et son régiment, qui était là autour, en train de crever de faim dans ce cachot humide, prendre les autorités britanniques par surprise en attendant que la canonnade dirigée par le colonel Montgomery commence, à partir de la rive sud du fleuve, mais rien n'avait fonctionné, dans le blizzard. En guise de reddition, il avait offert son épée à un prêtre catholique avant l'arrivée du gouverneur Carleton. À cause de ce geste, on lui avait refusé le privilège d'une cellule individuelle. Mais c'était parfait comme ça : il aurait eu bien plus froid sans ses hommes, enfermé seul à écrire des missives incohérentes.

Aimé écoutait avec respect et politesse. La barbe de Morgan commençait à être longue et il pouvait passer ses mains dedans pour en changer la forme. Il s'est présenté aussi, plein d'humilité : Aimé Bolduc, du nom d'une des sœurs qui s'était occupée de lui. Il n'avait pas de baptistaire pour le prouver, mais quand elle l'avait pris en affection, les autres avaient accolé au bébé le nom de jeune fille qu'elle avait perdu en entrant en religion. Aimé venait de se faire arrêter parce qu'on l'avait pris avec les bottes d'un mort, d'un soldat mort, des bottes qui lui avaient permis de passer l'hiver jusqu'à maintenant. On allait sûrement le laisser ici longtemps pour cette offense, mais d'un autre côté, il n'était jamais resté longtemps nulle part : il avait la bougeotte, et il connaissait les passages, les façons de sortir, les façons de se faufiler. Pendant qu'il parlait, il touchait la pierre des murs, le minerai travaillé par des hommes mal nourris et rompus de fatigue. Ça lui restait dans les mains, la poudre de roche et la sueur des mille prisonniers qui s'étaient retrouvés ici, qui s'étaient adossés sur ce mur, attendant l'exécution de leur sentence.

Fasciné et intrigué à la fois, Morgan l'a écouté en essayant de déchiffrer correctement les syllabes qui s'empilaient les unes sur les autres, les consonnes rugueuses et les diphtongues surgissant soudainement au milieu des mots. Ils ont conversé jusqu'à ce que le jour se lève, et leurs yeux commençaient à picoter tellement la fatigue était grande. Surtout ceux de Morgan, qui n'avait pas dormi depuis trois jours. Il écoutait Aimé parler, dire des phrases en français, comme s'il cherchait délibérément à ne pas se faire comprendre au complet. Il décrivait ses nombreux malheurs, mais avec désinvolture, sans la gravité qu'on aurait pu leur attribuer. Contrairement à Morgan, il n'était pas habité par l'idée de l'indépendance de son pays, mais par celle de l'indépendance de son corps. Ça ne sortait pas avec ces mots exacts, mais c'est ce que l'autre comprenait, dans son état de veille prolongée. Plus les heures avançaient, plus il lui faisait confiance, tout en se mettant à douter de son existence, de sa matérialité. Les soldats ne criaient plus, il devait être cinq heures du matin. Tous écoutaient Aimé et Morgan parler comme de vieilles connaissances, des amis qui se disaient des choses sérieuses après les effusions des retrouvailles. Morgan a dit tout bas que ce n'était pas vrai, qu'il avait menti, qu'en fait il avait écrit quelques missives, dont une particulièrement importante pour Wooster, en poste à Montréal. Morgan s'est endormi après avoir remis une feuille de papier à Aimé, qui l'a glissée dans un pli à l'intérieur de sa chemise en lambeaux. Le silence régnait dans la cellule pour la première fois depuis l'arrivée des troupes rebelles sur le territoire de la colonie. Les yeux d'Aimé ne fermaient pas, ne clignaient pas, trop secs de penser à la fin d'une époque dans ses veines, sous sa peau, et de penser assez fort à l'extérieur des murs pour y être, pour s'y retrouver.

Il a imaginé Montréal et tout est devenu possible, les voyages, les sentiers naturels, encore vierges, les montagnes si lointaines et si proches à la fois, toujours en mouvement sur le sol infini et immortel. Il s'est mis à se voir ailleurs, dans d'autres circonstances pleines de rebondissements, ses jambes trop longues de gamin soudainement efficaces comme celles d'un animal exotique et mythique, un daim et un chasseur de daims en même temps, ses bras fluets aussi solides que le tronc d'un érable. Il a vu Montréal, la Ville-Marie, et c'était une grande ville, où il se passerait des choses.

Perdu au milieu d'un rêve de combat dans les forêts ondoyantes du Connecticut, Daniel Morgan avait compris qu'Aimé Bolduc ne serait plus là quand il rouvrirait les yeux.

XI

Octobre 1925
Palm Springs, Californie

Il était devenu bel homme, le vingtième siècle avait été bon pour lui, pour son apparence et son maintien, jusqu'à présent. Sa complexion, son teint. Des produits révolutionnaires sortaient chaque jour, d'usines gigantesques qui coupaient l'horizon, et sur les grandes cheminées desquelles le regard se fixait, perdu dans les fumées impressionnantes se mêlant aux nuages. Il achetait des pommades pour sa peau et pour son cuir chevelu, s'imposait des diètes pour garder la forme. Il commandait des produits qui changeaient la vie des gens dans le catalogue Sears, Roebuck & Co., des émulsions et des astringents. Quelqu'un, quelque part en Iowa, venait de breveter un liquide médicamenteux à base d'héroïne, qui s'attaquait aux spores dans les poumons, les détruisait en douceur, et Aimé en avait acheté des échantillons. Le monde entier avait un faible pour le radium, les gens se promenaient avec des montres radioactives. Aimé avait discrètement investi de l'argent dans le Pédoscope, qui permettait aux vendeurs de chaussures de voir en direct une radiographie du pied de leur client.

173

La machine était élégante, en bois verni, orné, sculpté par des artisans chevronnés.

Quand il s'appliquait une crème rajeunissante sur les cernes, Aimé n'était pas inconscient de l'ironie cosmique contenue dans le geste, et dans le souhait qui l'habitait, comme il nous habite tous, de vivre toujours, malgré sa longévité. Il était comme nous et, même s'il était extraordinaire sous bien des aspects, il se comportait normalement la plupart du temps. Il oubliait, au jour le jour. Cette année-là, à New York ou à San Diego, peu importe où il se trouvait, il avait l'air d'un homme de quarante et un ans, mais ça faisait plus d'un siècle et demi qu'il existait.

Il croyait les promesses des manufacturiers et des entrepreneurs, ces hommes qui portaient un rêve, qui prenaient des risques pour le bien de leurs semblables. Comment ne pas y croire ? Ses dents, après tout, qui avaient été une source de honte durant presque toute la seconde moitié du dix-neuvième siècle, alors que l'espérance de vie grimpait en flèche et que l'hygiène corporelle devenait un sujet de discussion, ses dents étaient blanches aujourd'hui, grâce au radium contenu dans son dentifrice. Il souriait sans gêne, et c'était comme si la pourriture et l'haleine putride qui l'avaient accompagné si longtemps, qui avaient fini par faire partie de lui, au fil du temps, s'étaient volatilisées. Les rayons X étaient la découverte la plus prometteuse jamais faite, et Aimé s'appliquait à en suivre les développements. Il avait cherché à entrer en contact avec les Curie, pour en apprendre davantage sur la science derrière les radiations, mais après quelques tentatives infructueuses, s'était rabattu sur leurs possibilités commerciales exponentielles.

Chaque soir, chaque matin, il se brossait les dents avec un produit allemand importé en privé qui s'appelait *Doramad Radioaktive Zahncreme*, et qui brillait dans le noir. Le tube était argenté, il le gardait sur lui. Ses ongles étaient toujours bien taillés, sans cuticules. Il peignait ses cheveux luisants après les avoir enduits d'une mousse spéciale conçue par d'anciens militaires recyclés dans la recherche et le développement.

Qu'il soit à Houston, à Seattle ou à Great Falls, il paraissait bien, se tenait bien droit, toujours un peu en retrait. On se demandait qui il était, dans les réceptions et dans les événements caritatifs. Quelqu'un répondait qu'il était peut-être William Van Ness, avait-on déjà entendu ce nom quelque part ? Le nom semblait familier, mais on ne savait pas pourquoi. Était-il apparenté aux Van Ness du Vermont ? Probablement, mais les Van Ness n'avaient-ils pas fait faillite après l'absurde aventure politique du gouverneur, peu après la guerre civile ? Cet homme, avec ses habits taillés sur mesure, ne donnait pas l'impression de descendre d'une famille ruinée. Il portait des tissus griffés, évoluait toujours en périphérie des activités et des conversations. On pouvait lui parler, mais il répondait succinctement, avec un début de sourire froid et distant. Il était poli comme on l'est quand on a quelque chose à cacher, c'est ce qu'on se disait en s'éloignant. On y pensait quelques secondes et on oubliait, en attrapant un verre de champagne sur un plateau. Il y avait des dizaines d'autres personnes intéressantes ici, des personnes influentes à rencontrer et

175

avec qui fraterniser. Les rires fusaient de partout, on s'esclaffait à la moindre occasion.

En réalité, Aimé fournissait l'alcool, c'était son rôle, et il le faisait bien. Il se promenait dans l'immense salle de bal pour s'assurer que personne ne manquait de rien. Peu de gens savaient qui il était vraiment, mais ça ne changeait rien à son efficacité et à son expertise. Faire appel à lui, ça voulait dire, en pleine prohibition, s'assurer d'avoir des stocks non négligeables de vin européen et de spiritueux de qualité, afin que la soirée se déroule dans les règles. Ça arrivait par caisses entières qu'on entrait par des allées secrètes derrière des établissements réputés. Aimé n'offrait aucun alcool frelaté, pas de contrebande de bas étage, c'était sa marque de commerce : contrairement aux autres bootleggers, ceux de l'école de Chicago qui sévissaient autour de la frontière canadienne, comme les Gursky et les Capone, il ne mettait au catalogue que des produits d'origine contrôlée. Peu importe où il se trouvait, il livrait personnellement et veillait au bon fonctionnement de la distribution, du début à la fin de la transaction. C'était un service de traiteur haut de gamme qu'Aimé offrait, comme nul autre, avec la discrétion de rigueur. Il se présentait à l'avance, sonnait à l'adresse indiquée, discutait des modalités de paiement avec son hôte, et les caisses et les fûts entraient pendant ce temps par les caniveaux et les égouts de la ville.

Peu importe où il se trouvait, durant ces années de faste où la loi fédérale avait fait de lui un homme riche, il amenait avec lui sa modestie, sa pudeur et son anonymat. On parlait de lui, dans les cercles de conversation mondaine qui se maintenaient en vie et implosaient ici et là, se déformant et se reformant, mais il restait inaccessible, avec ses cheveux lustrés et sa moustache fine. Il n'était pas un domestique, ça se voyait au premier coup d'œil, et on se demandait de quelle famille il pouvait bien provenir. Il souriait, poli, mais ne se mêlait jamais à quoi que ce soit. Presque jamais. On s'interrogeait quelques secondes et on finissait par oublier sa présence, fugace comme celle des lustres et du luxe, qui enveloppait toute l'atmosphère, mais à laquelle on s'habituait sans s'en rendre compte. Il devenait une évidence qu'on ne questionnait plus, et on continuait à boire. Ce soir-là, à Palm Springs dans le désert californien, on buvait surtout de l'armagnac de Dupeyron et des Saint-Émilion de la cuvée déjà légendaire de 1900.

Aucune information sur cette époque de sa vie ne serait parvenue jusqu'à nous, par l'intermédiaire des carnets d'Albert, aussi étoffés et exhaustifs soient-ils concernant d'autres épisodes, même beaucoup plus anciens, s'il n'avait pas rencontré ce soir-là un homme sans âge, venu s'installer près de lui, sur le siège du piano à queue. Sirotant un martini alors qu'Aimé ne buvait rien, comme d'habitude, il avait déposé son verre à pied sur l'instrument et avait fait mine de poser ses doigts sur le clavier, dans un geste d'inspiration mêlée de lassitude, comme prêt à jouer une polonaise, mais s'était ravisé. Il était jeune, à peine une trentaine d'années, mais dans ses gestes et dans ses yeux, qui fixaient le vague devant lui, Aimé discernait une sagesse séculaire qui ne lui était pas étrangère, celle des arbres, celle des tortues géantes, ces êtres vivants qui vieillissaient à un autre rythme, témoins de plusieurs époques, même en un clin d'œil. On l'aurait dit maquillé, mais c'étaient ses traits qui disparaissaient dans la mélancolie de son visage. Dans les épaules de ce jeune homme assis à côté de lui, dans leur affaissement subtil, Aimé lisait le passage d'un temps long, que l'autre supportait différemment, certes, mais qu'il pouvait comprendre facilement.

Leur conversation a commencé en douceur, ils ne se regardaient même pas, elle s'est poursuivie naturellement. Aimé a d'abord écouté avec intérêt les pensées bousculées et galopantes de l'autre, pour ensuite prendre de plus en plus d'espace et revendiquer la parole, la faire sienne, la partageant pour la première fois depuis longtemps. Il a d'abord demandé à Aimé s'il était lui aussi obsédé par le cinéma, par les possibilités créées par les images. Aimé a répondu qu'il ne s'y connaissait pas beaucoup en cinéma, qu'il préférait la réalité, et parfois les livres. L'autre observait, devant lui, les couples qui dansaient au son de l'orchestre, les hommes qui fumaient des cigares.

— Pour moi, il n'y a pas de différence entre la réalité et le cinéma. Plus maintenant. Les images sont les mêmes, elles se sont superposées. Ce n'est pas fou ce que je raconte, n'allez pas penser que je suis fou.

Aimé a fait signe à un serveur, qui est venu remplacer le verre de martini vide par une coupe de champagne.

— Bientôt, ils vont faire parler les acteurs et il n'y aura plus aucune différence. La musique va disparaître, les acteurs vont parler et leur voix sera gravée sur la pellicule et le son va se synchroniser à l'image et il n'y aura plus de limite. Bientôt, ils vont réussir à mettre de la couleur sur les images qui défilent et il n'y aura plus de différence entre le cinéma et le réel.

Il n'était pas saoul, il bougeait ses mains devant son visage et les faisait se superposer comme l'image et le réel, comme ce qu'il décrivait. Elles ne faisaient plus qu'une. Aimé l'écoutait. Il a dit que la réalité était en trois dimensions. Mais c'est impossible d'expérimenter ces trois dimensions avec les yeux, a répondu l'autre, ni avec l'esprit. Et Aimé a parlé du toucher, et l'autre a paru réfléchir. Ils ne se regardaient pas. Ils regardaient la soirée se dérouler devant eux.

On avait fait venir des viandes exotiques, du Brésil, montées d'un hémisphère à l'autre, et qu'on servait en morceaux empalés sur de grandes broches de métal. Les serveurs se promenaient entre les tables et s'inclinaient très bas pour faire voyager les odeurs et les convives. On avait fait venir des pâtisseries de New York. Les gens mangeaient, assis ou debout, buvaient, et on entendait des rires de toutes sortes.

Un homme en smoking a surgi de sous une nappe blanche et a attrapé la cheville d'une jeune femme en criant au secours, mais tout le monde s'est esclaffé. L'homme a ramassé son monocle tombé par terre et a fait mine de s'essuyer les genoux en se relevant. Le cercle d'invités s'est reformé autour de lui et la conversation s'est animée. Au fond de la salle, sur un des paliers de l'escalier, un colonel de la marine marchande a entamé un discours que quelques personnes ont semblé écouter. Les gens se déplaçaient vite, se touchaient affectueusement, du bout des doigts, comme s'ils se connaissaient depuis longtemps.

Certaines rumeurs disaient que William Randolph Hearst avait été invité, qu'il était présent, qu'il était juste là, ou peut-être là-bas, au fond. On disait qu'il était arrivé au volant d'une Packard décapotable d'un modèle que personne n'avait jamais vu, avec des marchepieds chromés. Le timbre grinçant d'une trompette se faisait parfois insistant et se mêlait au cliquetis des perles, des bijoux, des coupes de cristal.

Ils contemplaient la soirée, sa somptuosité, l'élégance des invités, sans en faire partie vraiment, Aimé debout et l'autre assis les jambes croisées, sur le banc du piano, sa coupe de champagne à la main. Parfois, il donnait l'impression d'avoir envie de jouer quelque chose et se ravisait, se rappelant que l'orchestre était là pour ça.

— Mais le cinéma n'a pas l'ambition de remplacer le toucher, il ne veut que remplacer la vue, et l'imagination, ne faire qu'un avec l'un et l'autre. Le cinéma veut se substituer aux images qui nous assaillent quand on a les yeux ouverts et celles qui nous guettent dès qu'on ferme les yeux. Il fonctionne mieux que les rêves parce qu'il ordonne, sans toutefois nier son artificialité. Est-ce que c'est un mot, ça, artificialité ?

— Oui, je crois bien que oui. Pourquoi pas ?

— Je suis obsédé par le cinéma, j'en fais depuis presque toujours, dans ma tête, même si j'ai touché à une caméra pour la première fois il y a à peine dix ans. Quand j'avais dix ans je jouais dans des productions théâtrales montées par mes parents, mais je pensais déjà au cinéma, à la pellicule, au film. Je ne le savais pas, mais j'organisais mon espace comme dans un plan et non comme sur une scène. Je me disais toujours va jusque-là mais pas plus, sinon tu vas sortir du cadre, ça ne sera pas beau : plus que cinq pas entre les comédiens, entre mon père et moi, ce n'était pas beau. Je cadrais, j'étais constamment sur la scène et en train de l'observer par les yeux du public. Je suis obsédé depuis toujours, et quand Fatty m'a mis une caméra dans les mains, j'ai enfin compris. Vous voulez que je vous raconte quelque chose ?

— Avec plaisir.

— Ça vous intéresse ?

— Énormément.

— Je ne veux pas vous ennuyer.

— Vous ne m'ennuyez pas. Je ne suis pas d'accord avec vous à propos de l'imagination et des films, enfin je ne pense pas, mais vous ne m'ennuyez pas, loin de là.

— Je ne veux pas vous importuner non plus, je n'aime pas brusquer les gens. Juste pour que ça soit clair. Ce que je veux dire, c'est que le cinéma et l'imagination jouent le même rôle : celui d'émerveiller et de divertir. C'est mal comprendre l'imagination humaine que de croire qu'elle sert à autre chose.

C'était au tour d'Aimé d'avoir l'air de réfléchir. Il pensait à son esprit et à la manière dont il fonctionnait, dont il se perdait parfois dans les méandres de ses souvenirs plus que lointains, comment des flashs, qu'il n'appelait pas comme ça, surgissaient derrière ses yeux et se mêlaient à ce qu'il voyait dans le présent. Il a pensé à son esprit, à son imagination et à sa mémoire presque insondable, dans laquelle un soldat ou

181

un prêtre portait des dizaines d'uniformes différents, qui se mélangeaient, bleu ici, gris là, vert
foncé aussi, pour se fondre dans le paysage. Et
le prêtre parlait plusieurs langues, le latin, le
français, l'anglais, l'italien même, et l'allemand,
dans certaines paroisses qu'il se souvenait, ou
ne se souvenait pas, d'avoir traversées.

— On avait tout planifié, à la seconde près,
au centimètre près, il n'y a aucune chance à
prendre dans ces cas-là, vous comprenez. Il faut
donner aux gens l'impression que les événements
s'enchaînent naturellement, mais leur faire comprendre inconsciemment que c'est une chorégra-
phie, que l'ensemble est orchestré de la même
manière qu'une symphonie. Il faut se mettre en
danger aussi, ça je l'ai compris très tôt, c'est ce
qui fait rire et ce qui émeut en même temps. On
avait planifié la scène sur des tables à dessin, et
on avait répété sans eau aussi, et sans caméra.
Je devais courir sur les wagons qui s'en allaient
de plus en plus vite dans la direction opposée
et m'accrocher au dernier instant à la corde
qui pendait de la citerne pour redescendre au
sol. À ce moment-là, je déclenchais la valve en
actionnant la pompe du réservoir, peut-être que
vous avez vu cette scène, beaucoup de gens l'ont
vue. Beaucoup de gens m'en parlent. Souvent.

Les idées qui changeaient, quelque chose à quoi
on croyait et qui bientôt n'aurait plus de sens.
On croyait qu'il fallait saigner pour guérir, on
se faisait des incisions profondes et on regardait
le sang s'écouler dans une bassine ou dans une
fiole, et des décennies plus tard on n'y croyait
plus, on riait en pensant que nos pères, nos
grands-pères avaient déjà fait ça. Aimé a pensé

à la première fois où il s'était lavé les mains avec un pain de savon, c'était devenu normal en quelques années. Comment le cinéma pouvait-il rendre compte de ça ? En superposant, comme disait l'autre ? Il a pensé à des esclaves noirs, à des champs pleins, qu'il avait vus sans jamais rien faire, sauf la guerre, et aussi à ces hommes noirs déguisés et maquillés dans des films, des décennies plus tard, pourchassés par des cavaliers en cagoule et en robe de cérémonie.

— On a tourné une seule fois, c'était celle-là ou rien. Le plan était parfait, à un point tel que personne n'a remarqué que je m'étais brisé le cou, même pas moi, c'est ça que je voulais vous raconter. Quand je me suis pendu à la corde, l'eau est sortie de l'immense citerne avec tellement de force que je me suis presque évanoui. L'eau m'est tombée dessus et mon cou s'est tordu, j'ai senti mon oreille toucher mon épaule, j'ai eu l'impression de crier, mais le vacarme, qu'on n'entend pas dans le film, était si intense que j'ai peut-être halluciné. Je ne me souviens pas d'avoir eu mal, je me souviens de l'adrénaline, du sentiment de puissance que j'ai ressenti juste après avoir lâché la corde et après m'être secoué. On le voit dans le film, ce sentiment. Quand je me regarde je le vois. Je suis resté devant la pompe quatre ou cinq secondes, à me dandiner comme ça, avant que les autres se mettent à courir vers moi. Mon cou était brisé à la troisième cervicale, j'avais une commotion sévère. J'ai des sons aigus dans les tympans depuis.

Aimé pensait à ces anciens esclaves qu'on avait maquillés et habillés en soldats. Quelqu'un avait imaginé ça, sans l'avoir vécu, quelqu'un avait placé une caméra dans un certain angle et avait imaginé tout ça, pour divertir et émerveiller, pour ordonner le réel et lui donner une signification plus grande. La caméra braquée sur des hommes peinturés, dans des loques déchirées aux endroits les plus révélateurs, jouant l'horreur, jouant la peur de mourir assassinés, lynchés, et Aimé avait vu ça dans une salle noire et enfumée, bien assis dans un siège confortable, entouré d'hommes et de femmes splendides. Quand la lumière s'était rallumée, on avait applaudi, on avait parlé de réalisme, de la réalité, du réel. Mais personne ne se souvenait de ces journées, de la chaleur, du froid, de l'assurance de ne pas s'en sortir vivant, ces journées longues il y avait plus de deux générations, qui étaient maintenant représentées par des acteurs et de la musique, et gravées sur film, la rapidité un peu artificielle des images devenant l'unique lien qui restait avec elles.

Cet homme avec qui il discutait confondait-il comme lui mémoire et imaginaire, après toutes ces années à travailler derrière une caméra ? Avait-il de la difficulté à les distinguer ? Était-ce la même chose, au fond ? Peut-être Aimé n'avait-il qu'une mémoire, et peut-être était-il incapable d'imagination, cet émerveillement de l'esprit, comme disait l'autre. À une autre époque, durant sa première jeunesse, il s'était rêvé une vie, et il avait agi en conséquence, il croyait vaguement s'en rappeler. Mais à partir d'un certain point, vers sa cinquantième année sur Terre, alors que son corps produisait depuis peu une pilosité d'homme, il avait commencé à n'être plus que des souvenirs, les siens, un passé en marche vers un futur incertain, un passé toujours plus imposant rognant les possibilités d'invention.

— Mais, et je sais que c'est étrange, je ne m'en suis rendu compte que le mois dernier. Mon médecin vient de comprendre. Il y avait toujours cette douleur lancinante, ici, près de la carotide, là, autour. Ça m'empêchait de tourner la tête vers la gauche, je suis encore très sensible, vous voyez ? J'arrive à peine à me tourner vers vous. Il faut que je tourne le tronc au complet, si je ne le fais pas ça fait très mal. Il y a des matins où je ne peux littéralement pas bouger. Il y a d'autres matins où, au contraire, c'est comme si de rien n'était.

Aimé, sans chercher à comprendre où ça les mènerait, avait envie de continuer dans cette voie. Il avait presque envie de prendre un verre lui aussi, pour la première fois en vingt ans de sobriété. Il faisait confiance au jeune homme, à sa capacité d'introspection, malgré le fait qu'il soit cinéaste, et qu'il n'ait jamais rien vécu d'important, ou de tragique. Mais comment pouvait-il le savoir ? Et si l'autre était né dans un quartier insalubre de Manhattan, au milieu des vomissures, et s'il avait immigré avec ses parents, traversé l'océan dans les cales d'un transatlantique ? Qu'en savait-il ? Il a dit :

— Je me suis cassé la cheville une fois, j'ai marché dessus sans m'en rendre compte vraiment, dans la forêt, au milieu de nulle part. Ça m'a pris seize heures, je le sais à cause du mouvement du soleil dans mon souvenir, pour arriver quelque part. Le pilon de mon tibia avait explosé dans ma chute, l'os était complètement broyé, comme si je l'avais passé dans un moulin à grains.

L'autre buvait son champagne, y goûtait à peine, ne goûtait pas le grand cru. Il se concentrait sur les paroles d'Aimé, en continuant à observer les convives. Personne ne s'approchait pour leur parler, ils étaient absents de la scène, comme si on les y avait oubliés à leur sort. Aimé a continué :

— Je connais quelqu'un, un vieil homme qui a fait la guerre du côté des Confédérés, dans le troisième régiment du Tennessee, qui m'a raconté une histoire de train, aussi. Il est très vieux maintenant. Il me l'a racontée souvent, comme si ça lui permettait de sauvegarder quelque chose de cette époque, une image très nette. Il ne s'est rien cassé durant la guerre, même pas un ongle, mais il a eu peur d'y rester bien souvent. Il m'a raconté qu'il avait été témoin une fois d'un vrai geste de bravoure, que ça existait, mais que lui n'avait rien à offrir de ce côté-là, un vrai geste de courage, par un homme qui n'était même pas un soldat. Il disait souvent que les gens ordinaires avaient été bien plus courageux que l'armée entière durant ces années-là.

— C'était quoi, ce geste ?

— Le train de l'armée des Confédérés venait d'être volé par des espions de l'Union dissimulés parmi les civils en gare, et il a vu le conducteur courir derrière eux, sans aucune hésitation, courir sur les rails, sauter sur un chariot à levier et se mettre à les poursuivre. Il n'avait aucune arme sur lui.

— Est-ce qu'il est revenu ?

— Non, il n'est jamais revenu. Personne n'a jamais revu le train. En tout cas pas à Memphis ni à Jackson.

— Alors c'était de l'inconscience plus que du courage.

— Le vieil homme ne le décrivait pas comme ça : pour lui, le mouvement vers l'avant, l'absence d'hésitation de cet homme courant sur le chemin de fer, pour défendre quelque chose qui lui était cher et aller le récupérer, ça représentait un exemple de courage. Il y a toujours de l'inconscience dans le courage, bien sûr, ce n'est pas moi qui vais dire le contraire.

— Et vice-versa, j'imagine. Et pourquoi les soldats n'ont pas couru avec lui, pour rattraper le train ?

— Pour le vieil homme, c'était le contraire de la guerre, son envers, cette poursuite qui n'avait aucun sens, il insistait beaucoup là-dessus.

— Hm.

— Oui. Il m'a raconté que le régiment avait fait feu en direction de la locomotive qui s'éloignait rapidement, que les troupes s'étaient mises en position et avaient fait feu, sur l'ordre du capitaine. Mais quand on s'était aperçu du vol, le train avait déjà pris de la vitesse et disparaissait dans une courbe aux limites du centre-ville.

Dans la foule rassemblée ici, Aimé voyait des vieux qui portaient des lorgnons et de superbes cravates, qui se tenaient droits sur leurs jambes, des hommes qui s'écrouleraient bien vite, à qui il restait peu de temps. Ces hommes avaient probablement connu la guerre dont ils s'entretenaient en ce moment, le piano les séparant. D'autres hommes plus jeunes qui dansaient et qui semblaient insouciants étaient peut-être revenus à peine sept ans auparavant d'un autre champ de bataille, en Europe, où Aimé n'était jamais allé, même pas pour visiter des châteaux encore plus vieux que lui. Un de ceux qui attiraient le regard d'Aimé, pendant qu'il discutait, portait visiblement une prothèse à la place de sa jambe droite. Une large médaille était épinglée sur son veston. Son boitement était évident quand il se déplaçait et ça rendait son pas de danse incertain. On s'approchait de lui et on semblait le féliciter sans arrêt, en le touchant à l'épaule, ou en lui serrant l'avant-bras. Les femmes qui lui parlaient inclinaient un peu la tête et tenaient leur coupe à deux mains. Son élégance n'avait rien de trompeuse.

Le cinéaste, sans aucune trace de cynisme, a dit :

— Et lui, là-bas, a-t-il été courageux ? La médaille est-elle une garantie ?

— Difficile à dire, mais il a l'air heureux, et il la porte fièrement.

— Personnellement, je détestais mon uniforme, je me sentais ridicule et j'étais ridicule aussi. Apparemment, l'intendant général n'avait pas anticipé qu'un jour, quelqu'un mesurant moins de cinq pieds cinq serait admis dans les rangs de l'armée des États-Unis.

Pour la première fois, Aimé a ressenti le besoin de le regarder directement. Cette dernière phrase complexifiait l'image qu'il avait construite dans sa tête, et il s'en voulait d'une sorte de naïveté mesquine contre laquelle il se croyait immunisé.

— Vous avez été déployé ?

— Sept mois seulement, en France, 40e division d'infanterie. Mes pantalons étaient trop longs, mon manteau ressemblait à un sac de pommes de terre, et je n'ai jamais été capable d'enrouler correctement les bandes protectrices fournies par l'armée autour de mes jambes. Les souliers que je me suis fait donner étaient des huit, beaucoup trop grands pour mes pieds taille six et demi. Les vétérans dans notre division avaient depuis longtemps abandonné l'espoir de recevoir un uniforme de la bonne taille. Ils faisaient raccommoder le leur chez des couturiers civils. Ils achetaient aussi de bons gros souliers d'ouvriers, et ils s'arrangeaient pour les maquiller assez pour que ça passe à l'inspection.

Aimé a menti, pour continuer la conversation :

— Je ne suis pas allé au front. J'étais déjà marié.

— Vous n'avez pas à vous justifier.

— Non, non, je ne me justifie pas, je le mentionne simplement.

— Je ne suis pas allé au front non plus. J'ai été rapatrié après avoir connu surtout la boue des tranchées. J'ai failli crever, mais d'une infection au tympan. Ils m'ont soigné ici, en Virginie en fait, comme un vétéran, comme les autres. Lui, là-bas, je ne l'ai jamais vu par contre.

— Vous étiez des milliers, c'est normal.

— Je sais. Des milliers. Il y en avait des milliers.

— On ne peut pas les avoir tous vus.

— Non.

À un certain moment de la soirée qui s'avançait dans la nuit, ils ont compris que ce qui se produisait entre eux était quelque chose de rare, et ils se sont tus pour quelques secondes, le temps de savourer, et de jauger aussi, l'instant. Ensuite, ils ont continué un peu, amorçant quelques phrases et quelques idées, mais avec un sentiment d'innocence rompue, comme si la communication réelle passait par l'ignorance de son existence. Après avoir attrapé une dernière coupe de champagne millésimé, le jeune homme a serré la main d'Aimé, sans jamais le regarder dans les yeux, et a disparu derrière les tentures de l'annexe de la salle de bal. Un taxi l'attendait sur l'esplanade. Il est reparti à Hollywood dès le lendemain, pour revoir son scénario, en déplacer certains accents.

En route, il pensait sûrement à Aimé, à cet homme du monde qu'il venait de rencontrer, qui parlait de la guerre comme s'il l'avait faite, dans des mots que n'importe quel mortel pouvait comprendre, ceux de la peur qui donnait froid, de l'angoisse qui donnait chaud, des rares moments où s'activait ce qu'on appelait le courage, faute de mieux, et qui étaient rarement ceux où on était conscient de ce qu'on faisait. Durant un court arrêt sur le bord de la route, alors qu'il regardait au loin les montagnes d'une immense chaîne qui s'étendait jusqu'au Yukon, où l'or se faisait rare, il a décidé que son héros, celui qu'il allait jouer lui-même, sans jamais sourire, se ferait offrir le grade de lieutenant, au milieu des actions absurdes des hommes. Et le seul général du film serait le train, ce serait son nom, le train en perte de contrôle, passant d'un côté puis de l'autre de la ligne de feu, criant sur les rails pleins d'étincelles. La caméra roulait déjà dans sa tête.

XII

Septembre 1863

Saint-Henri-des-Tanneries

L'odeur de cuir et de fourrure brûlée imprégnait l'air, dans chacune des rues, et aussi le long du canal, où la chaleur faisait se mêler les nuées d'insectes et les fumées des industries portuaires. Il y avait du vacarme partout, à toute heure du jour et de la nuit. On avait amorcé la construction et l'ensevelissement des égouts, et des tonnes de briques et de pierres de taille s'entassaient devant les maisons, parfois dans des piles plus hautes que les toits. Quiconque arrivait dans le coin avec sa pelle ou même avec rien, juste de la volonté et un peu de tabac à chiquer, pouvait trouver du travail.

Aimé connaissait bien les environs, à force de se promener durant la journée, de fouiner ici et là et d'attendre que le soir arrive pour aller rejoindre Jeanne, lui parler, la détendre, la convaincre sans parler de le laisser passer sa main sur ses vêtements et de la caresser sur la nuque. Il pensait toujours à elle et savait que c'était réciproque. Il mangeait quand il avait faim, rarement, sans se soucier de la compagnie des autres ou des gens honnêtes à qui il dérobait du pain et des fruits. Il n'était pas retourné travailler depuis plusieurs semaines. On l'avait probablement oublié, comme s'il n'avait jamais existé, et sa présence n'avait été consignée dans aucun registre.

Jeanne et lui s'étaient fixé un système de codes pour désigner les endroits de leurs rendez-vous. Ils se rencontraient souvent dans la grange près de la ferme des Brody, qui était pratiquement abandonnée. Une des fenêtres était cassée, qui n'avait jamais été réparée. Aimé avait, lors d'une de leurs premières nuits ensemble, arraché les derniers bouts de verre qui restaient accrochés au cadre, pour éviter qu'elle ne se blesse, même s'ils ne passaient jamais par les fenêtres pour entrer. Ils n'avaient qu'à pousser la porte. Personne ne venait jamais ici, c'était pratiquement abandonné, depuis que les Brody avaient laissé tomber la culture laitière et que le chemin de fer avait été construit juste derrière, sur le terrain de la ferme. Le train passait juste là, à quelques pas du mur de la grange, qui vibrait, et Aimé profitait de son arrivée, souvent, pour dire quelque chose d'important que Jeanne écoutait avec concentration à cause du bruit qui s'en venait toujours plus fort. Quand ça explosait derrière eux, au passage de la locomotive, dans une symphonie de métal et de vapeur relâchée, ils n'avaient pas peur mais se rapprochaient. Le train ne faisait plus peur à personne depuis longtemps, encore moins à des amoureux.

Sur les longues artères de Saint-Henri, celles qui reliaient la bourgade au centre-ville, sur Saint-Jacques et sur Saint-Antoine, sur Notre-Dame aussi, personne ne faisait attention à lui durant ses déambulations. Il passait inaperçu au milieu des centaines d'ouvriers qui s'affairaient sur les chantiers du canal et dans les nombreuses usines récemment installées sur ses berges. Ça fourmillait de monde, ça arrivait de partout, de Montréal comme de Dublin et de Rome, ça parlait vingt langues en même temps, en traînant des coffres à outils ou des poches pleines de pommes de terre. Les bras des ouvriers étaient musclés, le poids des poches se répercutait dans les veines qui saillaient. Un homme seul pouvait en porter deux sur ses épaules sans problème, et avoir encore la voix assez puissante pour avertir le monde de s'écarter de son chemin.

Jeanne vivait dans une petite maison construite près du canal, un peu au nord de celui-ci. Une maison de bois à deux étages, construite pour les contremaîtres, joliment peinte, mais salie par les émanations des bateaux et des cheminées. Sa famille habitait au cœur du quartier ouvrier, mais fréquentait les bourgeois et les marchands de la rue Saint-Antoine. Elle avait quatre frères et cinq sœurs, dont la plus jeune venait d'arriver, à la fin du mois d'août. Leur père était mort, il venait de mourir dans des circonstances nébuleuses. Est-ce qu'on l'avait assassiné ? Jeanne en doutait, mais son frère, Jean Junior, en était persuadé. Il parlait constamment de vengeance et de châtiment, et ça alourdissait l'atmosphère de la maisonnée.

Elle portait le plus souvent des robes assez ternes, grises ou brunes, mais pour les soirées où elle avait rendez-vous avec Aimé, elle aimait glisser des tissus de couleur entre les différentes couches de ses habits. Quand elle parvenait à se retrouver seule dans la maison, ce qui était rare, elle se frictionnait le cou et les aisselles avec de la poudre de bourrache et de bergamote, un produit rare, emballé dans une magnifique boîte en métal argenté qu'elle avait retrouvée dans les affaires de sa grand-mère. Aimé, en la voyant pour la première fois, lors de cette journée brûlante du mois dernier où elle était descendue du tramway juste en face de lui, l'avait trouvée irrésistiblement austère et responsable. Elle lui avait donné l'impression d'une jeune femme studieuse prenant ses devoirs d'aînée au sérieux, divisée inconsciemment entre le fait d'être si jolie pour elle-même et si importante pour les autres. Maintenant, le soir venu, quand ils se retrouvaient dans la pénombre de la grange des Brody, il la découvrait coquette, parfumée, pleine de sourires ironiques à lui offrir quand il essayait de la séduire un peu trop ouvertement. Elle prononçait son nom comme il avait toujours voulu qu'on le prononce, exactement.

Les premiers pas vers elle s'étaient faits naturellement, sans presse, et il était passé d'une ombre, étrangement rassurante, qu'elle sentait sans jamais la voir, à un visage doux et charmant qui apparaissait dans ses déplacements et les rendait agréables, empreints de surprise et d'un début, déjà, de secret. Aimé avait vite compris que, s'il voulait faire sa connaissance, il n'avait pas d'autre choix que de se montrer lorsqu'elle était seule, et ça n'arrivait pas souvent. La marmaille traînait presque toujours autour d'elle, s'accrochant à sa robe ou à ses bras, avide et dépendante, comme si Jeanne remplaçait maintenant leur père et leur mère. Et c'était vrai jusqu'à un certain point, le rôle lui était tombé dessus comme une évidence. La mère était encore vivante, mais Jeanne la remplaçait quand même, avec un mélange de résignation et d'empathie, pour lui permettre de vivre son deuil d'épouse vieillissante en même temps que son début de folie apathique, sans vivacité, celle apparue après le dernier accouchement, duquel elle ne s'était pas vraiment relevée. Jeanne ne se rappelait pas l'avoir vue debout depuis des semaines et c'est elle qui accomplissait les tâches quotidiennes, ces enfants étaient les siens. En l'observant de loin, en refermant peu à peu sur elle le cercle de ses avances subtiles, Aimé sentait aussi cette surcharge sur ses épaules dont il aurait aimé la délester.

Alors il attendait patiemment son tour, qui finissait toujours par arriver. Quand Jeanne franchissait le seuil de la maison, il n'était jamais ailleurs. Au début, il passait et se contentait de la saluer en silence, en posant les doigts sur une casquette imaginaire. Il remarquait, au fil des jours, que le sourire de Jeanne à son passage était de plus en plus franc, comme si elle s'attendait à le voir là, à la manière d'une image familière et invitante, lui proposant de venir découvrir le monde, et il savait que quelque part dans son souvenir il y avait ce jeune homme qui avait hélé le tramway pour elle et ses frères et sœurs, quelques semaines auparavant, ou quelques années peut-être, ou plusieurs décennies.

Un matin il s'était approché d'elle avec assurance pour l'aider à enjamber une flaque d'urine ou d'eau souillée, et elle lui avait offert sa main, sans y penser. C'était un geste qu'elle n'avait pas planifié, étonnant de sa part mais allant de soi. C'était une offrande qui semblait s'inscrire dans un plan d'ensemble aux couleurs sereines et lucides, un grand tableau de maître au milieu duquel chaque recoin était bien plus qu'un simple détail. Jeanne avait regardé Aimé dans les yeux et elle y avait entraperçu son âme centenaire. Et, s'était-elle peut-être dit, comment ne pas faire confiance à un être aussi plein d'expérience, aussi éprouvé ? Ou peut-être pas. En se laissant au coin de l'avenue, ils avaient échangé des politesses et Jeanne, qui jamais n'aurait cru comprendre ces choses-là, avait saisi toutes les nuances et les sous-entendus impliqués. Elle a rougi et, comme elle l'escomptait, il est revenu le lendemain. Il avait plu, la flaque était plus grande.

Comme il mentait à tout le monde pour se protéger, sans trop savoir de quoi, et que sa relation avec Jeanne, aussi sincère soit-elle, ne faisait pas exception à cette règle, il lui avait raconté qu'il travaillait à la compagnie de sucre, à l'usine des Redpath. Durant le jour, il charroyait des sacs de sucre, brut, raffiné, il travaillait dans la salle des cuves, dans un immense entrepôt aussi, où on entassait la canne, qui arrivait directement des pays chauds, du sud. Il savait parler, il avait eu le temps d'apprendre à exprimer diverses choses sur un ton bien choisi, en appuyant ici et là sur des images importantes que Jeanne se graverait dans la tête à l'aide de ses yeux clos, prêts à entendre ce qu'il fallait et à le mémoriser. La voix d'Aimé était celle d'un homme du monde, qui avait vécu des centaines d'aventures, mais qui, en même temps, découvrait le corps d'une femme pour la première fois. Elle était une mélodie sur laquelle on s'étendait pour voyager dans des contrées inconnues et s'y sentir chez soi. Aimé racontait, sans jamais mentionner clairement le rôle et la place qu'il y tenait, des histoires de traversées des montagnes, de rencontres inusitées avec des personnages légendaires. Il avait croisé, disait-il, des musiciens qui tenaient leur violon entre les cuisses et leur archet entre les dents, comme ça. Il avait partagé les repas de mille hommes vêtus de peaux d'ours, qui vivaient dans des grottes comme des sauvages, mais qui lisaient la Bible à la lueur de lampes à pétrole achetées en ville. Couché sur les bottes de foin, Jeanne lovée au creux de son aisselle, il parlait en croisant les mains derrière sa nuque, ne s'écoutait pas vraiment, laissait couler le flot de son monologue sans réfléchir. C'était difficile de savoir s'il avait été un témoin direct des épisodes qu'il racontait, ou s'il en avait simplement entendu des échos, qu'il avait récoltés pour ensuite les offrir à Jeanne comme des présents à déballer et à éplucher longuement quand elle serait seule. Elle essayait de suivre, mais elle n'y arrivait pas toujours. Aimé prenait visiblement plaisir à lui parler comme ça, à elle et pas à d'autres, et elle se contentait de cette intimité partagée.

Il lui avait raconté que chaque jour, il charriait des sacs de sucre sur de gros bateaux commerciaux qui s'en allaient ensuite vers les quatre coins du monde, au Chili, en Suède, à New York. Non, il n'était jamais allé à New York, mais il l'emmènerait là-bas un jour, il le lui promettait. Il lui promettait de l'emmener avec lui, de la délivrer de sa famille de fous, des lubies vengeresses de son frère Jean, persuadé qu'on avait délibérément noyé leur père dans une mixture toxique de bière ou de bleu de méthylène. Il lui promettait de la sortir de là, de l'emmener dans un endroit que lui seul connaissait, quelque part le long de la frontière entre le Maryland et la Pennsylvanie, dans la région des mines de charbon, où il avait un jour trouvé une pépite d'or grosse comme l'ongle de son pouce. Et il lui avait attrapé le doigt avec douceur, pour qu'ils contemplent ensemble la richesse que ça représentait.

À la fin du mois de septembre, Jeanne était prête à tout abandonner pour suivre Aimé n'importe où, sans égard à ces responsabilités qu'on lui avait imposées. Elle a réfléchi longuement, en silence, assise devant le miroir de sa chambre, qu'elle partageait avec quatre enfants qui n'étaient pas les siens et qui dormaient partout autour, sur des lits et par terre pour les plus vieux. Ils n'étaient pas les siens et elle ne leur devait rien, ni son corps ni son temps. C'est la conclusion à laquelle elle est arrivée en ouvrant la boîte argentée de sa grand-mère et en plongeant l'extrémité d'un mouchoir dans la poudre parfumée. Jeanne s'est dépêchée de sortir, sans faire de bruit, en évitant chacune des lattes du plancher qui craquaient sous les pieds.

Elle a longé la rue Saint-Ambroise, où des réverbères au gaz commençaient à être installés, fournissant des points de repère et une sécurité, mais dont elle cherchait à éviter les halos lumineux. Elle a bientôt bifurqué dans la petite ruelle appelée Beaudoin, presque inhabitée, encore en terre battue, menant vers le nord, vers le champ des Brody qui n'était plus cultivé, et au beau milieu duquel, à proximité de quelques grands érables qui existaient déjà à la naissance d'Aimé, s'élevait une grange solitaire, où elle se sentirait belle, jeune et désirée.

Aimé lui a promis ce soir-là de la protéger pour toujours et de ne jamais l'abandonner, il a promis qu'il serait là pour elle jusqu'à ce que la mort les sépare, c'était une manière de lui demander sa main, et elle a posé l'index sur sa bouche en lui murmurant de ne rien lui promettre, mais c'était trop tard.

XIII

Juin 1980

Pittsburg, Kansas – mont Springer, Géorgie

Dans les cahiers d'Albert Langlois, dont la majorité ont été remplis après la naissance de son fils Thomas, on trouve plusieurs références et sources difficilement vérifiables, mais un énorme travail de déchiffrage d'archives et de compilation d'éléments disparates a été accompli, qui impressionne au premier coup d'œil. Peu de photographies, la plupart à peine utilisables, viennent étayer les milliers de phrases et de paragraphes qu'Albert a composés au fil des ans. Certaines pages particulièrement abîmées et cornées donnent l'impression d'être plus importantes que d'autres, mais il ne faut pas juger trop vite. Les apparences sont souvent trompeuses et, au détour d'une phrase banale, qui ressemble à une approximation, se trouve peut-être la vérité. C'est ce qu'Albert aimait à se répéter, en dépouillant ses notes à la lumière faible d'une lampe de salon.

Ces cahiers, ce ne sont pas des journaux intimes, mais parfois, il est possible de ressentir physiquement son enthousiasme ou sa déception, au moment de retrouver ou de perdre de nouveau les traces de son ancêtre. Et de chercher à créer des liens entre des indices flous et des lieux précis. Par exemple, vers la fin de 1985, Albert a écrit qu'il était maintenant à peu près certain qu'Aimé était bel et bien passé par la frontière entre le Tennessee et la Caroline du Nord, l'année suivant son arrivée à Chattanooga. Cet « à peu près » est un reste d'honnêteté qu'il ne pouvait se permettre d'abandonner s'il voulait conserver sa raison. Mais tout de même, son idée était faite : Aimé était passé si près, il l'avait manqué. Il l'avait simplement manqué.

Où était-il cette journée-là ? Était-il à la bibliothèque publique, en train de compulser maladivement de vieux journaux de la fin du dix-neuvième siècle, avec l'aide d'une collègue de sa femme, qui avait accouché peu de temps auparavant ? Était-il au chevet de cet enfant qui venait d'apparaître, le sien, miraculeusement arrivé à la bonne date, son propre et minuscule leaper, né le dernier jour de ce février hors de l'ordinaire ? Était-il possible qu'il ait justement été en train de s'émerveiller du cadeau que lui offrait la providence, à laquelle il ne croyait pas, avec ce fils qui vivrait, comme Aimé, des centaines d'années ? Il ne croyait pas à la providence, il fallait la provoquer pour qu'elle se présente. Il ne croyait pas non plus en la fontaine de Jouvence, mais ça ne l'empêchait pas de la chercher dans l'histoire et le parcours de cet autre, qui ne cessait de lui échapper. Il croyait en bien peu de choses, sauf en lui-même et en cette histoire de plus en plus nourrie et complexe, aux ramifications multiples, qu'il construisait laborieusement dans ses cahiers et dans son cerveau bouillonnant. Avait-il senti Aimé se rapprocher ou s'éloigner, lui faire signe ou l'éviter encore et toujours ? N'était-ce pas un peu la même chose ?

Où était-il cette journée-là, quand son ancêtre séculaire avait marché dans les sentiers de Clingmans Dome, le point le plus haut de l'État, avec pour seul équipement une gourde pleine d'eau et des bottes imperméables ? Était-il penché sur une photographie anonyme, aux tons sépia, montrant un garçon d'à peine seize ans en uniforme tenant des baguettes, un tambour de l'armée fédérale des États-Unis accroché à ses épaules par de longues bretelles ? L'image était mangée par le temps, elle ne disait rien, sauf la possibilité de l'immortalité. Était-il en train d'essayer de convaincre Laura que leur enfant était spécial, plus que les autres, qu'elle allait bientôt comprendre pourquoi ? Qu'elle lui laisse quelques années pour tenter une expérience et elle verrait. Était-il en train de la convaincre d'un éventuel miracle, alors qu'Aimé, exemple concret de ce qu'il voulait expliquer, communiquer, rendre tangible, était passé si près de lui ? C'était en 1980, son fils venait de naître, le vingt-neuvième jour du deuxième mois de l'année la plus longue.

Quelques années plus tard, en 1985, déchiré entre la joie d'en savoir un peu plus et la colère de s'être fourvoyé, il avait noté que ça ne faisait plus aucun doute dans son esprit, les preuves amassées étaient concluantes. Et il y en avait plusieurs.

Par exemple, en traversant les Appalaches le long de l'interminable sentier menant de la Géorgie au Maine, Aimé avait signé des registres sous le nom de B. Van Ness. Albert les avait vus, ces registres. Et, personne ne l'avait vu faire, ou personne ne s'en souciait, ça revenait au même, il avait arraché les bouts de pages où la signature d'Aimé apparaissait, terne, usée, si vraie et si fausse. Quand il fermait les yeux, il voyait Aimé marcher.

C'est un projet qu'il nourrissait depuis des lustres, un de ces projets grandioses qu'il avait pris l'habitude de repousser en se répétant inconsciemment qu'il n'avait pas besoin de se dépêcher. Rien ne pressait, il venait de fêter officiellement ses cinquante-cinq ans, plus tôt cette année, en solitaire comme d'habitude, et il lui semblait parfois que le monde ne faisait que commencer, l'aube pointait à peine. Il parlait cinq langues et en lisait sept. Il avait été végétarien pendant vingt-trois ans et avait inventé des objets mécaniques pouvant être utilisés dans la maison aussi bien que dans la forêt, qu'il n'avait jamais fait breveter, mais dont on se servait dans les ménages. Des centaines de personnes qu'il avait rencontrées au cours de sa vie, qu'il avait fréquentées, appréciées, aimées même, parfois pendant longtemps, aucune ne connaissait son secret. Il avait connu des époques où son envie de tout révéler et de s'ouvrir avait été grande, mais il savait qu'on ne le prendrait pas au sérieux, qu'on le prendrait pour un fou. Il répétait dans sa tête, parfois, la première phrase d'un dialogue qui ne menait strictement à rien, jamais, qui était obligatoirement destiné à dérailler et à crouler sous les contradictions.

Je suis né en 1760, près des plaines d'Abraham.

Ça le faisait rougir, de plus en plus, à mesure que les rides apparaissaient dans son visage et autour des ailes de son nez, de prononcer cette phrase tout haut, pour lui seul. Ça le faisait rougir, il ressentait une forme aiguë de honte, son reflet était de moins en moins indulgent. Il vieillissait. Qui le croirait ? Il avait vu Benjamin Franklin un matin, très tôt, peu après son arrivée à Montréal. L'homme d'État sortait du Château Ramezay, escorté par quatre soldats bien vêtus et armés de carabines, et Aimé l'avait aperçu. Les gens s'étaient rassemblés, on disait qu'il allait s'adresser à la foule. C'était l'année où son corps s'était mis à ralentir, comme si son horloge interne avait été stoppée, fracassée par une main puissante et colérique. Qui le croirait s'il commençait lui-même à douter ? Avait-il vu Franklin ? Il était prisonnier de ces images mystérieuses qui le forçaient à mettre des mots sur ce qu'il ne comprenait pas, et les images, les métaphores, s'étaient succédé, improbables et inappropriées, tournant toujours autour d'une sorte de mécanisme interne déréglé, de mécanique déficiente. Il se souvenait d'avoir connu brièvement un homme dont on disait qu'il voyait trop bien, que ses yeux étaient parfaits, qu'il ne serait jamais myope ni presbyte, que ça avait été confirmé par des médecins réputés, et qu'il n'y avait pas d'autres mots dans le langage pour décrire ce phénomène que *handicap*. C'était le seul mot qui décrivait correctement le phénomène. Cet homme, par rapport aux autres, avec leurs lunettes à double foyer et leurs lentilles de contact, leurs yeux vieillissants et épuisés, était handicapé, la mécanique normale de ses yeux s'était déréglée quelque part, à un moment donné durant la gestation, ou après. Aimé pensait à cet homme et se disait qu'il aurait peut-être pu le comprendre, lui. Peut-être aurait-il été le seul être vivant à pouvoir le comprendre, mais il était trop tard maintenant. Cet homme était mort dans les années soixante. Lesquelles ? Les années soixante du dix-neuvième ou du vingtième ? Que de questions, il n'en était plus certain. Et de toute façon Aimé ne le connaissait que de loin. Maintenant, il s'observait dans le miroir, trouvait de nouvelles ridules autour de ses yeux, et comprenait qu'il traversait sa pire crise existentielle en deux siècles.

Autour de lui, les inventions se multipliaient, la vie se simplifiait, et il participait aux développements, à sa petite échelle secrète. Il avait inventé des machines sophistiquées durant ses temps libres et avait, pour certaines, attendu plusieurs années avant de trouver la solution à un problème de fonctionnement. C'était un jeu, pour lui, et il ne brevetait jamais rien, il ne faisait que raffiner ses procédés et observer de loin leur destin dans le monde. Quand il ne réfléchissait pas à des objets permettant d'accomplir et de faciliter les tâches quotidiennes, il apprenait les langues latines et plongeait aussi dans des traités de linguistique anthropologique expliquant les voyages millénaires des dialectes germaniques, de l'allemand, du vieil anglais et du suédois. Il avait une passion pour les choses plus vieilles que lui, les roches ignées, les fossiles, les arbres, les langues.

Il vivait dans une grande maison, avec des colonnes et une galerie à balustrade sur trois des quatre côtés, retirée dans la campagne environnant la ville de Pittsburg, au Kansas. Il vivait au milieu des plaines, dans une immense maison qui avait appartenu à des marchands de coton. Le vent soufflait extrêmement fort, certaines nuits, et les montagnes lui manquaient. Cette année-là, le besoin de marcher s'était fait impérieux et, malgré la richesse accumulée et son hebdomadaire qui commençait à prendre de l'expansion, rien ne lui enlevait le désir de se prouver qu'il était encore capable d'accomplir quelque chose de grand, même si cette chose était de l'ordre du superflu.

Il avait traversé l'ensemble des États américains du nord au sud et d'est en ouest une quantité innombrable de fois, en voiture, en avion, en train, en carriole, à cheval et sur des bateaux de fortune, mais il n'avait jamais marché d'un bout à l'autre du pays. Son enthousiasme pour la technologie et l'avancée des moyens de transport avait longtemps dissimulé l'intérêt que pouvait revêtir une entreprise comme celle-là : marcher pour le plaisir. À l'époque, il s'en rappelait, il avait pourtant suivi le projet du sentier des Appalaches avec beaucoup d'attention. C'était une saga qui avait duré près de quarante ans. Les journaux avaient parlé de querelles et de guerres intestines, d'intérêts contradictoires et de conflits d'intérêts. De haine soudaine entre les amis les plus proches. Quand Myron Avery et Arthur Perkins avaient repris le projet des mains de Benton McKaye, cet illuminé qui avait littéralement inventé le concept de hiking, durant la dépression, beaucoup de gens en avaient parlé. Les montagnes étaient sur toutes les lèvres, de Buffalo jusqu'à Atlanta. On prenait conscience de l'existence de la longue chaîne, si vieille, qui avait perdu de son importance avec la modernité, mais qui reprenait vie soudainement. On discutait dans des éditoriaux enflammés de ces écologistes radicaux qui voulaient protéger des centaines de milliers d'hectares de forêt, interdire le développement de l'industrie minière pour plusieurs générations, préserver la faune et la flore, les arbres et les champignons, dans le but unique de permettre aux citoyens américains de faire des marches dans les bois.

C'était une idée insensée, mais contagieuse pour plusieurs, celle de créer un sentier de randonnée de plus de trois mille kilomètres dans les montagnes, n'appartenant à personne, à la fois balisé et sauvage, plein d'ours et d'oiseaux magnifiques, et Aimé s'était pris au jeu : un jour, pourquoi pas, il irait sur ses propres traces et défricherait le territoire de sa mémoire continentale, la regarderait s'étendre sur les paysages à couper le souffle, sur les montagnes infinies, qu'il verrait d'une autre manière, sans la peur d'y mourir de froid ou l'espoir de s'y faire oublier par certains contrebandiers à qui il venait de voler un tonneau d'eau de vie.

Pour Aimé, s'aventurer sur le sentier appalachien, c'était une occasion de remettre les pieds à certains endroits marquants de son existence séculaire, dont certains éléments commençaient à s'effacer et à se perdre. Il avait passé tant d'années dans les Alleghenies, à se cacher ou à cacher quelqu'un ou quelque chose, à cacher sa peur d'être découvert. Ou à vivre des aventures invraisemblables, incroyables, que personne ne soupçonnait. Il avait passé des années dans les mines de charbon, témoin invisible de l'industrialisation, à voir et à entendre des hommes et des enfants composer des chansons ou raconter des histoires à dormir debout durant des nuits froides où on se retrouvait dans les casernes mal isolées, où on tentait de se réchauffer en s'entassant les uns sur les autres. Certains conteurs étaient des légendes vivantes, et quand ils parlaient, même le vent se taisait pour écouter leurs histoires. On y croisait des grizzlys apprivoisés et des poissons longs comme des fermes et forts comme des roues de moulin, des hommes capables de briser sept murs de prison et de traverser dix lieues en quelques pas. Il se rappelait ces longues nuits passées dans des cabanes en bois, avec des hommes qui n'ouvraient jamais la bouche pendant la journée, occupés à briser les parois de la mine avec leurs pelles et leurs pics, des hommes qui paraissaient muets, mais qui n'étaient plus capables de se la fermer une fois le soir venu. Avait-il déjà été comme ça ? Il avait eu cinquante-cinq ans cette année, ses articulations commençaient à le faire souffrir, comme si ses cartilages s'étaient finalement réveillés. Il était taciturne, souvent, et pensait à partir avec un sac à dos, une gourde et un bâton de pèlerin. Avait-il déjà été cet homme bavard qu'il ressuscitait dans son esprit, ce conteur plein de bière et de récits abracadabrants à offrir à un auditoire captif ?

Une fois, à la toute fin du siècle dernier, durant la soirée du réveillon, il avait essayé de raconter le sien, son récit, en se faisant accompagner d'un violoniste au visage mélancolique. C'était l'histoire d'un homme qui ne pouvait pas vieillir. Les gens s'étaient mis à l'écouter, lui qui ne prenait presque jamais la parole. Il s'en souvenait, ça avait été une belle nuit, longue et grande comme un conte éternel rempli de ramifications. Aimé avait parlé des astres, des planètes, des scientifiques poussiéreux de l'Académie britannique, il avait expliqué l'adoption du calendrier grégorien, il leur avait raconté la vie d'Isaac Newton, avec ses dilemmes et sa pomme. Il avait parlé de l'importance de la lune et des marées, et sur les calculs précis qui permettaient au monde de ne pas s'écrouler sous des erreurs mathématiques accumulées. Le 29 février était la date la plus importante de l'univers. Pourquoi ? Parce qu'elle permettait de vivre éternellement. Il leur avait demandé de ne jamais oublier cette date, parce qu'elle était l'Eldorado, la fontaine de Jouvence, et la pierre philosophale aussi, elle était la date où tout arrivait, où on pouvait changer le plomb en or et le charbon en diamant. Et cette année était bissextile, qu'on ne l'oublie pas. Celles qui étaient enceintes, si elles désiraient l'éternité pour leur rejeton, savaient quoi faire. Il venait de leur expliquer. La providence n'existait pas, il fallait la provoquer pour qu'elle advienne. Plus un son ne venait troubler l'équilibre trouvé de sa voix, le violon s'était tu. C'était la première fois qu'Aimé parlait avec une telle éloquence. Il y prenait goût.

Il y avait pris goût, il s'en souvenait maintenant. Il s'était fait peur, ce soir-là, et il s'était cru lui-même. Sur la chaise qu'on lui avait fournie, il s'était mis à grandir, à prendre des proportions gigantesques, celles d'un mage, ou d'un sorcier, les quatre pattes s'étaient mises à gémir et à craquer sous son poids. Tous l'observaient avec attention, il s'était arrêté d'un coup et s'était enfui, laissant la porte grande ouverte. Plus personne ne l'avait jamais revu.

Alors, aujourd'hui, mille ans plus tard, dans un monde autrement plus rationnel, il s'est mis à marcher, parce qu'il en avait envie. Il s'est lancé sur le sentier avec le bonheur d'un homme neuf. Pour provoquer son corps et se souvenir de ce qui était arrivé avant, pour en jouir en silence et pas seulement pour s'en aigrir, parce que ça commençait à être trop long, et que la remémoration faisait mal au cœur. Qui l'aurait cru ? Qui aurait cru qu'il avait assisté à la construction du pont de Brooklyn, qu'il avait marché en dessous alors que les deux extrémités ne se touchaient pas encore ? Et aussi, il se posait la question de plus en plus souvent : est-ce que ses articulations, l'arrière de ses genoux, son talon d'Achille, allaient le faire souffrir pendant encore cent ans ? Son cœur était loin d'être atrophié, mais de petits pincements le harcelaient de plus en plus souvent. Ça ressemblait à des décharges électriques, comme si un docteur tentait de le réanimer avec un défibrillateur.

Ainsi, passant aux actes, il s'est équipé au meilleur de ses connaissances, a acheté ce qu'il fallait pour ne pas crever de faim ou d'hypothermie, a lu quelques livres expliquant les risques des longues randonnées. Il était impatient de partir.

Peut-être reconnaîtrait-il certains arbres, certains grands ormes de son passé. Peut-être marcherait-il dans ses propres pas, avec ses souliers cloutés imperméables. Au début de juin 1980 il est arrivé au pied du mont Springer, un léger sourire au coin des lèvres, avec l'air d'un jeune retraité qui prend la vie du bon côté et qui veut profiter de ses derniers beaux jours avant que tout ne se termine. Son équipement était à la fine pointe de la technologie, et les matériaux, aussi bien synthétiques que naturels, sentaient bon. Son bâton de marche seul avait coûté plus cher que l'ensemble des vêtements qu'il avait portés durant le premier tiers de sa vie.

Dans la poche droite de sa veste, il transportait une sorte de boussole de son invention, un objet rond en métal doré et en cristal, d'une extrême précision, un aléthiomètre, qu'il avait confectionné au début du siècle et qu'il aurait aimé offrir à quelqu'un, si l'occasion s'était un jour présentée.

Et en entrant seul dans la forêt, il a pensé à elle, de la même manière qu'avant sa mort, quand il s'était décidé à aller la voir une dernière fois. C'étaient sans doute les immenses arbres s'apprêtant à l'engouffrer qui exerçaient leur influence. Il a commencé à marcher et s'est laissé aller au gré de sa mémoire. Le dôme vert foncé des sapins et des hêtres est vite venu cacher la cime des montagnes qui attendaient son retour.

XIV

Décembre 1900

Phoenix, Arizona – Montréal

Quand il pensait à elle, c'était un visage sans âge qui lui apparaissait, derrière un brouillard, celui d'une jeune femme qui entrait à peine dans l'adolescence quand il l'avait connue et qui aujourd'hui avait plus de cinquante ans, s'il comptait bien, avec ce que ça comportait d'affaissement, de relâchement de l'épiderme, mais de sagesse aussi, dans le fond du regard, et de beauté emmagasinée au fil du temps. Il avait vu tant de gens vieillir et s'effondrer autour de lui, sans jamais les connaître vraiment, sans jamais s'émouvoir de leur sort. À combien d'hommes, à combien de femmes, avait-il survécu ? Et pourtant, Jeanne continuait de lui apparaître par intermittence, à mesure que les années passées loin d'elle s'accumulaient. De plus en plus souvent, il la voyait surgir au fond de son crâne, en image inversée, comme floue et nette en même temps, dérangeante au milieu de ce qu'il faisait, créant une diversion, une digression dans son emploi du temps.

Il pensait à elle dans des moments étranges, inattendus. En sortant d'une rencontre importante avec un entrepreneur ayant fait appel à ses services, par la voie d'intermédiaires obscurs et se retrouvant sans le savoir devant Aimé lui-même ; en apercevant soudainement la lumière du jour s'infiltrer entre les planches d'une maison mal construite ou abandonnée ; au milieu d'un champ de blés lui montant aux épaules, qu'il traversait pour la première fois ; entre deux coups de pioche nocturnes, creusant la tombe d'un vieux chien qui était le seul être vivant à l'avoir accompagné sur une longue période, le seul à avoir gagné sa confiance.

Sans jamais s'approcher de près ou de loin de la vie qu'elle s'était mise à mener après son court et fulgurant passage, il avait appris qu'elle s'était mariée, et qu'elle avait réussi, grâce à l'influence de son frère, à accoucher dans des conditions sécuritaires et honorables. L'enfant était né Langlois et avait été reconnu comme tel par l'homme d'affaires de la rue Saint-Antoine qui avait accepté généreusement de prendre Jeanne pour épouse. C'étaient les informations qui étaient parvenues aux oreilles d'Aimé, et il les considérait comme véridiques jusqu'à preuve du contraire. Il n'était jamais allé vérifier, avait tout tenté pour oublier et recommencer à zéro, avec son nouveau nom, sa carabine, sa baïonnette et sa haine de plus en plus profonde des hommes en gris qui s'approchaient de l'autre côté du champ de bataille. La guerre lui avait presque permis d'oublier Jeanne complètement, elle et ce qu'il avait laissé dans son ventre. En fait, Aimé n'avait aucune idée de ce qui était arrivé à Jeanne dans les jours et les mois ayant suivi leurs ébats. Il n'avait pas remis les pieds au Canada depuis sa fuite, le soir où on les avait surpris, emmêlés dans le foin, les deux jeunes amoureux qu'ils étaient alors, coupables de nombreux crimes et de dizaines de péchés impardonnables. Il se souvenait bien du visage du frère de Jeanne à ce moment-là, découpé au couteau dans le halo d'une lanterne, et de sa main droite tenant une grosse brique, levée haut, prête à frapper. Derrière lui, trois autres silhouettes sombres et menaçantes.

Aimé n'a pas emporté grand-chose, quelques vêtements de rechange, un livre de sciences naturelles entamé déjà, aux pages cornées, un prototype pas encore fonctionnel de sa boussole à quatre aiguilles, sur laquelle il travaillait jour et nuit. Ce serait un court séjour, il le savait intuitivement. Il a attendu le train en gare avec une foule grandissante de passagers et il les imaginait tous et toutes en chemin pour visiter des êtres chers. Il reconnaissait dans les visages une forme de mélancolie qu'il associait à l'amour filial et à la nostalgie. Les gens qui attendaient avec lui sur le quai, en cette journée chaude de décembre, se languissaient de leurs parents, ou de leur terre, de certains paysages bucoliques qu'ils avaient laissés derrière eux pour conquérir la grande ville, pour aller travailler dans les usines de textile ou dans les forages de pétrole. Certains avaient fait fortune. Maintenant, ils portaient des montres à gousset, ils étaient bien habillés, et ils s'en retournaient loin, au nord ou à l'est, revoir leurs vieux parents avant que ceux-ci ne disparaissent et s'éteignent comme s'ils n'avaient jamais existé.

Aimé a échangé un sourire poli avec une femme visiblement enceinte, assise non loin de lui sur un des rares bancs du quai d'embarquement. Elle passait constamment sa main sur son ventre. Elle était jolie, confiante. Aimé s'est dit qu'elle était née dans la pauvreté, quelque part en Caroline du Nord peut-être, et qu'elle avait prospéré dans les territoires s'étendant à l'infini au-delà des derniers grands fleuves, que le gouvernement offrait gratuitement à qui se montrait intéressé. Qu'elle avait prospéré, avec pour compagnon fidèle un jeune homme ambitieux et sans complexe, capable aussi bien de cultiver des terres arides que de spéculer en bourse. C'était sa première grossesse, et elle se portait bien.

À l'heure dite et avec un sifflement de vapeur, le train s'est arrêté en gare et le chef de wagon est descendu sur la plateforme en criant de se dépêcher, qu'il repartait dans quinze minutes. Les passagers à destination de Amarillo, Oklahoma City, Fayetteville, Little Rock, Jackson, Nashville, Lexington et Colombus étaient priés de bien vouloir monter à bord immédiatement. Plusieurs employés de la compagnie de chemin de fer s'activaient à aider les voyageurs avec leurs valises. Aimé s'est faufilé entre les membres d'une famille qui semblaient hésiter entre une voiture et une autre, en s'excusant poliment, et a grimpé les quelques marches de métal. Son compartiment était réservé, doté d'une couchette et d'un lavabo privé. Les portes coulissantes ne grinçaient pas, se verrouillaient de l'intérieur, et le wagon restaurant était à deux pas. Il s'est installé dans le siège capitonné en soupirant et a détaché les boutons de son veston. Par la fenêtre, il pouvait apercevoir l'agitation de la foule qui continuait. À la limite de son champ de vision, le chef de gare se tenait bien droit, montre en main et sifflet en bouche. Il portait une moustache bien lisse, Aimé aussi. On le prenait au sérieux, et quand il a sifflé, un mécanisme extrêmement bien construit, bien conçu, s'est enclenché. Les essieux ont relâché des jets de vapeur, les freins se sont desserrés et les dizaines de grandes roues de la machine se sont mises en mouvement, d'abord très lentement, pour permettre aux derniers retardataires de s'accrocher aux barreaux des portes, d'être agrippés à la dernière seconde par des hommes en uniformes.

Le train a rapidement pris de la vitesse, encouragé par la force motrice, la force centrifuge, et par l'efficacité de la fournaise nourrie par les ouvriers. Le vacarme ambiant s'est intensifié, pour signifier clairement le départ, et Aimé a aperçu un enfant d'environ dix ans, avec un mouchoir, seul sur le quai, incapable de dire au revoir en envoyant la main, tellement il était triste.

Les jours et les nuits se sont succédé, et les paysages aussi, éternellement changeants et semblables, avec les mêmes couleurs et les mêmes reliefs. Aimé pensait à Jeanne et à l'état dans lequel il la retrouverait, fanée mais bien vivante. Son visage sans définition s'imprimait à l'intérieur de sa rétine et il n'arrivait pas à fixer parfaitement les traits. Il l'avait si souvent contemplé, pourtant, à la lueur d'un fanal dans des endroits gardés secrets, ou en plein après-midi, sur les berges du canal de Lachine, pendant qu'au large, sur le fleuve, les grands navires appareillaient. Le temps avait passé et c'étaient deux visages contradictoires qu'Aimé cherchait à réconcilier. Jeanne était dans sa tête, il n'y avait aucun doute là-dessus, elle était la raison de son départ, elle était le but de son voyage, mais il ne savait pas ce qui l'attendait là-bas.

Il dormait bien, mangeait des repas variés, appétissants. Le continent défilait à sa fenêtre. On lui offrait des cigares de marque qu'on se penchait pour allumer. Les fauteuils étaient confortables, le restaurant était décoré avec goût. Les autres voyageurs, attablés autour d'une partie de cartes, lui adressaient rarement la parole. Il donnait l'impression de vouloir rester seul et préserver son anonymat. De son côté il ne parlait à personne, sauf aux serveurs qui lui apportaient des verres d'alcool remplis de glaçons, à qui il disait merci avec gravité. On l'observait de loin, avec admiration et envie. Peut-être était-il un industriel, un de ces nouveaux riches qui avaient pris part à la formation des grands trusts bancaires. Peut-être habitait-il New York, y retournait-il avec des valises pleines d'obligations du Trésor et de contrats de propriétés foncières. On spéculait sur ce petit objet métallique qu'il sortait souvent de sa poche de pantalon, et qu'il frottait doucement en regardant le paysage défiler. On disait qu'il habitait probablement dans un de ces grands hôtels qui venaient d'être construits le long de Central Park, à l'ouest du réservoir.

Les repas étaient bons, la viande toujours fraîche, même après qu'il avait changé de train à Colombus et qu'il s'était installé dans un autre compartiment, dans un wagon beaucoup plus vieux. L'odeur était différente sur cette ancienne ligne nord-sud, plus proche du cuir et de la fumée emprisonnée dans les tissus et dans les rideaux, mais Aimé appréciait la tranquillité et le confort de la couchette. Et soudainement, peu après le passage de la frontière avec la Pennsylvanie, les montagnes étaient apparues au loin.

Il n'avait pas pris de poids depuis des années, sa taille était encore fine. Ses mains veineuses étaient encore celles d'un jeune homme. Il passait son doigt sur sa clavicule et sentait la proéminence de l'os sous la peau, c'était un geste qu'il faisait souvent, une sorte de tic nerveux. Quand il avait rencontré Jeanne, on ne lui donnait pas plus qu'un quart de siècle, mais il était quand même bien plus vieux qu'elle. Quand il la reverrait, elle serait plus âgée que lui, et il lui faudrait s'expliquer. Ou pas. Il se trouvait présomptueux déjà de croire qu'elle le recevrait, ou qu'il parviendrait à entrer en contact avec elle. Peut-être devrait-il se contenter de l'observer à distance. Chaque fois que le train arrivait en gare, dans n'importe quelle ville, petite ou grande, Aimé pensait sortir et oublier cette extravagance qui ne réparerait rien. Les quelques secondes qu'il passait dans une hésitation absolue lui faisaient redéfinir la notion de résolution. Et il se rassoyait s'il était debout. Il soupirait et chassait sa nervosité puérile. Des nuages cotonneux en haute altitude présentaient des dessins complexes et laissaient présager la pluie battante. Le train roulait vite et il fallait avoir de l'imagination pour lire quelque chose dans les formes blanches avant de les perdre de vue. Le ciel bleu était profond, mais ça ne durerait pas.

Aimé l'avait abandonnée à son sort trente-six ans auparavant, il se doutait bien qu'elle ne se rappellerait pas de lui. Combien de gens avait-il oubliés, de son côté ? Mais l'enfant, cet aîné à qui on avait donné le nom de Langlois, comme aux autres qui avaient sûrement suivi, n'était-il pas une sorte de réminiscence constante, pour Jeanne ? Avait-il seulement survécu ? Si se souvenir avec précision du visage de Jeanne était devenu malaisé, concevoir l'existence de ce fils était impossible. Alors que le train s'approchait d'Albany, Aimé a évacué de son cerveau tourmenté cette fiction d'un enfant grandissant dans une famille heureuse et épanouie, à Montréal, prenant d'assaut ce vingtième siècle dans la fleur de l'âge. Il n'avait rien à lui offrir et ne se préoccupait nullement de son destin. Une chose était certaine : ce n'est pas pour lui qu'il revenait, mais bien pour elle.

Il n'avait pas souvent été lâche au cours de sa vie, mais cette fois-là il avait couru sans se retourner, au beau milieu de la nuit, de ce qui restait de la nuit, et à l'aube il était déjà à la frontière, grâce à ses nombreux contacts et à sa connaissance étendue des routes secondaires. Comme si les conséquences de ses gestes avaient été trop lourdes à porter, sur le coup et dans les mois suivants, il s'était enfui sans un regard en arrière. Jeanne avait ensuite été acceptée par un honnête homme, un homme qu'il détestait sans l'avoir jamais vu, mais qui était quand même apparu comme un sauveur, il devait le reconnaître.

C'était facile à dire, maintenant que les décennies avaient passé : peut-être aurait-il dû revenir auprès d'elle au lieu de s'engager et de prendre la place d'un autre lâche, qui ne voulait pas compromettre son héritage. C'était facile à dire, mais Aimé ne se privait pas pour se le répéter. Il se jugeait durement et son cœur battait vite et mal. Son teint pâlissait à mesure que la température extérieure baissait, à mesure que le nord s'approchait et que les flocons remplaçaient la pluie. Il a sorti sa boussole et s'est aperçu que le mécanisme s'était encore une fois déréglé. Les aiguilles vibraient constamment et n'indiquaient aucun symbole, rien de précis, sauf une agitation magnétique dans l'air, comme si des mondes parallèles s'entrechoquaient.

Aimé est descendu du train qui était devenu sa maison, sa demeure, là où il réfléchissait à sa vie, depuis plus d'une semaine. Mardi dernier, il avait quitté Phoenix, où le mercure indiquait trente-sept degrés, et voilà qu'il mettait le pied à Montréal le mercredi suivant, en pleine tempête. Quand il est sorti de la gare Windsor, cet édifice néo-roman tout en colonnes et en voûtes qui n'existait pas quarante ans plus tôt, une rafale a soufflé le long de la petite rue De La Gauchetière et Aimé a rattrapé son chapeau à la dernière seconde. On ne voyait même pas le clocher de l'église Saint-Georges. Les passants semblaient marcher sur des tapis volants et les chevaux traînant les fiacres des bourgeois renâclaient bruyamment dans le froid venteux.

La ville avait changé, les immeubles se serraient les uns les autres sur les rues adjacentes à la gare. Les lampadaires étaient électriques et leur faible lueur jaune était la seule couleur visible au milieu du blanc et du gris de la fin d'après-midi enneigée. Des employés du Canadien Pacifique s'affairaient à dégager l'entrée de la gare avec d'énormes pelles. Les franges de leurs paletots étaient lourdes de neige et le vent leur frisait les moustaches. Il y avait des centaines de personnes dans la rue, comme dans n'importe quelle métropole. On se déplaçait à pied et en omnibus, certains avaient des voitures, mais tout allait au ralenti dans le blizzard. Des fils de tramway traversaient d'une façade à l'autre, au-dessus des têtes, formant des toiles et des mosaïques.

Après s'être dirigé d'un pas assuré vers le petit hôtel de la rue Saint-Jacques, où on l'attendait avec une couverture, un grog bien chaud et un foyer déjà allumé dans la chambre, Aimé s'est aussitôt mis au travail. Pendant que ses vêtements séchaient près de l'âtre, il a fait monter un des fils de l'hôtelier. À la porte de la chambre, il l'a dépêché au centre-ville et l'a remercié à l'avance avec de la monnaie américaine, frappée du visage d'un grand président, que l'autre a contemplée dans sa paume en ne sachant plus quoi dire. Aimé a refermé la porte en répétant, dans un français qui avait perdu de sa flexibilité, de faire monter l'inspecteur dès son arrivée. On n'avait pas besoin de le prévenir, il l'attendait.

La chambre était luxueuse. Des drapés pendaient de tringles dorées suspendues en haut des fenêtres et sur le rebord du foyer étaient disposés divers objets de collection. Il faisait chaud, l'atmosphère sombre et feutrée le tranquillisait, malgré le souffle du vent qui ne s'arrêtait pas, dehors. Aimé patientait avant l'arrivée de son contact en observant un des deux vases placés symétriquement sur une table basse. Une fine couche de poussière a virevolté dans l'air, aussitôt aspirée par les flammes, quand il en a soulevé un pour voir l'inscription. Il s'est déplacé dans la pièce en touchant le dossier du fauteuil. Il s'est servi un verre pour patienter et a fait passer le liquide sur ses gencives. Les bouteilles de cristal étaient finement ouvragées. De la haute fenêtre qui donnait vers le sud, à travers le givre gagnant du terrain, il pouvait deviner, juste au-dessus de la ligne des immeubles, le fleuve coulant et foncé, refusant de geler, et aussi la silhouette noire du pont Victoria qu'il venait de traverser.

On a cogné à la porte et Aimé, la gorge brûlée par le mauvais rye, s'est précipité pour aller ouvrir. Devant lui se tenait un homme immense, grand comme lui, portant une redingote dont la moitié gauche était couverte de neige. Aimé lui a fait signe d'entrer et l'a aidé à enlever le manteau, qu'il a accroché près du sien. L'homme a aussitôt sorti un étui à cigarettes de la poche intérieure de son veston, et il l'a tendu à Aimé. Ils étaient visiblement contents de se rencontrer enfin.

— Non merci, je ne fume jamais la cigarette. Mais assoyez-vous. Je vous sers quelque chose ?

— Un whisky, s'il vous plaît, ça va me réchauffer.

— Whisky, c'est un bien grand mot, mais c'est tout ce que j'ai à vous offrir.

Aimé a poursuivi :

— Je n'avais pas remis les pieds à Montréal depuis longtemps, c'est vrai que c'est assez impressionnant.

— Impressionnant, je ne sais pas, c'est surtout vraiment très froid. Et ça va nous prendre deux semaines pour déblayer les rues. On croise les doigts pour que ça s'arrête un jour. Depuis lundi que ça tombe à l'horizontale comme ça.

Il a allumé sa cigarette à l'aide d'un briquet argenté. Avec un sourire cherchant à exprimer de la compassion et de la compréhension pour les gens qui subissaient les rudesses de l'hiver, Aimé lui a tendu son whisky, comme bien mérité. En s'avançant légèrement pour le prendre, l'inspecteur a dit :

— Mais vous ne m'avez pas fait venir d'urgence pour me parler de la météo canadienne, j'imagine. La dernière fois qu'on s'est parlé, c'était à propos d'affaires importantes, et vous ne vous étiez même pas déplacé.

Aimé s'est assis dans le fauteuil lui faisant face. Il a détaché les boutons de son gilet et la chaîne de sa montre est apparue. Il s'écoutait parler et trouvait son français sans vie, automatique et presque mécanique, comme un instrument mal huilé qu'il aurait utilisé avec réticence. Il avait envie de tendre les muscles de la mâchoire et de cracher pour laver sa bouche de ces « r » anglophones qui refusaient de se détendre. Comment pouvait-il parler aussi mal alors qu'il pensait et rêvait en français, encore aujourd'hui ? Il pensait au mot « effectivement » et il le prononçait parfaitement dans sa tête, mais ça sortait autrement, ça passait à travers sa langue et ses dents et ses lèvres d'une manière étrange et incontrôlable.

— Effectivement, mais c'est privé cette fois-ci, ça n'a rien à voir avec les affaires. C'est pour ça que je suis ici et que je ne pouvais pas régler ça par télégramme. Je suis à la recherche de quelqu'un et j'aurais besoin que vous m'aidiez à la retrouver.

— Une femme.

— Oui. Je suis presque certain qu'elle habite encore ici, quelque part dans la ville, et j'aurais besoin que vous m'aidiez. C'est très urgent, en fait.

— Vous me laissez combien de temps ?

Sans attendre la réponse d'Aimé, l'inspecteur a repris :

— Elle s'appelle comment ?

— Langlois. Jeanne Langlois.

— Langlois. Elle est de la famille du juge Langlois ?

— Je ne sais pas qui est le juge Langlois, c'est une de vos connaissances ?

— Oui et non. Tout le monde le connaît en ville, c'est le plus jeune juge jamais nommé à la Cour suprême. Il vient de partir pour Ottawa, ça fait quelques mois à peine. Il n'a même pas quarante ans. Les journaux en ont beaucoup parlé.

— Je ne sais pas. C'est possible.

Aimé semblait préoccupé soudainement, il s'est mis à regarder dans le vide. L'inspecteur a continué :

— Il y a beaucoup de Langlois, ça ne veut rien dire, je ne faisais que penser tout haut.

— Non, c'est une bonne piste. Le juge Langlois. Commencez par là. C'est une bonne piste.

Quand l'inspecteur avait téléphoné à l'hôtel quelques heures plus tard, à l'aube, pour lui révéler où il trouverait cette femme, il lui avait dit qu'il comprenait maintenant pourquoi c'était urgent : Jeanne Langlois, la mère du juge Pierre Langlois, récemment nommé à la Cour suprême du Canada, était hospitalisée en ce moment à Notre-Dame, où elle se mourait d'un cancer. Elle était, paraît-il, en phase terminale, ne reconnaissait presque plus ses proches, ses enfants, son mari, ses frères et sœurs. Aimé a remercié l'inspecteur et a raccroché. Ses chevilles lui faisaient mal, comme s'il avait réveillé une vieille blessure, comme si une plaque de métal était en train de rouiller sous sa peau. Il a été obligé de s'asseoir. Le long des jambes, il ressentait tout à coup une très ancienne douleur, qui lui rappelait son enfance, cette enfance que personne ne pouvait plus concevoir, même pas lui, passée dans la boue et dans les bras de religieuses attentionnées mais aux dents putréfiées et à l'haleine fétide.

Aimé avait traversé deux fins de siècle, deux débuts de siècle, ces périodes troubles où tout était à la fois mourant et plein de vie, où la déchéance des uns côtoyait le renouveau optimiste des autres. Il avait vécu les célébrations grandioses soulignant l'arrivée du dix-neuvième siècle, quand l'agitation était à son comble. Il était jeune alors, il hésitait entre une vie d'explorateur et une vie de bandit. En décembre 1799, il s'en souvenait, les gens étaient partagés entre la peur et l'excitation, tout était envisageable. Il était possible de croire d'un côté à l'avènement prochain du paradis terrestre et de l'autre à l'apocalypse imminente. Il était possible aussi de croire que les hommes blancs étaient fondamentalement supérieurs aux autres, qu'ils pouvaient posséder les autres, et d'écrire des livres et des thèses convaincantes sur le sujet. Aimé avait traversé le siècle en s'étonnant des bouleversements et de l'évolution des mentalités, de l'arrivée fulgurante de l'automatisation, des révolutions ouvrières et technologiques, de la violence des changements et de leur lenteur en même temps. Il avait fini par mener la vie d'un bandit explorateur, ne cultivant que des amitiés de passage, avec des hommes et des femmes, avec des chiens et d'autres animaux. Il ne s'était attaché qu'à peu de choses, surtout des choses résistantes, plus résistantes que lui, et qui lui permettaient de remettre son long parcours en perspective.

Ses jambes avaient lâché sous lui quand il avait raccroché le téléphone et il était assis sur le bras du fauteuil à repenser à l'éventualité de la mort, à ce que ça pouvait bien vouloir dire. Les gens aujourd'hui morts qu'il avait connus se comptaient par centaines, tous morts de morts différentes, certaines qu'il comprenait, d'autres non. Devant la mort de certains, rabougris et défaits avant le temps, il était malgré son cerveau séculaire comme un enfant sans voix.

Il avait recommencé à penser à Jeanne pour des raisons obscures, qui lui échappaient, mais qu'il n'avait pas hésité à explorer. Son intuition l'avait fait revenir. Et maintenant il était ici, à quelques kilomètres de son corps sur le point d'abandonner la bataille et de laisser s'échapper son âme, ou cette chose innommée qui vivait en elle. Il s'est levé et, après avoir ouvert la porte, a dévalé les escaliers. Il est revenu chercher son manteau et son chapeau et, après avoir refermé la porte, a descendu les marches quatre à quatre, avant de sortir dans le blizzard. Il est revenu à l'intérieur, la moustache déjà dépeignée par le vent, et a demandé au jeune homme qui travaillait à la réception dans quelle direction se trouvait l'hôpital Notre-Dame. Ça faisait si longtemps qu'il ne vivait plus ici, il ne savait plus où étaient les lieux, et l'hôpital n'existait même pas à l'époque où il avait fui Montréal. C'était très simple, il n'avait qu'à prendre la rue Saint-Jacques vers l'est jusqu'au port et à tourner vers le sud, il trouverait l'hôpital juste à côté du grand marché, il ne pouvait pas le rater, malgré la neige, les rafales, et les couleurs qui avaient disparu. C'était une grande bâtisse blanche qui faisait face au port. Il ne pouvait pas la rater. Ce n'était pas très loin, quelques kilomètres à peine, il aurait de la difficulté par contre à trouver un moyen de transport pour s'y rendre par ce temps, et le garçon au comptoir parlait poliment dans le vide, parce qu'Aimé était déjà parti.

Les tourbillons floconneux créaient un effet de vortex dans la rue et Aimé s'est penché vers l'avant, formant un angle incongru avec son corps, pour ne pas basculer. Il marchait contre le vent, et soudainement le vent lui poussait dans le dos, ou tournoyait autour de lui en spirale. Aimé tenait son chapeau et sa main gauche commençait à gercer. Les poils de sa moustache et de ses narines avaient gelé en quelques secondes. Le jour se levait à peine, les premiers ouvriers du port, bien emmitouflés, se saluaient entre eux, au milieu des banques qui n'ouvriraient peut-être pas leurs portes aujourd'hui. Au coin de la rue McGill, un groupe d'hommes attendaient qu'un cocher s'arrête pour les prendre, mais il y avait au moins vingt centimètres de neige au milieu de la rue. Sans bottes, Aimé se déplaçait difficilement, s'aidait avec les murs et les poteaux sur son chemin. Il souffrait des joues et du nez.

Chacun de ses pas, lui semblait-il, le ramenait en arrière. Aucun édifice, malgré sa hauteur, malgré sa stature, ne protégeait des rafales. Au contraire, le vent prenait son élan dans les interstices entre ceux-ci, s'engouffrait dans les ruelles, montait le long des façades des tours des grandes banques et plongeait en piqué sur les gens, à la manière d'un aigle avide de remplir son rôle dans la nature. Plusieurs fois durant le trajet, qui n'en finissait plus de s'allonger, Aimé a été obligé de s'éloigner du trottoir et de marcher dans la rue. Des lignes de désir semblaient commencer à se dessiner au milieu de la tempête, mais il aurait fallu être devin ou perché très haut dans un clocher pour les apercevoir. La ville se réveillerait-elle, ou passerait-elle la journée dans une torpeur contagieuse, après la tombée du vent ? Les dernières tempêtes qu'Aimé avait connues avaient été de sable, et il se demandait ce qui était pire. Il se disait qu'ici au moins on pouvait ouvrir la bouche pour respirer à fond sans s'étouffer avec des grains mortels. Aucun coin de rue n'était le bon. La ville ne lui rappelait plus rien, même s'il y avait vécu plus de cinquante ans. Ça n'avait plus rien à voir, il ne reconnaissait rien, pas même les vieilles affiches du port. La rivière Saint-Pierre avait été totalement recouverte et pavée. Le fleuve avait visiblement reculé, il était plus loin, l'industrie avait empiété dessus.

Juste avant d'arriver à destination, il a dû escalader un banc de neige érigé durant la nuit afin que l'entrée de l'hôpital soit libre pour les véhicules d'urgence, une immense montagne de glace et de neige solide dressée et laissée là on aurait dit en panique, obstruant la rue à sens unique, du côté nord. Plusieurs personnes avaient probablement travaillé à dégager la voie. Une fois au sommet, il arrivait à la hauteur des fenêtres du premier étage. Si elles n'avaient pas été entièrement givrées, il aurait presque pu voir ce qui se passait à l'intérieur, ces gens alités, au chaud, protégés de la tempête mais pas de la mort.

Il reviendrait à Phoenix avec les sinus bouchés et le nez coulant, comme un gamin imprudent. L'air sec de là-bas lui briserait les vaisseaux sanguins. Son paletot était irrécupérable. Il a mis la main dans sa poche pour vérifier l'état de sa boussole et le métal était si froid qu'elle s'est collée à ses doigts. Ses oreilles brûlaient et rougeoyaient dans la lumière grisâtre du jour et il est enfin entré dans le vestibule en poussant la porte avec aplomb.

Il respirait fort et une infirmière s'est approchée pour lui demander si tout allait bien. Souffrait-il ? Où avait-il mal ? S'était-il blessé ? Était-il tombé sur la glace ? Elle le soutenait, pratiquement, une main posée sur son épaule et l'autre sur son flanc. Son bonnet est tombé et elle n'a fait aucun geste pour le ramasser par terre. Une mèche de ses cheveux blonds lui a traversé le visage. Aimé s'est redressé. Il allait bien, il n'était qu'un peu essoufflé, à cause du froid. Ses oreilles se sont mises à battre au rythme de son pouls. Il n'avait rien, il n'était pas ici pour des soins. En fait il venait voir quelqu'un. C'était urgent. Il venait voir madame Jeanne Langlois, née Beaudry, pouvait-on lui indiquer où elle se trouvait ?

L'infirmière l'a guidé à un comptoir en bois massif, orné de décorations liturgiques, derrière lequel elle a ouvert un registre.

— Madame Langlois se trouve actuellement en chambre de repos, l'accès est restreint. Êtes-vous de la famille ?

— Je, non, je suis une vieille connaissance de madame Langlois. Il faut absolument que je la voie. J'ai appris récemment qu'elle était malade. J'arrive des États-Unis, je suis arrivé hier soir. On vient de m'apprendre qu'elle était en phase terminale. Je suis une vieille connaissance. Dites-lui que je suis là, elle acceptera de me recevoir.

— Je comprends, monsieur, mais l'état de santé de madame Langlois nous oblige à –

— Non, vous ne comprenez pas, je connais Jeanne Langlois depuis très longtemps. Il faut absolument que je la voie avant qu'elle meure.

Ça fait des années qu'on ne s'est pas parlé. J'arrive de l'Arizona. Je suis parti mardi dernier. Excusez-moi, je. Je ne veux pas être impoli.

Aimé avait posé ses mains sur le comptoir, devant la jeune infirmière. Il serrait le rebord avec ses doigts. Elle le fixait avec empathie, cherchait visiblement une solution. Elle compatissait. Il serrait fort, mais le bois massif ne craquait pas, refusait d'éclater en morceaux.

— Oui, je comprends tout à fait, je comprends votre situation. Attendez-moi un instant, je vais consulter ma supérieure. Comment avez-vous dit que vous vous appeliez ?

— Aimé. Je m'appelle Aimé Bolduc. Dites-lui qu'Aimé est là.

Elle s'est enfouie dans un corridor sombre et Aimé a entendu le bruit d'une porte s'ouvrant. Le vestibule était éclairé à l'électricité, tout était électrique et les lumières ne vacillaient pas. Il voyait les fils noirs courant sur les murs de pierre et il remarquait maintenant les gens assis en train d'attendre. Des infirmières en uniforme, en tous points semblables à la jeune femme qui s'était occupée de lui, se promenaient dans la grande pièce au plafond voûté et parlaient aux gens avec des voix douces et posées. Personne ne criait, sauf le vent qu'on entendait lorsque quelqu'un entrait en trombe. Le corps d'Aimé reprenait peu à peu sa température normale. Sa gorge picotait et il s'est massé la pomme d'Adam en observant aux alentours. Quand elle saurait qu'il était là, elle leur demanderait de le laisser venir à elle.

Un quart d'heure plus tard, alors que le soleil semblait vouloir percer la couche épaisse de nuages qui s'étendait au-dessus de l'île, Aimé a entendu les pas déjà familiers de la jeune femme, le bruit caractéristique de ses souliers sur les mosaïques du plancher de granite. L'infirmière est revenue, accompagnée d'une sœur grise à la peau tachée de marques de scarlatine. Elle s'est approchée d'Aimé et lui a tendu la main, professionnelle, amène :

— Je suis sœur Élodie Mailloux, suivez-moi, madame Langlois va vous recevoir. Elle vous attend.

En traversant les couloirs rectangulaires et droits de l'aile ouest, pour se rendre au pavillon des cancéreux, sœur Mailloux a expliqué à Aimé que Jeanne ne réagissait plus à la présence des gens qui venaient la voir, mais qu'elle avait dernièrement prononcé son nom à plusieurs reprises. Ni elles ni les médecins traitants n'avaient compris qu'il s'agissait d'un nom, en fait, jusqu'à ce que sœur Valois ne vienne la chercher en racontant qu'un homme avait fait irruption dans la salle d'attente et qu'il exigeait de la voir.

— Elle est extrêmement faible, ne vous étonnez pas. Elle n'en a plus pour longtemps, j'en ai peur. Nous avons arrêté les traitements la semaine dernière. Et pourtant, quand je suis allée la voir tout à l'heure pour lui signifier votre présence, ses yeux se sont illuminés.

Leurs pas résonnaient dans les murs et dans les plafonds, ils tenaient une conversation polie, proche du chuchotement. Sœur Mailloux gardait les mains dans les poches avant de son uniforme. Elle regardait la pointe de ses pieds en marchant et en indiquant le chemin à mesure. Elle a expliqué à Aimé que Jeanne avait été admise pour un cancer du sein qui s'était répandu et qui était maintenant généralisé. Des traitements électriques expérimentaux avaient été tentés sans résultats. Elle voulait être bien claire, alors elle s'est arrêtée pour prononcer ces mots : la femme qu'Aimé avait connue n'était plus la même, il aurait peut-être de la difficulté à la reconnaître, son visage était bouffi, changé radicalement, le son de sa voix aussi. Elle voulait être bien claire : Jeanne en était aux derniers miles, et c'était en quelque sorte une ultime faveur qu'elles lui rendaient avant de la laisser partir. Ils étaient arrêtés en plein milieu d'un long couloir illuminé par des lampes pendues au plafond, comme des jalons à franchir vers la mort. Aimé écoutait et il était reconnaissant. Elle devait comprendre qu'il était reconnaissant. Sœur Mailloux a hoché la tête en assentiment. Elle a souri et ses cicatrices se sont tendues. Elle a fait un mouvement de côté et derrière elle une porte est apparue. Oui, il pouvait entrer maintenant. Elle l'attendait. Son lit était au fond à droite. Elle l'attendait.

Aimé a poussé en tournant la poignée et la porte de métal a grincé sur ses gonds. Il a dû se pencher un peu pour ne pas se cogner la tête sur le cadre. Devant lui s'étendait une immense salle, grande comme un gymnase, dans laquelle étaient disposés des dizaines de lits. Un silence lourd accompagnait chaque bruit, chaque plainte, et les patients étaient couchés sous des draps blancs et verdâtres. Aimé a parcouru la salle du regard et s'est avancé vers les lits du fond. Il était anxieux de revoir Jeanne, de lui parler une dernière fois, mais en même temps il s'en voulait soudainement d'avoir cédé à son impulsion. C'était peut-être une erreur. Il savait qu'elle ne l'avait pas oublié, mais ça ne voulait pas dire qu'elle lui avait pardonné sa fuite. Il marchait en essayant de ne pas déranger les malades, en réduisant sa présence à un frottement subtil des talons. Sa gorge picotait, il sentait sa sueur et ses vêtements collés.

Et elle était là. Couchée sur un matelas inconfortable, les bras sortis des draps, un bracelet au poignet et les lèvres sèches, pratiquement éteinte. Ses cheveux blancs étaient coupés court, ils étaient frisés comme avant, mais il n'y avait plus de couleur dedans. Les cheveux d'Aimé, eux, ceux d'un homme de trente-cinq ans, étaient encore foncés, comme des branches d'arbre pleines de vitalité. Elle avait les yeux fermés. Une quantité innombrable de ridules traversait son visage, dans tous les sens. Sa bouche était entrouverte, pour respirer, parce que ses voies nasales ne fonctionnaient plus.

Aimé a peut-être pleuré à ce moment-là. Ils se sont parlé une dernière fois, au milieu des sécrétions, des reniflements et des larmes.

— Jeanne.

— Aimé.

— Je suis là.

— Tu n'as pas changé.

— Toi non plus.

Les gémissements des patients alités autour, certains quêtant l'attention d'une infirmière, d'autres se plaignant de la providence et du sort, s'imprimaient sur les tympans d'Aimé, qui s'est penché un peu plus pour entendre ce que Jeanne disait.

— Oh mon Dieu, tu es si beau.

— Toi aussi tu es belle.

— Je vais mourir.

— Ne dis pas ça.

Jeanne l'a fixé dans les prunelles, et les siennes ont rétréci immédiatement, comme si une source de lumière intense s'était approchée. Elle a dit :

— Pas toi, Aimé, mon Aimé, toi je pense que tu es immortel.

C'était un filet de voix, un chuchotement. Le vent soufflait à l'extérieur, sauvage et indifférent. Aimé se disait qu'il avait bien entendu. Il a posé sa main sur la sienne, sur la peau extensible, douce et encore chaude.

XV

Avril 1865

Les forêts du Mississippi

Des années plus tard, malgré le bourbon
déliant la langue et la cocaïne déployant les
souvenirs, les ramenant si près, il ne raconterait
pas cet épisode à Crane. C'était arrivé durant
les dernières semaines d'affrontements. Dans
les tentes des généraux on préparait la bataille
d'Appomattox et la marche des hommes bleus de
William Tecumseh Sherman laissait des traces
fumantes partout sur son passage. Au loin, sur
l'horizon des territoires ancestraux, les champs
de coton flambaient et chaque jour des villes et
des villages étaient pillés, des entrepôts de nourriture et d'armes étaient réquisitionnés au nom
de l'Union et du président Lincoln, et des crieurs
proclamaient la défaite prochaine des rebelles, les
hommes et les femmes qui se rendraient seraient
graciés. Plus personne ne doutait de l'issue de la
guerre. On pensait seulement à cacher les bijoux
dans la glaise sous les planchers, en espérant
que les fondations des maisons ne brûleraient
pas et qu'on pourrait revenir un jour.

Le bataillon d'Aimé était posté dans la
région de Jackson, où on préparait une ultime

offensive sur des poches de résistance, prévue incessamment. Ça bougeait beaucoup, les soldats recevaient des ordres contradictoires et les manœuvres n'étaient pas toujours claires. On leur laissait croire que l'armée ennemie était pratiquement décimée et deux jours plus tard ils étaient appelés à se déplacer rapidement, comme si un assaut était en préparation. La majeure partie des effectifs de l'Union s'était installée bien plus à l'est, près d'Atlanta, où des décisions importantes se prenaient au quotidien. On disait que Lincoln était peut-être là-bas. On disait que Grant était parvenu à percer les dernières lignes. Ce n'était plus qu'une question de semaines.

Ici, les vétérans se plaignaient du manque de coordination et de l'absence de logique. Il y avait un sentiment grandissant d'absurdité parmi les troupes. L'accumulation des déplacements et du va-et-vient commençait à engendrer de la colère. Aimé s'en rendait compte, et ça bouillonnait en lui comme chez les autres. L'ennui rendait irascible, il ne se passait rien, on s'occupait à laver et à rapiécer des bas et des jambières, et soudainement un lieutenant arrivait à cheval et hurlait des ordres en crachant ses dents dans toutes les directions.

Le ciel était bleu foncé et orangé, peu importe où on regardait. C'était comme des aurores boréales aux couleurs vives, qui tombaient sur les plaines et les forêts du Mississippi, mettant le feu et rasant les récoltes. Les arbres bourgeonnaient et la rosée matinale était agréable. Quelques semaines auparavant, Aimé avait assisté à la prise de la petite ville de Meridian, où un sergent de seconde classe à la peau crottée et à l'uniforme déchiré avait offert leur liberté à un groupe d'esclaves, une dizaine peut-être, des enfants, des adolescents, qui déambulaient sur la rue principale, la peur dans l'œil, ne sachant pas où aller. Il était monté sur une caisse de lait et leur avait officiellement appris qu'ils étaient des hommes libres, en posant sa main sur sa poitrine. Aimé, comme les autres, essoufflé et le menton appuyé sur son long fusil planté dans le sol sablonneux, avait regardé le sergent faire sa déclaration, et rien ne s'était passé. Il les exhortait à vivre libres, dorénavant, maintenant qu'ils étaient tous morts pour eux, pour leur liberté. Qu'ils avaient combattu pour leur dignité et qu'ils étaient morts maintenant. Il pointait ses camarades de combat en parlant. Les enfants noirs avaient disparu entre deux maisons, apeurés, le soldat n'avait pas été rabroué par un officier en furie, ou par une figure d'autorité qui serait passée par là.

Aimé venait à peine de se réveiller quand un lieutenant est arrivé au galop en évitant les branches basses du mieux qu'il pouvait. Un plan se précisait pour les prochains jours. On envoyait des patrouilles le long du Mississippi, où des régiments de Confédérés se cachaient et tentaient de rejoindre les troupes positionnées plus au nord en empruntant les détours du fleuve et des rivières. Aimé et une quinzaine de soldats, les restes de son peloton, ont été désignés pour partir dès l'avant-midi. On les a pointés du doigt, ils étaient tous là, les plus près de l'officier. Leurs visages émaciés et leurs vêtements déchirés n'émouvaient pas. À l'homme se tenant debout aux côtés d'Aimé, un grand Bostonnais d'à peine dix-huit ans appelé Conklin, il manquait un bout d'oreille et la plaie s'était mal cicatrisée. Un pus âcre en suintait, qu'il essuyait avec son index replié et qu'il ne pouvait se retenir de flairer. Aimé était le plus vieux des survivants de sa compagnie. Ils arrivaient encore à se tenir sur leurs deux jambes, mais c'était laborieux. L'un d'entre eux avait reçu une balle sur le canon de son fusil alors même qu'il s'apprêtait à tirer et il était devenu superstitieux. Il n'en parlait pas encore beaucoup, gardait ça pour lui, mais dans sa tête il n'y avait aucun doute. Ça voulait dire que Dieu venait de le sauver, qu'il était de son côté, et qu'il ne devait plus tirer sur d'autres hommes. On l'entendait marmonner la nuit, il priait dans un faux silence, très pieux. Aimé respectait cette dévotion, mais en même temps il ressentait parfois le besoin de l'agripper par les épaules et de le secouer, pour que son cerveau bouge et se cogne sur les parois du crâne.

On leur a répété que c'était une mission à haut risque. Le front et la victoire prochaine étaient loin à l'est et on leur demandait de s'enfoncer dans la forêt dans la direction opposée, où l'ordre martial était rompu. Il y avait danger d'embuscades et de rencontres avec les sauvages.

À l'écart, en avalant sa soupe froide, un bouillon fade de carcasses de poulets et de navets, Aimé a pensé que ça les changerait de la routine, même si c'était pratiquement du suicide. S'ils croisaient des unités ennemies, ils devaient les encercler, les arrêter et les interpeller.

Au moindre signe d'hostilité, ils étaient autorisés à engager le combat. Personne n'allait revenir. Aimé fixait les limites de la clairière dans laquelle ils avaient installé leur camp yankee. Au-delà de cette lisière, le territoire s'étendait à l'infini. Il n'avait jamais vu le Mississippi, et encore moins ce qu'il y avait de l'autre côté. Il savait qu'il y avait au moins mille affluents, tortueux, et un delta quelque part, loin au sud, se déversant dans l'océan.

Le soleil montait tranquillement au-dessus des grands sapins et les seize soldats se sont réunis devant les tentes des officiers du campement. Au cours d'une cérémonie qui a duré trois minutes, le lieutenant a désigné Aimé comme caporal de son unité et ils sont partis, avec leurs fusils, leurs gamelles et leurs bottes trouées. Ils ne se sont pas retournés pour saluer les autres, en traversant la ligne des arbres et en s'enfonçant dans la forêt où il n'y avait aucune route. Aimé s'est dépêché d'identifier les traces des sentiers indiens millénaires, leur seule chance de survie en petit nombre, et ils ont remis leur sort entre les mains de divinités qui n'avaient pas le même visage pour chacun d'eux. Après quelques heures de marche, la végétation était devenue si dense qu'ils ont dû se frayer un chemin à la baïonnette. Les branches leur fouettaient les joues et les yeux. Ils entendaient des sons étranges. Les sacs étaient lourds aux épaules. C'était absurde. Ils étaient des prédateurs et des proies en même temps, sans aucune possibilité de trancher. Ils tenaient fort leurs armes, et serraient les rangs.

Chacun d'eux traînait quelque chose d'important, soit dans une poche, soit dans le cou, qui signifiait son individualité au milieu de l'immense corps indivisible de l'armée. Une image pieuse, une lettre, un peigne d'ivoire. Aimé lui n'avait rien emporté en fuyant Montréal, et William Van Ness ne lui avait rien offert sauf de l'argent en banque et des garanties. Il portait un brassard bleu et jaune, de tissu rapaillé, sorte d'insigne temporaire de son nouveau grade. À son retour aux quartiers généraux des armées, on lui coudrait un badge de feutre, si jamais il revenait. Il ne s'était pas rasé depuis les dernières neiges. Aux doigts de sa main gauche il lui restait seulement deux ongles, ceux de l'auriculaire et de l'annulaire. Il avait laissé les trois autres sur une pierre humide à laquelle il avait tenté de s'agripper, au bord d'un précipice, durant une escarmouche. Les balles ennemies avaient fusé au-dessus de sa tête et il avait fini par lâcher prise, pour se retrouver au fond du ravin, cinq mètres plus bas, au milieu des racines et des ronces.

Une fois la nuit venue, ils se sont parlé pour la première fois depuis des heures, la bouche pâteuse et l'haleine infecte. Aimé était relativement satisfait de la distance parcourue. Ils ont établi leur campement de fortune sur les berges d'une rivière grondante qu'aucun n'aurait pu identifier. Le vacarme de l'eau leur donnait l'impression de pouvoir discuter plus librement et ils se sont raconté des histoires. Aimé s'est rendu compte qu'à part Jim Conklin, il ne connaissait pas les autres par leur nom. Ils venaient du Rhode Island, du Maine, de New York, ils étaient tous des enfants de fermiers ou de marchands. L'un d'eux, dont le nez épaté avait été brisé à plusieurs reprises, a dit avec une douceur dans la voix qu'une fille l'attendait et ils ont répondu qu'ils avaient tous une fille qui les attendait. En préparant un feu, en mangeant, ils se sont raconté des histoires de la vie normale, ils ont passé du temps à évoquer des animaux de compagnie, des chiens, des vaches et même des chats. L'un d'eux a décrit un chat à trois pattes, sur une ferme laitière en Pennsylvanie, qui avait certainement survécu dans sa vie à l'équivalent de tous les assauts de Lee réunis. Ils auraient dû voir ce chat. Ils se sont mis à rire, le feu prenait de l'ampleur. Les torrents dans le coude de la rivière les rassuraient. D'une certaine manière, ils comprenaient que les histoires et les anecdotes leur permettaient de retrouver leurs propres souvenirs et aussi de se fondre dans une complicité qui les soudait, et qui diminuait la sensation de peur et les tremblotements : ils étaient tous pareils au fond, c'était cette idée qu'ils partageaient.

À l'aube ils sont repartis vers l'ouest en suivant la rivière et ses méandres. Aimé était un bon guide, personne ne remettait en question ses indications. On leur avait fourni une quantité impressionnante de munitions, qu'ils s'étaient répartie à parts égales. C'était lourd dans le dos et ça pesait sur les reins. Ils n'avaient pas tous un couteau, certains l'avaient perdu depuis longtemps, abandonné sur le champ de bataille, dans une poitrine, dans une gorge. Aimé se déplaçait silencieusement, en évitant les branches qui jonchaient le sol de la forêt.

L'écho d'un craquement s'est fait entendre au sud de leur position, comme si un arbre venait d'être abattu, mais c'était certainement autre chose. Aimé a fait signe au groupe de s'arrêter. Immobiles, silencieux, ils ont prêté l'oreille, essayant de se concentrer pour isoler les autres bruits de ceux de la rivière. Aimé tendait le cou. Sa peau était foncée, brûlée par le soleil de l'hiver, ses muscles étaient sales, saillants, et leur forme en était soulignée. Ça s'approchait. Ça venait par ici. C'était tout près. En posant délicatement la paume sur un tronc d'arbre, comme pour s'appuyer et sentir l'écorce en même temps, il a signifié aux autres de se camoufler le mieux possible dans les fougères et de se préparer à mettre en joue. Il a entendu une voix, puis deux autres. Un rire s'est répercuté en ricochet sur les murs d'arbres.

Aimé a attendu de bien voir l'uniforme gris se détacher sur le fond dense de la végétation, l'homme en mouvement avec ses camarades avançant péniblement, derrière lui, et il a bougé son bras dans un signe que les autres ont compris tout de suite. Les soldats confédérés traversaient une petite clairière, en groupe fermé, certains semblaient apeurés, d'autres sifflaient avec insouciance. Aucun d'eux n'a pensé à les encercler, ou à les faire prisonniers, ça n'a effleuré l'esprit d'aucun des jeunes soldats en bleu, qui sont sortis de leur cachette sans crier, sans hurler comme des sauvages, mais avec les carabines chargées, pointées sur l'ennemi. Ils ont fait feu en même temps, Aimé le premier ou le deuxième, avec une rigueur et une force dans les avant-bras qu'ils n'avaient pas connues depuis des mois. Quinze coups de feu ont éclaté au même instant, suivis d'une riposte faible, désorganisée et déjà sans aucune forme précise. Aimé a rechargé son arme en se penchant derrière une souche, et il a tiré encore une fois, avec précision, dans la tête d'un rouquin qui est retombé sur le dos après avoir sauté dans les airs, comme effrayé par l'apparition soudaine d'un monstre.

Il y a eu un silence de quelques secondes et les oiseaux se sont remis à chanter. Aimé regardait la fumée des carabines disparaître au faîte des arbres et il a appelé ses hommes. Tous semblaient vivants. Conklin avait reçu un éclat de balle dans l'épaule, près de la clavicule. Ça lui faisait extrêmement mal. Cinq autres avaient été blessés, dont le plus jeune du groupe, qui avait trébuché dans la mousse et qui pensait avoir une cheville foulée. Il s'en voulait, c'était stupide, mais ils lui ont répété que cette chute lui avait peut-être sauvé la vie. Il se frictionnait le tibia, assis sur un tronc d'arbre vide, fixant le pré devant lui, éparpillés dans les herbes hautes, les corps couchés un peu partout sous le soleil d'avril.

À eux seuls, ils venaient de tuer quinze soldats ennemis, des traîtres à la nation, des gamins à peine pubères qui portaient encore les bas tricotés par leur mère. Ils se sont mis à examiner les cadavres, à les toucher, à les fouiller. Aucun ne portait de vêtements réglementaires, le gris des vestes et des casquettes venait de morceaux rapiécés, certains portaient des pantalons visiblement volés à des morts de l'Union, qui avaient été rafistolés grossièrement. Le pied qu'Aimé a aperçu, en arrachant une botte qui lui semblait en assez bon état, puait tellement qu'il s'est relevé d'un coup. Il était lacéré des orteils au talon, trois oignons poussaient à des endroits différents, entre les veines, et l'os de la cheville était visible au milieu d'une blessure purulente, aux contours noirs et blancs. Sans le faire exprès, il a pilé en reculant sur le visage d'un des morts dont la cervelle mouillait le sol. Il a eu un étourdissement, des taches noires sont apparues dans son champ de vision. Le cadavre s'est mis à bouger et il a tiré dedans, faisant un grand trou dans sa cage thoracique. Les autres ont relevé la tête, une fraction de seconde. Ils ressemblaient à des vautours, en pleine besogne de survie.

Aimé a dit de prendre ce qu'ils pouvaient de nourriture et de munitions. Qu'ils prennent les fusils aussi, on s'arrangerait pour les traîner. Ça faisait déjà trop longtemps qu'ils étaient ici, en mauvaise posture, exposés dans la clairière. Il ne fallait pas s'éterniser. Il s'acharnait avec son couteau sur la courroie de cuir d'une gourde qui résistait quand il a entendu des sons provenant de la forêt environnante. Il a pensé que c'était peut-être un seizième homme, alors il a pointé sa carabine, mais ils ont chuchoté à ses côtés que c'était une autre section entière qui arrivait. Avait-il entendu ? Ils étaient plus d'une dizaine encore, ça ne faisait aucun doute. Ils venaient par ici et verraient le massacre. Il fallait les prendre par surprise, c'était leur seule chance. En moins d'une minute ils avaient tous disparu sous les arbres, plus au nord, de là où ils étaient venus. Ça n'allait pas marcher, ils n'allaient pas réussir à surprendre les autres, cette fois-ci. Il faudrait se battre.

Les taches noires refusaient de s'en aller, Aimé voyait mal en périphérie, et quand il envoyait l'œil à gauche, sa vision s'embrouillait presque totalement. Il ne savait plus où étaient les autres, tentait de percer le chaos de couleurs autour de lui. La clairière ensoleillée était le seul endroit où il pouvait diriger son regard sans avoir la sensation qu'il allait s'évanouir. Il tenait encore son couteau quand il a vu surgir une forme humaine, loin, en face de lui, floue, comme surdimensionnée. Elle s'avançait tranquillement, sans bruit et sans hésitation, sûre d'elle mais précautionneuse, tendait le bras derrière comme pour signifier aux autres qui la suivaient, encore invisibles, de rester calmes. Elle portait un vieil uniforme jauni par le soleil et la pluie et tenait un grand poignard renversé à la main. Ses cheveux étaient longs, descendant jusqu'à son menton, et ils étaient foncés comme ceux des Montagnais qu'Aimé avait connus. Elle bougeait vite, avec une nervosité contrôlée, et restait floue. Elle s'est arrêtée après quelques pas dans la clairière, au-dessus des corps, les surplombant. Une dizaine de soldats rebelles sont alors sortis des bois et ont constaté le massacre. Plusieurs ont aussitôt pointé leurs fusils vers les arbres autour, d'autres se sont agenouillés, comme s'ils tombaient d'épuisement, ou comme s'ils priaient. Elle, cette personne grande et massive, clairement le chef de l'expédition, de laquelle Aimé ne pouvait détacher ses yeux, qui lui faisait peur comme jamais il n'avait eu peur, a commencé à récolter sur les cadavres ce que les bleus n'avaient pas encore dérobé. Elle a utilisé son poignard sur la courroie qu'Aimé avait tenté de découper quelques minutes plus tôt. Dans ses poches, dans une besace, dans une sorte de carquois qu'elle traînait dans son dos, elle a accumulé les objets pris sur les cadavres.

Aimé restait concentré sur elle, sur cette forme mouvante qu'il n'arrivait pas à identifier, sans trop comprendre ce qui l'effrayait à ce point. Elle était à la fois ancrée dans le moment, dans l'acte et les gestes qu'elle posait, et complètement détachée, comme ailleurs, dans une autre dimension, ou dans une autre vie. Elle ressemblait à un homme et à une femme en même temps, de loin ses traits étaient presque doux, mais c'était l'absence de barbe qui créait l'illusion. À bien y regarder sa mâchoire était rude, dessinée en lignes droites. Sa peau basanée était crevassée comme celle d'un chef indien, mais elle était Blanche, pourtant, ça se voyait à la forme de ses yeux.

Sans le vouloir, Aimé a mis le pied sur un tas de feuilles mortes et le son s'est envolé rapidement vers le groupe réuni autour des cadavres. Elle a relevé la tête, s'est levée et les jambes de ses pantalons sont retombées sur ses mollets. Debout, elle arrivait à la hauteur du soleil et l'a caché, en contre-jour. Aimé, accroupi derrière son tronc, incapable de la regarder en face, a cru qu'elle le voyait à travers l'écorce et que rien ne le sauverait maintenant. Il se sentait nu et faible, comme si ni son couteau ni sa carabine ne pouvaient plus le protéger de quoi que ce soit.

Il l'a entendue dire aux soldats :

— What are you waiting for ? Take what you can, 'cause we're next.

La voix n'était pas masculine, mais ce n'était pas non plus une voix de femme, et l'accent étrange ramenait Aimé en arrière, loin d'ici, loin du Mississippi, le long des berges d'un autre fleuve. L'impression de haut-le-cœur ne le quittait pas, il n'arrivait pas à reprendre de la force musculaire. Recroquevillé dans les fourrés, il sentait sa pomme d'Adam se promener dans son cou et sa luette se gonfler. Le silence est revenu et Aimé a senti que le groupe avançait maintenant dans sa direction, en file serrée. Il ne savait plus quoi faire pour ne pas mourir criblé de balles ou déchiqueté par des coups de poignard alors il s'est mis à arracher des pousses de fougères et des grandes feuilles pour se couvrir et se camoufler. Ses membres répondaient mal, ses gestes étaient brusques et les tremblements continuaient. Il a fermé la bouche et a inspiré profondément.

Des pas sont passés à côté de lui. Il apercevait les hommes à travers le feuillage, méfiants et apeurés eux aussi. La forêt était dense et difficilement praticable. Le chef faisait des signes et envoyait ses hommes dans des directions précises : marche ici, pose le pied là, avance. C'étaient des ordres silencieux et clairs, qui passaient par le regard. Aimé sentait la peur monter, partout autour, pas seulement dans son corps mais dans le leur également. Il pouvait sentir aussi leur mépris mêlé d'admiration pour cette personne qui les dirigeait droit dans un guet-apens, d'où ils n'allaient probablement pas revenir. Une fois certain qu'ils étaient tous passés, et qu'il était en train de les perdre de vue à travers les arbres et les rayons de soleil qui pénétraient par les trous des branchages, Aimé s'est forcé à les suivre. Il est passé d'un tronc à l'autre, lentement, respirant profondément, sans attirer l'attention. Il ne savait plus où il était, avait perdu la trace de Conklin et des autres. Au loin, le bruit de la rivière s'élevait, il pouvait identifier dans quelle direction, mais il était désorienté quand même. D'ici, il avait vue sur la nuque du chef. Il devait prendre son arme et viser, il était bon tireur, plusieurs officiers le lui avaient répété. Il avait appris à tirer avec des armes tellement moins précises, qui explosaient dans les mains ou qui brûlaient les joues. Pour lui, les carabines fournies par l'armée de l'Union étaient de véritables merveilles technologiques. Jamais il n'avait eu aussi peur de mourir, malgré son invisibilité. Devant lui, isolée comme une cible, il voyait la nuque de cette créature et il n'arrivait pas à esquisser un geste.

Brusquement, à un endroit où les arbres s'espaçaient un peu plus, le chef a stoppé et a indiqué à ses hommes de mettre en joue : l'ennemi était tout près. La bataille allait avoir lieu. Il a placé sa main derrière son dos et a replié un doigt à la fois. Les carabines se sont tendues, bien droites, chargées, pointant au nord, à l'est et à l'ouest. À la fin du décompte, les coups ont retenti, puissants et craquants, au milieu de nulle part, la poudre a explosé en mille étincelles et un nuage de fumée s'est formé, balayé par les rayons du soleil. Aussitôt, Aimé a vu ses hommes sortir de n'importe où et lancer l'assaut, désespérés et complètement désorganisés. Courant et gueulant, ses hommes, avec leurs blessures et leurs fusils brisés, se sont précipités sur les rebelles et Aimé en a vu six tomber d'un coup sec, comme tirés dans le dos par des mains gigantesques.

Et la scène a commencé.

Le chef, avant même qu'un seul coup de feu ne soit tiré du côté des bleus, a attrapé Conklin par les cheveux et lui a arraché un œil avec son poignard. Conklin a hurlé de douleur. L'autre lui a ensuite planté le poignard dans la gorge et lui a tranché le cou. Le reste du corps de Conklin s'est ramolli d'un coup et s'est mis à se balancer, encore accroché à la tête par les vertèbres et des tendons. Le chef le tenait par les cheveux, il était mort et gigotait, et les autres se sont immobilisés un court instant, comme pour prendre la mesure de ce qui venait de se passer. Des balles ont fait tomber deux soldats en gris et Aimé a vu trois ou quatre rebelles se jeter par terre pour recharger. Il respirait de plus en plus vite. Ses mains refusaient de collaborer. Il devait saisir son arme et se joindre à ses camarades. Derrière lui, autour de lui, les cris retentissaient, de plus en plus violents, de moins en moins humains. Ça l'entourait, ça le cernait, il n'y avait aucune possibilité de s'en sortir autrement qu'en restant dissimulé. Chaque fois qu'il tournait les yeux dans une direction, du sang giclait et de la fumée venait assombrir l'atmosphère.

Au cœur de l'action, les rebelles avaient repris le dessus. Tout de suite après la décapitation de Conklin, les hommes, impressionnés, s'étaient enhardis. Ça tirait de partout, Aimé a vu le chef faire signe à deux de ses soldats qui se sont précipités sur un ennemi en train de s'empêtrer dans son propre équipement. Il cherchait à sortir son couteau, mais un des hommes en gris lui a enfoncé le sien dans la poitrine et il s'est approché de son visage pour le regarder pendant qu'il remontait la lame en forçant très fort. Aimé voyait l'effort dans ses dents serrées. À gauche, entre deux souches mortes, étendues là depuis peut-être des milliers d'années, un homme a planté sa baïonnette dans l'anus d'un des jeunes confrères d'Aimé qui venait de tomber face la première sur le sol. Dans la bouche du Confédéré, un cri puissant et aigu a retenti et les autres se sont mis à l'imiter, en se frappant la bouche, comme des Indiens déjà légendaires.

Paralysé, toujours sur le bord de l'évanouissement, Aimé regardait la scène se dérouler devant lui, derrière, autour, il en faisait partie, mais restait en retrait, incapable de se montrer et d'agir, incapable d'un courage absurde qui l'aurait fait mourir avec les siens, mais qui étaient-ils au fond, ces jeunes gens ? Il ne bougeait pas, ne remuait pas, s'effaçait complètement, pendant que le chef était en train de labourer le visage d'un soldat avec les éperons de ses bottes. Les coups se succédaient, il n'arrêtait plus de frapper, le visage du soldat n'était plus qu'une forme mauve et noire, écrabouillée.

Bientôt, l'issue du combat n'a plus fait aucun doute, les bleus étaient tous par terre, en mauvaise posture. Des quinze hommes avec lesquels Aimé était parti de Jackson deux jours auparavant, il n'en restait que cinq ou six, qui essayaient tant bien que mal de se sauver ou de se réfugier derrière des taillis pour recharger leur carabine ou lancer des projectiles de fortune. Aimé, les yeux grands ouverts, sans pouvoir douter de ses perceptions, a vu le chef se pencher sur un des agonisants et lui ouvrir la poitrine pour lui arracher le cœur. Il n'a pas croqué dedans, comme un piranha, il l'a simplement lancé au loin.

Le cœur encore fumant est tombé aux pieds d'Aimé qui a fermé les dents pour ne pas vomir. Des années plus tard, il ne parlerait pas de cet épisode à Crane, ce jeune homme au regard fin et aux manières polies, qui n'avait jamais fait la guerre et qui voulait tellement la décrire dans un livre réaliste et sans artifices. Il a parlé d'horribles choses, mais pas de cette journée-là. Crane l'écoutait avec attention, pourtant, prêt à encaisser ce qu'il fallait.

Aimé a senti la racine de ses cheveux picoter, comme prendre feu. Les taches sont revenues. Il est presque tombé à ce moment-là, s'est retenu à la dernière seconde sur l'écorce solide et vieille et a repensé au fleuve lointain, majestueux, d'où cette personne venait, comme lui. Ils étaient deux étrangers dans cette guerre. Qui étaient-ils, et qui étaient ces garçons qui mouraient en ce moment ? Il ne le saurait jamais.

On arrachait le fusil de ceux qui semblaient encore vouloir résister et on les frappait dans le cou, sur les clavicules, on brisait les os et on arrachait les muscles. On leur tranchait les tendons d'Achille et on les relevait pour les voir retomber. Ils étaient morts mais on leur pissait dessus comme pour réchauffer leurs dernières pensées. Le chef a arraché des organes génitaux en tirant et les autres ont fait la même chose, criant des insultes. Les faces des vivants étaient rouges, celles des morts étaient noires. Le chef a pris le fusil d'un des nordistes et a ouvert la poitrine avec la baïonnette, pour ensuite mettre les tripes au jour. Il a tiré jusqu'à ce que les intestins soient sortis en entier et les autres ont continué à rouer de coups les morts jusqu'à ce qu'une sorte d'épuisement devienne palpable. Ils semblaient hésiter entre s'endormir sur-le-champ et continuer à frapper dans ces choses inertes qui avaient été des hommes.

Le soleil commençait à décliner et un des soldats a craché par terre et, comme saouls, comme déboussolés, les vestes déboutonnées et les yeux hagards, ils se sont remis en rangs et se sont enfoncés dans les bois, prenant la direction de la rivière.

XVI

Mars 1960

Pittsburg, Kansas

Il se faisait maintenant appeler Kenneth
Simons. Personne ne savait d'où il venait exactement. On le considérait comme un excentrique
et c'était à peine si son existence était avérée
en ville. Quelques braves s'étaient rendus chez
lui durant la période du recensement de 1959.
Ils avaient frappé à sa porte, grande, de chêne,
peinte en blanc, comme les six colonnes de
sa galerie. Ils avaient pris le heurtoir en fer
forgé, avaient cogné, et le son s'était répercuté
longtemps, dans la prairie aux alentours. C'était
une grande demeure, hantée peut-être, c'était
l'impression qu'on avait en retournant sur le
chemin de la ville, en ne se retournant pas.

Les gens savaient que le journal hebdomadaire
qui se retrouvait dans des présentoirs extérieurs
chaque lundi était imprimé quelque part dans
l'immense maison, mais on n'en parlait pas.
Le journal s'appelait le *Headlight Sun* et on y
retrouvait des articles de fond sur des sujets de
société, des recensions de faits divers historiques,
des éditoriaux signés avec des noms différents
chaque mois. Personne ne savait vraiment si

les articles étaient drôles ou tragiques. On y lisait des histoires d'enlèvements par les extra-terrestres et de kidnapping par les Pawnees. On y rencontrait des spécialistes de la faune et de la flore régionale, qui parlaient de changements climatiques à venir, de taches solaires, de couche d'ozone et de pluies faites d'acide. On tolérait sa présence dans les présentoirs le long de Broadway, qui s'y serait opposé, et sous quels motifs ? L'homme avait le droit de s'exprimer, et de travailler avec qui bon lui semblait. Qui aurait pu l'en empêcher ? On trouvait des recettes que personne n'essayait jamais, puisque les ingrédients étaient introuvables à l'épicerie. À Pittsburg, Kansas, l'épicerie ne tenait pas de *salsifis noir* ni de *racine de manioc*. Une fois, en août 1954, une sorte de psychose collective avait éclaté brièvement en ville parce qu'on avait retrouvé des exemplaires du *Headlight Sun* de la semaine précédente qui traînaient partout dans les rues ravagées, pleines de pierres et de bois, et qu'un article faisait allusion à la tornade à venir. On avait réclamé des explications, on avait voulu former un groupe de citoyens qui se serait rendu chez lui. Quelques jours plus tard, les gens s'étaient mis à faire le ménage des rues, des terrains et des cours d'école, à remonter les feux de circulation et à rebrancher le courant, et on n'en avait plus parlé.

Durant la nuit de dimanche à lundi, chaque semaine, les bacs de journaux étaient vidés et remplis à nouveau. Les enfants regardaient la page des bandes dessinées, se demandaient s'il fallait rire ou pleurer, et remettaient le journal à sa place, même s'il était gratuit.

On ne le voyait jamais en ville, mais on savait que des gens influents l'appelaient Mr. Simons. Parfois, quelqu'un racontait qu'il avait entendu quelqu'un, à l'hôtel de ville ou à la banque, parler au téléphone avec lui, régler une transaction ou faire des affaires, s'entendre sur des projets d'infrastructures ou de développements en bordure de la ville. Certains disaient que la rue Belmont, qui donnait sur le lac, avait été nommée en son honneur, mais ça n'avait jamais été confirmé. Établie loin du centre-ville, mais dans les limites de l'agglomération, sa propriété délimitait la frontière de l'État avec le Missouri, s'étendant à l'est. Au nord, il y avait la réserve Shawnee et le parc national, là où les Indiens étaient passés durant la grande déportation du siècle dernier. On disait qu'il était à la fois descendant de ces hommes et femmes qui étaient morts de faim et de froid sur la route interminable et fils d'immigrants écossais ayant trafiqué dans l'industrie de la fourrure, au Canada et en Nouvelle-Angleterre. C'était peut-être l'héritier d'un bootlegger aussi, qui avait su profiter de la prohibition pour faire fortune et se retirer dans une demeure à l'élégante architecture vernaculaire, construite sur les restes fumants de la guerre de Sécession et des tuiles de marbre importées d'Europe, qui avait fréquenté Bernard et Morrie Gursky et qui avait fait de la prison.

En ville, on discutait peu de lui, mais chacun avait son opinion. Quand on parlait au barbier au coin de Locust et de la 6e, il répétait qu'il avait coiffé tout le monde, dans ce trou à rats, sauf l'invisible Kenneth B. Simons, dont la barbe et les cheveux devaient traîner derrière lui, sales, pleins d'insectes et de microbes encore inconnus.

Quand on parlait au maire, il disait que les comptes de taxes étaient en ordre et qu'au-delà de ça, il n'avait pas à s'en mêler. Simons était un citoyen comme les autres, il avait droit à sa vie privée. La nuit on entendait des bruits suspects venant de là-bas, mais même les adolescents avec leurs cheveux gominés et leurs manteaux de cuir n'osaient pas aller vérifier de quoi il s'agissait.

Mars venait de commencer, le ciel se déchaînait, strié d'éclairs et de rafales tourbillonnantes, arrachant les bourgeons à peine éclos. La veille, il avait célébré son cinquantième anniversaire avec une bouteille de pinot noir de Richebourg. Le vin avait pris de l'âge et de la profondeur, son goût s'était raffiné tranquillement, le liquide immobile durant des années, s'oxydant et s'oxygénant, à l'horizontale sur une tablette dans le noir, à la bonne température, oublié en surface seulement, mais attendant patiemment son tour. Aimé avait débouché la bouteille avec peu de cérémonie, mais avec une certaine solennité dans le mouvement. Ses mains tremblaient quand il essayait de les maintenir en suspension devant ses yeux.

La soirée s'était passée dans le silence d'une nostalgie teintée de regrets et même de doutes. Ça faisait si longtemps. Des images de son passé l'assaillaient, maintenant qu'il sentait son corps vieillir, comme celui des autres, perdre de son élasticité et de sa vigueur. Il se revoyait dans des situations qu'il se disait avoir inventées pour se rendre intéressant, mais intéressant auprès de qui ? Il n'y avait personne à ses côtés, pour l'en dissuader ou l'encourager dans ses phobies et ses obsessions. Il se sentait aigri, comme s'il avait passé sa vie à mentir et n'avait que lui-même à blâmer. Il possédait une collection d'armes à feu, et des animaux empaillés. Sa bibliothèque était impressionnante, pour quiconque la contemplait et prenait la peine de déchiffrer les titres et les calligraphies gothiques. Elle contenait des livres de référence, des traités de sorcellerie et de sciences occultes, des almanachs français vieux de deux siècles, qui listaient l'attribution des lots seigneuriaux dans la vallée du Saint-Laurent. Il vieillissait lentement, certes, mais il était vieux maintenant, il le sentait. C'était ça, être vieux, et la pensée de sa disparition éventuelle le faisait ruminer devant les flammes.

Un feu crépitait dans l'âtre et, alors que la nuit s'éclairait par saccades et que le tonnerre rugissait en faisant vibrer les fenêtres, il avait brûlé des documents qui auraient pu aider à l'identifier. Un daguerréotype le montrant à vingt-neuf ans, quelque part dans les plaines du Wyoming, assistant à une des premières représentations du cirque ambulant de Bill Cody et Jack Omohundro. Derrière l'image, la date écrite à la main, à l'encre noire, 23 juin 1873. Un contrat de la ville de Syracuse, signé de sa main et de celle du directeur général, datant des dernières années de la Première Guerre, concernant l'approvisionnement en rhum des cliniques de grippe espagnole. Des dizaines de pages de son journal, qu'il avait commencé en prison, à Québec. Il les arrachait une à une, après les avoir relues. Il jetait des documents dans les flammes, en buvant. L'ambiance s'y prêtait, c'était la cinquantième année bissextile qu'il traversait, en pleine complicité avec la révolution de la Terre, son ellipse irrégulière, et son histoire personnelle prenait à ses yeux l'apparence d'une farce grotesque à laquelle lui-même n'avait plus envie de prêter foi. Il doutait de certaines paroles échangées avec des hommes dont il pouvait maintenant lire la biographie dans ses livres reliés en vieux cuir grâce à un artisanat qui s'était perdu.

Y penser seulement le faisait rire, rire de lui et de ses mille épisodes de détresse et d'exaltation, qui s'étalaient comme la vie d'une de ces grandes tortues vivant sur des îles retirées du monde, dont Darwin avait décrit les particularités. Elles étaient les seules créatures vivantes à avoir côtoyé Napoléon, sans compter les arbres, ces êtres fidèles, presque immortels, dont il ne se lasserait jamais. Il s'était endormi avec dans la tête mille projets pour l'avenir, qui était la seule garantie de son existence.

Ce matin-là, il a remarqué encore une fois le léger tremblement, qu'il était incapable de contrôler. En se rasant, il a porté une attention particulière à son double menton et l'a touché, l'a pressé entre ses doigts, l'a fait bouger d'un côté et de l'autre. Ses dents étaient toujours droites et solides, mais elles lui semblaient plantées dans une chair ramollie, rouge sang, malléable et fragile. S'il touchait ses gencives, il pouvait sentir leur décrépitude annoncée.

Devant lui, étalés sur la table, se trouvaient les brouillons et les plans de la nouvelle organisation dont il avait eu l'idée hier, entre deux séances d'introspection. Une confrérie, une association, une sorte de blague et en même temps la seule chose sérieuse qu'il ait jamais tentée. La possibilité de retrouver des gens comme lui et de leur faire savoir qu'ils n'étaient pas seuls, au contraire : ils étaient probablement des milliers, seulement aux États-Unis, qui sait, seulement au Kansas et dans les États avoisinants. Ce serait d'abord un club fermé, exclusif, un refuge pour les enfants fatigués de se faire insulter à l'école, ceux qui se faisaient dire à répétition qu'ils avaient deux ans même s'ils étaient en quatrième année. Une sorte de fraternité secrète à laquelle on appartiendrait pour la vie et qui nous définirait comme être exceptionnel. Il se souvenait de ce que c'était d'être jeune, d'avoir peur parce qu'on ne savait pas ce qui nous attendait le lendemain. Ce serait un ordre : celui des Leapers, celui des Twentyniners, celui de ceux et celles qui étaient nés au milieu d'un étrange vortex temporel, qui étaient spéciaux par définition, que le temps n'absorbait pas de la même façon. Une confrérie, un temple où se retrouver, comme des chercheurs d'or, ou comme des jeunes hommes et femmes qui se reconnaissent entre eux par des traits communs et des signes mystérieux, dépassant de loin les fautes des calendriers et les déplacements des astres.

Aimé a ramassé un carnet ouvert sur la table et a lu ce qu'il avait écrit sur une des pages, et il a trouvé que c'était bien, que ça disait l'essentiel et que le ton était adéquat : « Te voilà enrôlé dans une fraternité sélecte dont l'appartenance est limitée à ceux-là qui ont la chance de n'être fêtés que tous les quatre ans. Il n'y a pas de frais d'ouverture de dossier ni d'inscription requise... » Le ciel de mars était clair et frais, après les orages, et Aimé sentait une certaine sérénité, un effet de communion en train de prendre forme dans sa poitrine, avec ces enfants qu'il imaginait esseulés comme lui.

Il n'y aurait aucun rassemblement, seulement un grand conclave, une expérience spirituelle durant laquelle les milliers de Twentyniners comme lui communiqueraient par la pensée, en se reliant les uns les autres au même instant, pour le simple bonheur de savoir que les autres étaient là, ailleurs, dispersés sur le continent mais aussi spéciaux, les yeux fermés et les mains sur leur certificat d'appartenance : nés ensemble le vingt-neuvième jour du deuxième mois, un jour qui n'existait pas trois années sur quatre. Que pouvait-il y avoir de plus spécial, de plus magique ?

Aimé a souri, c'était sa première initiative concrète depuis la fondation de son journal. Il n'avait rien créé depuis l'explosion de sa machine à calculer la radioactivité contenue dans les grands vents venus de l'ouest, là où le gouvernement faisait des tests atomiques. Il ne se souvenait pas d'avoir été un enfant, mais il avait été jeune autrefois, jeune pendant si longtemps, il connaissait la valeur d'une aventure et le plaisir pur de garder un secret.

Il a souri. Ce serait le début d'une nouvelle ère.

XVII

Novembre 1864

Saint-Henri-des-Tanneries

Le toit de la grange laissait passer les gouttes de pluie et des coulisses se formaient le long des planches et des feuilles de tôle. On entendait le bruit de l'averse qui tambourinait. Aimé et Jeanne étaient couchés sur le dos, nus sur leurs vêtements étendus rapidement dans la paille et la terre humide. Leurs poitrines se soulevaient en rythme, en inspirations profondes, et Aimé a consciemment réglé son souffle sur celui de Jeanne. Elle était heureuse, se disait-elle en silence. Elle ne regardait rien, sauf l'intérieur de ses paupières fermées, sur lesquelles elle suivait la course de milliers de taches blanches et jaunes, comme illuminées par des courants électriques. Sa main était glissée dans celle d'Aimé, le dos dans la paume. Ils avaient les yeux fermés et respiraient ensemble.

Quelques minutes plus tôt, Jeanne avait avoué à Aimé qu'elle était presque certaine d'être enceinte, c'était une façon de parler, elle en était certaine, et il n'avait pas su quoi faire, comment réagir à cette nouvelle. Il l'avait embrassée, comme la première fois, par surprise, sans qu'elle soit tout à fait prête. Ses bras étaient retombés le long de son corps, qui avait comme fondu sous l'étreinte d'Aimé, elle était amoureuse, éprise, elle ne savait pas quoi faire non plus, elle s'était laissée aller. Il avait dégrafé son corsage, déchiré une maille de son chemisier, il avait plongé ses mains puissantes sous ses jupons. Il l'avait embrassée dans le cou, à la rencontre de la clavicule, et plus haut, près du lobe de l'oreille. Il faisait très sombre dans la grange, la lanterne était éteinte. Les cheveux de Jeanne retombaient, humides, sur ses épaules.

Ça faisait plus d'un an qu'ils se connaissaient, qu'ils se fréquentaient en cachette. Jeanne était très anxieuse quand ils avaient rendez-vous, Aimé devait la calmer et la rassurer. Il surgissait quand elle s'y attendait le moins et lui glissait un mot avant de disparaître. Quelques heures plus tard ils étaient ensemble, et Jeanne avait mal au cou de tant se retourner pour vérifier qu'on ne l'avait pas suivie. Elle craignait de plus en plus l'irascibilité de son frère cadet qui, durant la dernière année, avait fini par prendre la place du patriarche dans la maison. Jean n'écoutait personne, et s'enfonçait dangereusement dans son obsession à propos du meurtre de leur père. Il répétait que son enquête avançait, qu'on ne pouvait rien lui cacher : il en fallait de peu pour qu'il retrouve l'assassin et se venge. Il était constamment à l'affût, à la recherche d'indices, et soupçonnait son entourage. C'était difficile pour Jeanne de s'esquiver, de trouver des excuses et surtout de mentir, de toujours mentir. Mentir à ses jeunes sœurs, qui lui demandaient où elle allait, si elle avait un amoureux secret. Et même si elles le faisaient en riant, Jeanne savait qu'elles se doutaient de quelque chose.

Elle a ouvert les yeux en plein milieu de cette nuit, une nuit de révélations et d'amour mêlés. Elle avait peur. La pluie froide de novembre et les nuages cachaient la lune. Depuis quelques semaines, des nausées étaient apparues, ses seins lui faisaient mal et plus aucun aliment ne goûtait ce qu'il devait goûter. Ses menstruations n'arrivaient pas, n'arriveraient plus, il lui fallait se rendre à l'évidence. Elle s'est tournée sur le côté, elle avait froid soudain. Sa peau était pâle et texturée par une chair de poule presque constante. On commençait à voir dans l'obscurité, les yeux s'habituaient à tout. Aimé ne disait rien, elle voulait lui parler. Il était là, juste à côté d'elle, ce beau jeune homme qui était apparu dans sa vie sans avertissement, qui l'avait un jour aidée à monter dans un tramway et qui s'était posté discrètement devant sa porte sans que personne ne le remarque sauf elle, comme s'il avait été visible uniquement dans son champ de vision personnel. Il respirait moins vite maintenant, et semblait apaisé. Elle était amoureuse comme elle s'était juré de ne jamais le devenir, enfant, exactement comme ça, couchée sur le côté et rêvant plus que vivant ce moment de détresse irrésistible.

Par une telle nuit pluvieuse, les grillons restaient muets, blottis dans les hautes herbes ou creusant leur tombe hivernale. Les grosses gouttes s'abattaient sur le toit de la grange, par saccades lourdes. Sans changer de position, sans ouvrir les yeux même, Aimé a attrapé sa veste et l'a placée sur le corps de Jeanne, qui commençait à frémir. C'était un geste rempli d'assurance, de loyauté et de tendresse tacite. Elle s'est mise à détailler le profil d'Aimé dans la noirceur, qui se détachait à peine sur les planches du mur du fond, elle a suivi la courbe du front et du nez, des narines gonflées d'air, jusqu'aux lèvres closes et à la barbe prenant d'assaut la douce déclivité du menton. Il restait silencieux, comme pensif, et elle a pris la parole, dans un murmure, au milieu de leur intimité. Juste au bout de sa portée, de la portée de son bras étendu, elle pouvait caresser la poitrine sans pilosité d'Aimé, et sentir ses côtes se soulever sous sa peau, les compter en passant l'index dans les interstices, comme de minuscules montagnes enchaînées ensemble, elle pouvait sentir et toucher la réalité physique de son être, sa présence indéniable à ses côtés, l'impossibilité flagrante de sa disparition. Elle a pris la parole et elle l'a vu tendre l'oreille, littéralement. Son oreille a bougé, s'est ouverte, et ses paupières aussi, à l'affût comme d'une vérité ou d'un mystère à pêcher dans l'air au-dessus de lui, mais c'était peut-être la même chose, elle ne le savait pas.

— Aimé ?

— Oui ?

Jeanne se mordait la lèvre du bas, appuyait fort sur le thorax d'Aimé, faisant pénétrer ses ongles dans la peau. Il était distant, il était corporel et évanescent, ici près d'elle et très loin dans un autre lieu.

— Tu ne vas pas disparaître ?

— Non.

— Tu ne vas pas m'abandonner ?

— Jamais.

— J'ai besoin de toi.

— Moi aussi.

— Tu ne vas pas mourir ?

— Impossible.

Et il a prononcé cette dernière réplique avec un léger sourire, laissant passer une ironie qu'elle aimait beaucoup chez lui, un mélange de fronde et de fierté qui lui donnait l'air de ne craindre rien ni personne. Il a commencé à tourner la tête vers elle pour la rassurer encore, la serrer très fort dans ses bras, l'épouser symboliquement pourquoi pas, dans une cérémonie spirituelle où ils étaient les seuls invités, officiants et mariés à la fois, mais à ce moment-là ils ont entendu des cris et des bruits de pas qui s'approchaient rapidement et une seconde plus tard la lumière d'une dizaine de lanternes les éclairait, et des visages apparaissaient dans les fenêtres ruisselantes et le frère de Jeanne a crié plus fort que les autres en envoyant des imprécations autour, un mélange d'ordres à ses complices et de condamnations à mort, et il a donné un coup de pied botté dans la vieille porte qui a volé en éclats. Sa silhouette s'est découpée sur le ciel noir derrière. Un groupe d'hommes l'entourait, avec des lampes et des fourches. Lui tenait dans sa main droite une carabine et dans sa main gauche un grand drap blanc qu'il a aussitôt lancé sur Jeanne, debout, comme s'il avait su d'avance qu'il aurait à couvrir sa nudité et à protéger son innocence de la vue de ses hommes. Il a lancé le drap et en dessous il tenait une grosse brique rouge. Il a lancé le drap sur Jeanne et, dans le même mouvement,

267

il a pointé son fusil devant lui et ses cheveux roux luisaient enflammés, comme encerclés de lumière, ébouriffés. Des millions de particules de poussière et de foin virevoltaient autour de sa tête. En commençant à crier elle aussi, prise de panique, Jeanne s'est enroulée dans le drap et s'est rapprochée d'Aimé, par réflexe. Tout de suite Aimé s'est emparé d'elle par les hanches et par le cou. Il lui a fait mal. Elle n'a pas compris. Il l'a tirée devant lui, pour se protéger d'un coup de feu qui viendrait inévitablement. Elle a fermé les yeux, les a rouverts et la scène n'avait pas changé. Elle répétait non, Jean, non, attends, tu ne comprends pas. Pointant le fusil vers eux, son frère a crié à Aimé de la lâcher immédiatement et de se rendre, et Aimé, en retenant Jeanne de ses grandes mains comme enroulées autour d'elle, a reculé vers le fond de la grange, sur le bout des pieds, les orteils crispés, nu.

Ça a duré à peine quelques secondes, le temps d'un éclair, dehors, d'un coup de tonnerre tombant tout près, déracinant un arbre ou faisant éclater une tour d'horloge en mille morceaux. Jean a fracassé la porte de la grange et a lancé un drap sur Jeanne et Aimé l'a agrippée pour s'en servir comme d'un bouclier. Jean criait de la lâcher et les autres se sont mis à diriger leurs armes vers eux. Ils étaient au moins huit, des hommes qu'elle ne connaissait que de vue, de loin, des marchands et des ouvriers à qui son frère parlait quelquefois, avec qui il tenait des conciliabules, qu'elle avait entraperçus à la maison, dans une des pièces à l'étage où elle n'avait pas le droit d'aller.

Aimé la tenait fort par la taille, les hanches, le cou. Il ne parlait pas. Il y avait une fenêtre basse aux vitres cassées et il a reculé jusqu'au bord et il l'a enjambée facilement. Jean a crié de la lâcher immédiatement. Il a monté son fusil au niveau de ses yeux, comme pour viser plus efficacement, et il a crié à Aimé de se rendre, de la lâcher et de se rendre sans résister, en le traitant de violeur et de sacripant. Aimé a enjambé facilement le bord de la fenêtre et il s'est retrouvé dehors en une fraction de seconde, en quelques mouvements bien exécutés. Jeanne avait à peine eu le temps de se rendre compte de ce qui arrivait, elle avait encore le mot « impossible » qui résonnait dans son tympan. Elle s'est effondrée sur le sol, avec le drap couvrant mal son corps nu. Plus personne ne la soutenait, alors elle est tombée, ses chevilles ont lâché et elle s'est retrouvée assise n'importe comment sur le foin de la grange pendant qu'autour on s'activait et on gueulait ferme. Jean a crié aux autres de le rattraper, de ne pas le laisser s'échapper. Il est passé à côté d'elle et s'est planté dans la fenêtre et a dirigé le canon de son fusil vers la nuit et les bois environnants où Aimé avait déjà disparu. Il a sacré plusieurs fois en cherchant du regard dans l'obscurité, pivotant à droite et à gauche. Jeanne était certaine qu'il allait tirer, mais il a lui aussi enjambé le bord et est sorti. Le son de la pluie a changé pendant une seconde et Jeanne s'est mise à respirer très rapidement, elle avait de la difficulté à reprendre son souffle et ses poumons refusaient de se remplir.

Le drap était sur elle, sur ses épaules, mais ne couvrait rien, elle se voyait d'en haut, son corps nu, ses seins et son pubis et son ventre qui n'avait pas encore commencé à grossir. Dans le champ des Brody, et au-delà des limites du quartier, une chasse à l'homme venait de commencer, elle entendait les hommes s'envoyer des directives, et son frère promettre à quelqu'un, à Dieu, qu'il retrouverait Aimé et se vengerait. Aucun coup de feu n'a retenti, mais on pouvait apercevoir des lumières qui s'allumaient dans les maisons bourgeoises plus loin vers le sud. La sirène de la caserne de pompiers a retenti.

Elle se voyait d'en haut, le cou penché et les cheveux encore humides séparés à la nuque, tombant devant sur ses épaules. Sa respiration était saccadée, les mots prononcés sonnaient en elle avec un étrange écho métallique, aigu et agressant. Elle se voyait nue et seule sur la paille qui lui faisait mal aux fesses et aux cuisses, assise à la manière d'une madone éplorée et blessée sans comprendre par quoi, ni d'où était venu le coup. La douleur émanait d'un endroit qu'elle ne connaissait pas, elle ressemblait à quelqu'un qui cherche une flèche sur son corps, plantée à un endroit inaccessible. Aimé l'avait empoignée avec vigueur, il lui avait juré son amour et sa présence et il avait souri, tellement plein de confiance en lui qu'elle n'arrivait pas à effacer cette image. Il était parti, pieds nus dans les bois. Jeanne pouvait voir déjà les premières traces d'ecchymoses qui apparaîtraient là où il avait serré trop fort sur son corps.

XVIII

Février 1987

Pittsburg, Kansas

L'année précédente, il avait assisté au passage de la comète. C'était la troisième fois qu'il la voyait, comme sereine, extrêmement dangereuse et paisible dans son tracé, s'en aller aux confins du système solaire et revenir, compléter son ellipse, et ça l'avait fait réfléchir, comme bien d'autres choses, d'autres signes marquants de sa longévité absurde, douteuse. Plusieurs pays avaient envoyé des satellites et des sondes munis d'appareils sophistiqués pour prendre en photo le noyau de la comète, pour recueillir des données sur la composition de la poussière d'étoile qui se désintégrait derrière elle. On vivait aujourd'hui dans un monde où c'était possible, envisageable, de dépêcher une sonde pour capter en direct la lente consomption d'un objet stellaire voyageant à des milliers de kilomètres à la seconde, et d'envoyer des messages sur des ondes, avec du contenu analysable et des graphiques mathématiques. On vivait dans ce monde, et la navette spatiale qui avait été lancée pour explorer ses particularités avait explosé à la télévision, créant des volutes grises dans le bleu du ciel, des formes lettrées où on lisait des signes, comme dans les nuages. Personne n'était resté indifférent, les enfants pleuraient dans les écoles, qu'est-ce que ça voulait dire, qu'est-ce que ça disait sur nous, même dans nos maisons lointaines, l'explosion de la navette et des astronautes, leurs sourires sincères immortalisés par les caméras quelques minutes avant ? Ça faisait réfléchir Aimé.

Elle était revenue après un long voyage aux confins de la galaxie, elle revenait éclairer nos nuits après soixante-seize ans d'absence, c'étaient des phrases qu'on entendait souvent. Aimé l'avait observée à l'œil nu, chez lui, loin des lumières de la ville, fasciné, une traînée de poudre blanche et rose traversant le ciel méridional avec lenteur, célérité, dans une ligne droite qui hypnotisait. Il s'était installé dans la cour, au milieu des piles de ferraille dont il ne savait plus quoi faire, avec un télescope puissant qu'il avait lui-même fabriqué. Les conditions étaient loin d'être optimales, mais il avait réussi à voir la petite forme triangulaire et blanche, entre deux constellations.

Il n'avait pas encore vingt ans la première fois qu'elle était passée au-dessus de lui, de l'île de Montréal et du continent en même temps, alors qu'il comprenait confusément que cette lumière en déplacement était ici mais retombait aussi, pareille, sur l'Illinois, ou plus loin encore, sur le Mexique, où des paysans disaient leur admiration muette en espagnol, avec des intonations inconnues, dans des champs cultivés, tenant leur chapeau en se signant et en observant le ciel. Ça avait été une expérience magique, quel autre mot, et il s'était renseigné, s'était mis à calculer : elle était aussi venue l'année de sa naissance, s'il ne se trompait pas, ou juste avant qu'il naisse.

Avec des yeux émerveillés, comme tout le monde, il avait regardé son passage, que les astronomes avaient prévu, et dont les journaux avaient parlé pendant des mois, publiant des récits sur la comète et des légendes autant que des opinions sérieuses provenant de Londres et de l'Académie des sciences naturelles. Il régnait un silence respectueux dans la ville, on retenait son souffle, Aimé se souvenait de l'atmosphère, du ciel dégagé, de l'absence de fumée et de l'arrivée de la lumière, que quelqu'un avait pointée avant les autres, peut-être lui. L'hôtel de ville avait organisé un souper intergalactique, où les commerçants, les artistes de la scène et les politiciens étaient venus déguisés en lunes, en planètes, des loups sur le visage découpés en astres et de hauts chapeaux saturniens sur la tête. La nuit du 16 novembre 1835, respectant les prévisions des astronomes, les réverbères étaient restés éteints dans les rues et la notice de couvre-feu avait été annulée en raison des circonstances exceptionnelles. Aimé s'était infiltré dans un des grands bâtiments en construction du McGill College, et s'était installé, seul, dans une des lucarnes de la tour, l'œil dirigé vers le ciel, les jambes dans le vide, sans vertige.

Et l'année dernière, la comète de Sir Halley était revenue, à la courbe ascendante de son périhélie, dans l'axe du soleil, et Aimé l'avait traitée comme une vieille connaissance, ou comme quelque chose qui le faisait réfléchir sans le ménager, lui révélant la vérité sur ce qu'il était vraiment. Mais ce n'était plus une révélation depuis longtemps. La nuit il y pensait plus que le jour, c'est normal. Ses rêves étaient teintés d'un mélange de messianisme et de nihilisme, il se réveillait en sursaut. Des rêves dans lesquels il interprétait le rôle qu'on lui avait assigné aux confins de l'espace et du temps, dans des salons fermés où on étudiait des choses sérieuses qui changeaient la perception des hommes. Il n'entendait pas de voix, mais craignait que ça ne commence un jour, que ses acouphènes deviennent étrangement syllabiques, qu'il se mette à y lire des messages et des mots, des phrases cryptiques. Il était une aberration, une incongruité, mais bien réelle, qu'il subissait et imposait en même temps, à la vie humaine, à l'histoire, longue, rectiligne, linéaire, non circulaire et non elliptique, et c'étaient des concepts qu'il avait cru comprendre un jour mais dont la portée lui échappait maintenant. Sa pensée, son intelligence, ne faisaient plus le poids devant la réalité de ce qu'il représentait, et il lui devenait difficile de s'endurer. Il rêvait qu'il était important.

La beauté de la comète le faisait réfléchir, son trajet méticuleux, l'absence d'improvisation de sa course, alors que sa vie à lui avait été faite de digressions et d'épisodes tronqués, presque impossibles à juxtaposer correctement pour en soutirer un sens, une trajectoire, ou même une signification. Aimé se disait, il se disait, est-ce possible d'avoir été conscient de toutes ces choses, d'avoir été témoin de toutes ces vies, et de ne pas avoir eu de rôle à jouer dans leur avènement ? Quand il pensait comme ça, il tentait aussitôt de se raisonner, de ne pas céder à l'envie de faire de lui-même un être extraordinaire. À part sa longévité, il n'y avait rien en lui d'extraordinaire, il voulait ne pas l'oublier.

Aimé regardait le ciel et se sentait séduit pourtant, séduit par l'élégance de ce destin gravitationnel. Mais qu'est-ce que ça impliquait, ça n'impliquait rien. Il n'était pas un fils de la comète, la comète n'avait pas de fils, il n'était qu'un homme qui n'existait pas, trois années sur quatre. Devenu transparent, devenu un calcul erroné, puis redressé, une clause débattue âprement dans une chambre fermée de la Royal Society il y avait des siècles des siècles. D'une certaine manière, d'une certaine façon, pour que la vie fonctionne, la vie terrestre, les équinoxes et les solstices, pour que les jours et les nuits se succèdent, pour permettre aux autres d'avoir une existence, de ne pas décaler jusqu'à l'inévitable basculement, il avait dû se sacrifier. C'est comme ça qu'il envisageait le passé, et le futur aussi, qui l'attendait, encore et encore.

Ce n'est pas qu'il devenait fou, là debout au milieu de sa ferraille inutile, ces bouts de métal et de béton qui ne servaient plus à rien d'autre qu'à former des sculptures grotesques à la lisière des champs environnants, là debout à regarder les étoiles et l'univers se tendre et craquer, prendre de l'expansion et rester immobile, c'est qu'il perdait la notion du temps.

Aimé était humble, sa façon de marcher l'était, ses déplacements dans la maison, sa minutie et sa patience avec les objets fins. Pourtant, il avait de la difficulté à ne pas se trouver important, plus important que les autres, il s'en voulait mais qui le lui reprocherait, pas nous, lui qui avait participé à la guerre ayant mené à la fin de l'esclavage, lui qui avait rencontré des présidents et des suffragettes, des aviatrices et des hommes de foi, lui qui avait sauvé des animaux d'une mort certaine, qui avait traversé des territoires entiers à pied, à cheval, et ensuite en Boeing 747.

L'année dernière il avait vu la comète, fidèle au rendez-vous, il y pensait beaucoup depuis, à elle et à lui, à leurs points communs. Et aujourd'hui, c'était à la une des journaux, aux bulletins de nouvelles on en discutait : on venait d'observer l'explosion d'une supernova, bien au-delà des limites de la Voie lactée. Quelque part au Chili, un astronome avait pointé son télescope sur le fond de l'univers et avait constaté une anomalie dans la forme d'une étoile, là-bas. Il avait averti les autorités. Ça arrivait en direct, devant nos yeux ébahis. On observait le début de l'explosion, l'expulsion des gaz et de la matière ignée scintillante, atomisée, pleine de couleurs, silencieuse, grosse comme dix mille soleils, à cent soixante-huit mille années-lumière de distance de la détonation initiale.

Il avait eu du mal à dormir.

Il recevait peu de courrier, n'allait presque jamais vérifier, mais ce matin il a vu par la fenêtre du deuxième étage l'homme en uniforme bleu foncé remonter dans son camion et démarrer. Il avait presque envie d'ouvrir la fenêtre pour lui demander ce que c'était, en criant. Le journal de la veille traînait sur la table de chevet.

Il savait que l'autre n'avait pas envie d'être là, ne pensait qu'à retourner en ville. Les pneus ont peut-être crissé, il n'a pas entendu. Il avait envie de crier, mais il est resté là, silencieux, amer sans comprendre sa frustration. Devenait-il misanthrope en plus ? Les sons dans sa tête étaient forts et bloquaient l'entrée au reste, à la rumeur générale du monde. Le bruit du moteur ne s'est pas rendu jusqu'à ses oreilles, et il est descendu tranquillement, une marche à la fois, attrapant une veste au passage, accrochée sur le mur dans l'escalier, pour aller voir.

L'air était froid et sec, Aimé a traversé sa propriété les mains dans les poches et le souffle visible devant lui. Sa boîte se trouvait en bordure de la route, toute bosselée. Parfois des adolescents téméraires, les cheveux pleins de couleurs, passaient en voiture et la frappaient avec un bâton de baseball. Il n'entendait rien, s'en rendait compte quelques jours après. Il la remettait en place, revenait avec des outils et la replantait comme il faut.

L'enveloppe n'avait pas un format standard, le facteur l'avait pliée pour la faire entrer dans la boîte. Elle était lourde, épaisse, comme si les documents contenus à l'intérieur avaient été accumulés longtemps et minutieusement. Elle avait été adressée à la poste restante, au vieux casier postal du *Headlight Sun*, qui n'existait plus depuis longtemps, et ensuite redirigée ici, chez lui, par les bons soins du facteur. Aimé l'a retournée pour voir l'adresse de retour. Il a regardé sa maison, devant lui, son courrier à la main, sa veste de laine, il avait l'air d'un homme puissant et seul, dernier d'une lignée de propriétaires fonciers, un patriarche, à qui personne n'adressait plus la parole parce qu'il aurait commis un crime sordide. Il avait l'air de ça, et il regardait l'immense maison ayant appartenu un jour à un riche cultivateur, qui possédait d'autres humains, les beaux volets verts et l'arche frontale ouvrant le porche, soutenue par des colonnes et par le rugissement silencieux de deux bêtes mythologiques en albâtre. Vu d'ici, il ressemblait à ça, ou à un vieil ermite fou qu'on éviterait à tout prix de croiser, toujours sur le point de nous révéler les secrets maçonniques de l'univers et de l'avenir. Ses mains tremblaient toujours plus, il n'avait consulté personne, aucun médecin.

Il a retourné l'enveloppe encore une fois et a marché vers la maison, qui semblait s'éloigner à mesure. Les articulations de ses genoux le faisaient souffrir, il a grimacé. Il se laissait aller, ça ne valait plus la peine. Autour de lui, la désolation. Le chemin en gravier était mal entretenu depuis des années, l'herbe poussait, haute, elle lui arrivait aux genoux, le givre augmentait l'impression de saleté recouvrant le paysage, sans couleur. Il n'avait rien accompli, à part vendre de l'alcool illégalement et fabriquer des bidules inutiles au bout du compte, il n'avait sauvé personne. Il n'avait aucune importance. Mais peut-être était-il un patriarche au fond, sans le savoir, peut-être avait-il fait des enfants à des dizaines de femmes, à toutes ces femmes qu'il avait rencontrées depuis la fin du dix-huitième siècle.

Je suis né en mille sept cent soixante, c'est ce qu'on m'a dit, mes souvenirs concordent, il rougissait juste à y penser.

Il pensait à des dynasties secrètes, inconnues de lui, à son sang qui se perpétuait dans des corps mortels et frêles, finissant dans des tombes creuses, en parallèle avec son éternité à lui. Le chemin sinueux qui l'amenait vers la maison était long, il s'étirait à vue d'œil. Aimé pensait à des héritiers dans diverses villes, des enfants illégitimes qui avaient eux-mêmes cherché à comprendre leurs origines floues, leurs cheveux différents de ceux de leurs frères et sœurs. Il pensait à des enfants démunis et puissants, remplis de ses gènes, de son patrimoine, à celui qu'il avait fait avec Jeanne, le seul dont il connaissait l'existence, qui était devenu juge avant d'avoir trente ans. Il pensait à Jeanne, aussi, et à son propre désintérêt, total, égoïste, pour ce qu'elle avait pu vivre en dehors de leur aventure. Après leur ultime rencontre, il y avait maintenant plus de huit décennies, Aimé n'avait pas cherché à savoir quoi que ce soit sur cet enfant. Il était retourné à Phoenix, s'occuper de ses bouteilles poussiéreuses et de son entreprise florissante. Mais maintenant, il l'imaginait, il imaginait l'enfant et ensuite l'adulte que cet homme avait été, mort maintenant depuis longtemps, lui-même fondateur d'une lignée. Oui, lui bien plus qu'Aimé, en fait. Pourquoi Aimé se serait-il arrogé le titre de fondateur ? De quel droit ? Parce qu'il était encore là pour témoigner. Personne ne témoignerait sinon lui. Il essayait de se souvenir du nom de ce premier fils de Jeanne, qui avait été reconnu, elle le lui avait dit, quelqu'un le lui avait dit, par un Langlois, celui qui l'avait épousée après sa fuite dans la nuit de Saint-Henri. Langlois l'avait reconnu, adopté, il était devenu l'aîné des Langlois, un homme respecté, un avocat, puis un juge, statuant sur la vérité et la justice. Aimé cherchait dans ses souvenirs, son courrier à la main, en marche vers sa maison.

Pierre. Le juge Pierre Langlois, de la Cour suprême du Canada, fils de Victor Langlois. Il s'en souvenait. Le fond de l'air était froid, même pour un matin de février à la frontière du Kansas et du Missouri. Il y aurait de la neige plus tard, le vent soufflerait. Une supernova avait explosé plusieurs millions d'années auparavant, aux confins de l'univers visible, et hier on avait aperçu l'écho lumineux de sa mort. Aimé se souvenait du nom de son fils. Pierre, né en 1865, alors qu'il s'engouffrait dans les forêts des Appalaches, muni d'un couteau, d'une carabine usée, d'un nouveau nom et d'un uniforme bleu. Il ne s'est pas retourné pour voir le chemin parcouru et il a gravi les quelques marches du balcon de sa demeure.

En passant le seuil de sa porte, Aimé savait déjà ce que contenait l'enveloppe.

Chattanooga, 13 octobre 1986

Cher monsieur Simons,

Cela vous paraîtra peut-être présomptueux, mais j'écris cette lettre en français, une langue que je n'ai pas beaucoup utilisée ces six dernières années, mais qui, je crois, nous permettra de nous comprendre mutuellement. Si vous êtes encore en mesure de me lire après ces trois premières lignes, je pourrai considérer avoir fait le bon choix. C'est un risque que je prends en toute conscience, en me disant que je n'ai pas fait tout ce chemin pour céder à la facilité. Que cette lettre tombe entre vos mains serait déjà une grande victoire pour moi qui me suis lancé il y a bien longtemps à votre recherche, que vous la lisiez dans son entièreté serait une confirmation plus que valide de mes intuitions et de mes déductions. Le temps nous dira si j'avais tort ou raison. Bien sûr, je n'ose même pas y penser. Ainsi, cette lettre représente le terme d'une longue et fastidieuse enquête et le début d'une nouvelle étape, celle de la rencontre entre mes fantasmes et la réalité. Cette rencontre sera-t-elle fructueuse, je ne saurais le dire, mais il n'y a plus lieu d'attendre. Vous voilà à portée, la fenêtre est entrouverte. Je ne suis sûr de rien, mais je n'ai pas le choix de faire comme si tout était évident. Je n'ai plus le temps pour autre chose.

Nous ne nous sommes jamais rencontrés, mais j'ai la certitude de bien vous connaître. Je sais qui vous êtes, d'où vous venez, je sais ce que vous avez fait de votre vie. Je sais aussi que nous sommes liés d'une manière plus qu'étonnante. C'est qu'à votre insu, et malgré votre légendaire discrétion, vous avez laissé plus de traces sur cette terre que vous ne le croyez. N'ayez crainte, je ne suis pas fou, et je ne vous veux aucun mal. Au contraire. Pensez à moi comme à un simple compilateur, un humble archéologue du continent et des déplacements lunaires, un écumeur de vieux documents écornés. Non, je ne suis pas fou, mais je suis sans doute obsédé, et je suis résolu. J'ai l'intime conviction que nos destins sont inextricablement liés, il ne tient qu'à vous de me le confirmer…

Ses mains moites laissaient des traces sur le papier, qui s'effaçaient après quelques secondes. Il a brassé les feuilles et a glissé rapidement le doigt entre les pages pour attraper les dernières, et son regard a été attiré automatiquement par un nom calligraphié en plein milieu d'un paragraphe. Il a lu en diagonale, sans saisir la signification, mais en ne butant sur aucun des mots de sa vieille langue usée, rouillée, qui revenait prendre sa place dans sa tête.

Mais si Schoedler a été le déclencheur d'une passion qui ne s'est jamais démentie, le réel point de départ de mon enquête est autre, et s'ancre évidemment dans mon histoire familiale, à laquelle vous n'apparteniez pas encore. En effet, quelque temps après ma découverte du *Livre de la nature*, je suis tombé par hasard, en fouillant dans les affaires de mon grand-père, sur le journal de Jeanne Beaudry, couvrant les années s'étalant entre sa rencontre avec vous et sa mort en décembre 1900.

Aimé a respiré profondément, il ne savait pas quoi faire d'autre, sauf de revenir au début et de relire les passages introductifs, qui n'en finissaient plus de se perdre en circonvolutions. À la troisième page, le ton changeait un peu :

[...] laissez-moi me présenter succinctement et vous exposer par le fait même le but de cette missive, qui semble m'échapper déjà. Je m'appelle Albert Langlois, je suis né dans le petit village de Sainte-Anne-des-Monts, entre le fleuve Saint-Laurent et les monts Chic-Chocs, en 1959. À dix-neuf ans, j'ai quitté mon pays pour poursuivre des recherches généalogiques et génétiques qui me tenaient à cœur et qui m'ont mené jusqu'ici, loin au sud, à Chattanooga, où j'ai rencontré ma femme, une Américaine. Nous avons eu un fils, Thomas qui, comme vous le déduisez peut-être, est venu au monde le 29 février 1980. Le sentiment qui m'a habité lorsque je suis devenu père reste indicible, puisque cette joie fondamentale, profonde, que tous peuvent expérimenter, s'est doublée dans mon cas d'un immense orgueil et de la certitude, peut-être noble, peut-être nocive, d'assister à la consécration d'une destinée : mon fils serait un leaper.

Un leaper. L'Ordre des Twentyniners revenait dans ses souvenirs, il se rappelait l'invention de sa confrérie, l'amour qu'il lui avait porté. À une certaine époque, ça lui avait sauvé la vie, il en était certain. Il se souvenait de la correspondance entretenue avec des enfants partout au pays, à qui il avait envoyé des certificats d'authenticité, des cartes de membre, des macarons et des fanions. Il y en avait encore plein la cave, de ces petits objets de collection qu'Aimé avait confectionnés. C'était une chose qu'il avait faite, dont il gardait les reliques. Qu'avait donc fait Albert ?

J'avais, moi Albert Langlois, par la seule force de ma volonté et la bonne foi de mon entreprise intellectuelle, engendré un leaper, qui non seulement me survivrait, mais connaîtrait l'avenir des humains jusqu'aux siècles futurs. Mon fils, Thomas Langlois, serait votre descendant direct, il serait aussi votre réplique, engendré par le croisement bienveillant des révolutions terrestres et des mathématiques pures. Voilà que je m'emporte encore...

Oui, il s'emportait, pensait Aimé. L'écriture était rapide, comme tracée sur la page avec un poignet mécanique qu'on aurait déréglé. Les fautes étaient nombreuses, que même Aimé remarquait, malgré la distance qui le séparait du français. Albert avait raturé des passages, pris dans l'urgence, son discours hoquetait et se perdait en conjectures et en excuses.

[…] en tant que secrétaire administratif de l'Ordre des Twentyniners. Soyez assuré qu'il ne s'agit pas de cela. Mon but est tout autre : je ne cherche ni vos conseils ni votre assistance, mais bien votre écoute et votre disponibilité. Mais sachez également que c'est grâce à cette fonction, que vous n'occupez probablement plus, que l'étincelle s'est faite dans mon esprit. Oui, j'ai compris grâce à la lettre. Soudainement, tout est devenu clair : les morceaux de mon casse-tête personnel se sont alignés et j'ai su que c'était bien vous que je cherchais. C'était bien vous. Vous étiez lui. Kenneth B. Simons, vous étiez lui.

Mais je m'explique. L'année dernière, pour faire plaisir à mon fils et lui permettre de patienter jusqu'à son deuxième anniversaire en lui montrant à quel point il n'était pas comme les autres, à quel point il était exceptionnel, j'ai sorti de mes archives une vieille réclame que je lui ai montrée. Nous nous sommes installés ensemble, son visage bouffi par les pleurs tourné vers le mien, et je lui ai fait la lecture. J'avais déniché cette lettre il y a longtemps, lors d'une de mes fréquentes visites dans les bazars de la région, où elle avait attiré mon attention, car elle semblait contenir une vérité latente, un lien de plus vers vous. Ou plutôt, devrais-je dire, vers Aimé.

Le texte était court mais disait l'essentiel : on souhaitait la bienvenue au nouveau leaper, on confirmait son adhésion à l'Ordre des Twentyniners et on demandait une contribution monétaire volontaire. Rien de bien extravagant, sauf pour un observateur attentif comme moi. Le papier, jauni, datant des années soixante, a beaucoup impressionné Thomas, et la lettre (signée de votre main), est rapidement devenue pour nous une véritable passion, une pierre précieuse qui nous rapprochait et définissait notre relation : Thomas et moi avions alors un secret à partager et à chérir, celui de son appartenance à une fraternité séculaire et exclusive, qui ne regroupait que les enfants les plus extraordinaires. Mon fils (comme moi) s'est persuadé rapidement que la lettre lui était destinée et nous l'avons souvent lue et relue ensemble, prisonniers d'une nouvelle forme de complicité que sa mère, mon épouse, n'arrivait pas à comprendre. Mais c'est une autre histoire, que je garderai pour [...]

Il a sauté quelques lignes, a allongé son bras pour atteindre une cruche d'eau tiède de l'autre côté de la table. C'était une journée étrange, la lumière filtrait à peine par les fenêtres. Aimé lisait calmement, il restait sceptique et intéressé. Quelqu'un, quelque part au Tennessee, enquêtait sur lui depuis plusieurs années, l'avait cherché, avait fait le lien entre ses différentes identités, avait, était-ce possible, tenté de faire de son propre fils une réplique de son ancêtre. Quelque part au Tennessee, dans la ville de Chattanooga, où Aimé n'avait pas mis les pieds depuis le siècle dernier, une famille existait qui était la sienne, de la manière la plus profonde qui soit. Le descendant direct de Jeanne Beaudry lui écrivait.

Malgré mon enthousiasme, et même si Thomas semblait réceptif, je n'ai pas fait le lien tout de suite, et une année complète s'est écoulée avant que l'évidence ne me saute aux yeux. J'ai continué mes recherches isolément, j'ai continué à cumuler les informations et à reconstruire petit à petit le parcours de cet ancêtre élusif, leaper original et originel à l'existence duquel tout se résumait. En fait, c'est en relisant pour une énième fois votre lettre que j'ai finalement compris que là se trouvait la solution à mon problème : durant les derniers mois, j'étais parvenu à retracer Aimé jusqu'à son domicile de Pittsburg, au début des années soixante-dix, mais si, à une lettre près, je ne me trompais pas de toponyme, je me trompais d'emplacement. Il y avait bien sûr un autre Pittsburg que celui que je connais-sais bien, situé à l'ouest de la Pennsylvanie, au pied des Appalaches. C'était au Kansas qu'Aimé se trouvait.

Après avoir passé des jours à revoir mes carnets de notes, mes piles de documents, et à refaire mes recoupements synchroniques, je me suis installé à mon bureau pour rédiger ceci. Il n'y avait plus de doute possible : nous étions sur le point d'entrer en contact et [...]

Et rien. La phrase restait incomplète. Albert avait rayé les mots suivants, il reprenait quelques centimètres plus bas, visiblement avec un autre stylo. Aimé s'est mis à imaginer l'enfant que Thomas avait été, était encore. Il voyait un enfant de sept ans, portant peut-être des lunettes, déjà, un enfant ordinaire, assis sur les genoux de ce père compulsif et autoritaire, un enfant complètement absorbé par son intensité.

Il le vénérait, c'était certain.

Vous voilà témoin de mon désarroi et de mon excitation mêlés, il n'en tient qu'à vous de réagir en conséquence. Je mets cartes sur table, allons-y.

Kenneth. William. Aimé.

Mon ancêtre, mon contemporain.

Je vous sens si près. Je vous connais si bien.

D'après mes calculs, vous avez aujourd'hui cinquante-six ans, si on considère le saut de l'année non bissextile de 1900. C'est vingt ans de moins que mon propre père, Jean Langlois, votre petit-fils, né le 20 juillet 1910, et dont je suis le dernier-né, arrivé sur le tard. Vous avez également, d'après notre notion du temps à nous les hommes ordinaires, deux cent vingt-six ans. Si je ne tremble plus en écrivant ce chiffre, sachez que c'est parce que sa réalité m'habite depuis si longtemps que je m'y suis habitué. Mais que veut dire « longtemps » pour quelqu'un comme vous ?

Aimé a levé les yeux de la page, une des dizaines qu'il tenait dans ses mains, remplies d'une écriture parfois presque indéchiffrable, et qui étaient suivies d'une pile impressionnante de documents photocopiés, de différents formats. Il était essoufflé. « Longtemps », c'était le mot qui l'avait accompagné, comme un ami, comme un ennemi aussi parfois, au cours de sa vie, rythmé en syllabes nasales et en décades, deux mots en un seul. Albert était présomptueux, son discours était alambiqué et presque provocateur, mais ses questions, purement rhétoriques, faisaient réfléchir Aimé, qui lisait entre les lignes. La grande maison était vide, il était seul avec les mots d'Albert et quelques automates primitifs au mécanisme rouillé qui accomplissaient des tâches ménagères.

Quand j'essaie de voir le monde à travers vos yeux, mon cœur se met à battre la chamade, le vertige me prend, et souvent il ne me reste plus que les mots pour me calmer et remettre de l'ordre dans mes idées. C'est avec les mots que j'ai pris conscience de votre existence et ce sont les mots, encore aujourd'hui, qui me permettent de concevoir l'inconcevable. Écrire m'a toujours fait du bien. Cela m'a toujours servi à organiser le flot d'informations que je recueillais, à synthétiser et à éviter le chaos.

Vous n'êtes pas sans savoir que tout ceci repose sur des bases scientifiques, et non sur de pures spéculations. Évidemment, vous êtes une preuve empirique de la viabilité de mon hypothèse de départ (qui n'est pas seulement la mienne, loin de là), soit qu'un bébé humain, naissant à un moment précis de la trajectoire lunaire et de la révolution planétaire, reste affecté dans son corps et dans ses cellules, de la même manière que les marées et les courants. Si elle existe depuis l'Antiquité, et qu'on la retrouve aussi bien chez Archimède que chez Thucydide, qui en parle avec un enthousiasme ésotérique, il ne fallait pas croire pour autant que cette hypothèse ne s'appuyait pas sur des faits et des données vérifiables. Pour la petite histoire, mon obsession pour la date étrange et déterminante du 29 février remonte à ma découverte de l'ouvrage du Dr Frédéric Schoedler, aujourd'hui malheureusement tombé dans l'oubli, *Le livre de la nature, ou leçons élémentaires de physique, d'astronomie, de chimie, de minéralogie, de géologie, de botanique, de physiologie et de zoologie*. Paru en 1865, il s'agit d'un traité scientifique respecté en son temps et toujours actuel dans son approche théorique, quoi qu'en pensent les astrophysiciens cyniques du MIT. Schoedler s'y fait très didactique, et même un adolescent de douze ans comme celui que j'étais à l'époque est à même d'y trouver son compte. J'ai tout de suite été attiré par sa description de l'histoire mathématique et astronomique du calendrier grégorien, dans laquelle il explique l'importance de l'année bissextile dans le bon fonctionnement des affaires humaines, et au-delà. Selon Schoedler, le fait qu'elle se traduise dans le langage par des fractions (le fameux quart ajouté du trois cent soixante-cinquième jour de l'année) n'interdit pas son existence fondamentale dans l'économie de l'univers : la journée existait avant qu'on en fasse état. Mais avez-vous lu Schoedler, Kenneth ? En écrivant, je me pose la question et soudainement la réponse me semble évidente. Une chose est sûre, cependant, et je ne crois pas outrepasser la politesse élémentaire en le sou-lignant : si vous l'avez lu, vous n'avez pu vous empêcher, comme moi, de remarquer cette notice concernant les « bébés bissextils », un phénomène que Schoedler aborde en énumérant nombre de cas, avérés depuis le concile de Trente, d'enfants ayant connu une longévité « anormale », jugée « hérétique » par les autorités chrétiennes [...]

Non seulement Aimé avait-il lu le livre du Dr Schoedler, mais il avait assisté à une de ses conférences sur la signification de ce que le physicien nommait les « journées oubliées de l'histoire et du temps », lors de l'exposition universelle de Chicago, en 1893. Il avait bien sûr parlé des années bissextiles précédant l'adoption du calendrier grégorien, mais également des fameux dix jours retranchés au mois d'octobre 1582. Le panel, réunissant historiens et scientifiques, dont Frederick Jackson Turner et Henri Bergson, l'avait impressionné et il avait pris quantité de notes ce jour-là. Aimé s'en souvenait comme d'un des plus beaux moments de sa vie. Le site de l'exposition, grandiose, lui revenait en tête. On y avait montré la première dynamo. Le premier moteur à explosion. Des engins volants se promenaient au-dessus de la foule, des montgolfières, des dirigeables. Un immense engin justement nommé *Inconvenience* s'était presque écrasé contre la tour de l'horloge, mais avait réussi à atterrir en catastrophe en dehors des limites de la foire. L'ambiance était électrique, Aimé s'en souvenait bien. C'était un souvenir indescriptible, l'odeur de l'essence partout et le bruit des ondes télégraphiques et des sonneries des téléphones, le bonheur de marcher plus vite qu'un coureur à bicyclette sur un tapis roulant fait de caoutchouc.

À la toute fin de la conférence, il avait réussi à se faufiler au milieu de la foule et à serrer la main de Schoedler, un homme gigantesque, vieillissant mais toujours alerte, cigarette à la bouche. L'exemplaire dédicacé du *Livre de la nature* était encore dans sa bibliothèque.

[...] et à douze ans, fasciné que j'étais par les écrits scientifiques et par l'histoire, il y avait là matière à attirer mon attention. L'histoire d'Adolphe Scheler, exécuté par l'administration helvète en 1608 pour avoir « refusé de grandir adéquatement et selon l'ordre naturel établi par Dieu » a pris pour moi d'énormes proportions. Et il y en avait d'autres. Des hommes et des femmes brûlés par l'Inquisition portugaise, d'autres suicidés après des décennies d'une jeunesse éternelle, trop lourde à supporter. Des hommes et des femmes aux traits lisses et doux même après cent ans, cent cinquante ans. Autrement dit, vous n'êtes probablement pas le seul leaper authentique que la Terre ait porté. Il y en aurait même des dizaines, à en croire les écrits que j'ai consultés. D'après les théorèmes avancés par Schoedler et ses disciples, il n'y aurait pas d'année bissextile particulièrement fertile, et un véritable enfant lunaire, à la longévité élastique, serait envisageable tous les quatre ans, dans la mesure où la mince brèche temporelle ouverte par la rotation du satellite a un effet direct sur la grossesse […]

Aimé avait envie de contredire son correspondant. Il avait mal compris les idées de Schoedler, c'était évident. Et qui étaient ces « disciples », sur lesquels Albert se fiait non seulement pour mener son enquête sur lui, mais pour faire des expérimentations sur le corps de sa femme, sur son propre enfant ?

Je l'avoue bien humblement (et c'est peut-être mon plus grand regret à l'heure actuelle, puisque la brisure dans mon mariage est pour ainsi dire irréparable et que j'ai fait l'erreur de croire que votre immortalité coulait encore un tant soit peu dans mes veines à moi, votre descendant, que je pourrais la transmettre) : j'ai moi-même essayé de mettre ses théories en pratique, mais je crois avoir échoué. Mon fils Thomas est un enfant ordinaire, il mourra comme moi, comme tout le monde, bien avant vous, malgré sa date de naissance.

Cette date de naissance, avait-elle été choisie délibérément ? C'était la chose qu'Aimé voulait savoir, en lisant et en relisant les dernières lignes. Albert avait-il provoqué l'accouchement de sa femme, pour que son fils naisse durant les heures qu'il avait désignées d'avance, les heures de cette « brèche temporelle » ? C'est ce qu'il semblait avancer, de biais, sans l'assumer pleinement.

Aimé s'est levé, il avait soif, il avait besoin de sucre. Il était revenu au passage à propos de Jeanne, qu'il avait parcouru tout à l'heure. Il était vieux, il sentait son hypertension quelque part dans son poignet. Ses articulations commençaient à se scléroser, il était tout sauf immortel. Jeanne s'était trompée sur son compte.

[…] elle ne vous a jamais laissé partir. Que ce soit d'un point de vue « factuel » ou « psychique », elle a toujours été à proximité. Ne la sentiez-vous pas ? Votre nom surgit partout, dans les endroits les plus inusités. Par exemple, le 12 janvier 1896 Jeanne écrit : « Un livre vient de paraître qui m'a bouleversée. Mathilde l'a rapporté de Boston et me l'a offert, sachant l'intérêt que je porte aux récits de combattants. Lu toute la nuit malgré la difficulté de l'anglais qui me donne des maux de tête. L'auteur, un jeune Américain d'à peine vingt et un ans, qui n'avait aucune expérience du champ de bataille, y raconte en termes crus et touchants quelques jours dans la vie d'un soldat de l'Union durant la guerre fratricide qui a ravagé les États-Unis il y a maintenant plus de trois décennies. Rarement un livre m'a-t-il fait autant d'effet, de peine et de bonheur mêlés. Je ne sais pourquoi, mais je ne peux que reconnaître mon Aimé dans ce Henry Fleming, si beau, si jeune, incapable de choisir s'il sera un lâche ou un héros. Parfois, Pierre me fait penser à lui, également, et alors, tout me revient. Il m'habite. » Ce n'est qu'un exemple parmi tant d'autres, et son journal est rapidement devenu pour moi une source inépuisable de renseignements et de fascination pure : qui était donc ce mystérieux Aimé qui l'avait poursuivie toute sa vie ? Deux ans plus tard, en mai 1898, elle vous retrace en Arizona, grâce à une photo du magazine new-yorkais *Harper's Weekly*, que son mari recevait chaque semaine. Elle décrit la photographie : « Sous l'article, on indique que le cliché a été pris par un certain Mathew B. Brady. Je recopie la légende, que je trouve jolie et mystérieuse : *Man Standing in Front of City Hall, Phoenix*, AZ, *1895. Last Known Photograph by Famous War Photo-Journalist Mathew Brady*. Il se tient bien droit, sa silhouette découpée sur le mur blanc de l'hôtel de ville. Je reconnais ses traits, personne ne me croira, mais peu m'importe, puisque je n'en parlerai à personne. Qui me croirait ? À qui pourrais-je parler de lui ? Il est là, qui me fixe, prisonnier, l'âme offerte, immuable. Il est si beau. Je reconnais ses lèvres et ses yeux. Il n'a pas changé, il ne changera jamais. Je ne suis nullement étonnée de le savoir si loin : mon Aimé n'avait que le voyage en tête, l'idée de partir et de conquérir les montagnes, les forêts, le continent. Quel beau nom, Phoenix ! Là-bas on ne meurt pas, c'est certain, on ne fait que renaître, se réinventer constamment, c'est ce qu'il voulait. Il ne comptait pas mourir, il me le disait souvent... J'ai dit à Victor que j'aimerais garder l'article. Comme d'habitude, il ne m'a pas demandé pourquoi. » Quelques jours plus tard, elle fait référence pour la première fois à une douleur persistante au sein gauche.

Il a repensé à cette ultime rencontre, au visage tuméfié et gonflé de Jeanne à l'agonie. Elle l'avait reconnu si vite, si aisément, comme si elle l'avait attendu. Leur conversation avait été trop courte, avant qu'elle ne perde connaissance et que les infirmières arrivent. Aimé s'était éclipsé alors comme il savait si bien le faire, et il avait gardé dans sa bouche le goût de ses mots, l'empreinte de sa voix qui lui rappelait les nuits passées ensemble, clandestines, dans la grange des Brody.

Tout de suite après, il n'a plus pensé à rien, et il s'est remis à lire. Les lumières naturelles du jour ne pénétraient plus dans la maison, bloquées par quelque chose, un sentiment, ou simplement fatiguées d'être toujours là, au rendez-vous, attendues par nous tous. Il lui fallait se lever, encore une fois, pour allumer une lampe, une ampoule solitaire, sans abat-jour, ou un lustre de cristal pendu au plafond de la salle à manger.

[...] autre document, qui compléterait ma trajectoire et me dicterait la voie à suivre. Il s'agissait d'un récit trouvé dans les archives de la bibliothèque municipale de Sainte-Anne-des-Monts, une petite salle dont je connaissais tous les recoins et à laquelle on m'avait donné libre accès. Le livre était vieux et abîmé, il fallait le manipuler avec soin, pour éviter qu'il ne s'effrite. C'était un exemplaire de la version originale du roman *L'influence d'un livre* de Philippe Aubert de Gaspé fils, imprimée à compte d'auteur dans un tirage limité, dans laquelle apparaissaient plusieurs légendes et contes retranscrits par l'écrivain et qui ont été édulcorés par la suite pour la version publiée, probablement en raison de pressions éditoriales. L'une d'elles s'intitulait « L'homme de l'année bissextile (Légende appalachienne) ». Mon sang n'a fait qu'un tour. J'en reproduis ici l'essentiel, puisque je ne peux vous fournir de copie, mon exemplaire étant trop fragile pour que je tente de le photocopier. Voici le long passage qui nous intéresse :

« Parmi les nombreux personnages groupés autour de l'âtre brûlant de l'immense cheminée, était un vieillard qui paraissait accablé sous le poids des ans. Assis sur un banc très bas, il tenait un bâton à deux mains, sur lequel il appuyait sa tête chauve. Il n'était nullement nécessaire d'avoir remarqué la besace, près de lui, pour le classer parmi les mendiants. Autant qu'il était possible d'en juger dans cette attitude, cet homme devait être de la plus haute stature. Le maître du logis l'avait vainement sollicité de prendre place parmi les convives ; il n'avait répondu à ses vives sollicitations que par un sourire amer et en montrant du doigt sa besace. C'est un homme qui fait grande pénitence, avait dit l'hôte en rentrant dans la chambre à souper, car malgré mes offres, il n'a voulu manger que du pain. C'était donc avec un certain respect que l'on regardait ce vieillard qui semblait absorbé dans ses pensées. La conversation s'engagea néanmoins, et Jim O'Bailey eut soin de la faire tourner sur son sujet favori. Oui, messieurs, s'écria-t-il, le génie et surtout les livres n'ont pas été donnés à l'homme inutilement ! Avec les livres on peut évoquer les esprits de l'autre monde ; le diable même. Quelques incrédules secouèrent la tête, et le vieillard appuya fortement la sienne sur son bâton.

— Moi-même, reprit Jim, il y a environ six mois, j'ai vu le diable sous la forme d'un cochon.

Le mendiant fit un mouvement d'impatience et regarda tous les assistants.

— C'était donc un cochon, s'écria un jeune clerc notaire, bel esprit du lieu.

Le vieillard se redressa sur son banc, et l'indignation la plus marquée parut sur ses traits sévères.

— Allons, monsieur O'Bailey, dit le jeune clerc notaire, il ne faudrait jamais avoir mis le nez dans la science pour ne pas savoir que toutes ces histoires d'apparitions ne sont que des contes que les grands-mères inventent pour endormir leurs petits-enfants.

Ici, le mendiant ne put se contenir davantage :

— Et moi, monsieur, je vous dis qu'il y a des apparitions, des apparitions terribles, et j'ai lieu d'y croire, ajouta-t-il, en pressant fortement ses deux mains sur sa poitrine.

— À votre âge, père, les nerfs sont faibles, les facultés affaiblies, le manque d'éducation, que sais-je, répliqua l'érudit.

— À votre âge ! à votre âge ! répéta le mendiant, ils n'ont que ce mot dans la bouche. Mais, monsieur le notaire, à votre âge, moi, j'étais un homme ; oui, un homme. Regardez, dit-il en se levant avec peine à l'aide de son bâton ; regardez, avec dédain même, si c'est votre bon plaisir, ce visage étique, ces yeux éteints, ces bras décharnés, tout ce corps amaigri ; eh bien monsieur, à votre âge, des muscles d'acier faisaient mouvoir ce corps qui n'est plus aujourd'hui qu'un spectre ambulant. Quel homme osait alors, continua le vieillard avec énergie, se mesurer avec Lewis, surnommé bras-de-fer ? et quant à l'éducation, sans avoir mis, aussi souvent que vous, le nez dans la science, j'en avais assez pour exercer une profession honorable, si mes passions ne m'eussent aveuglé ; eh bien, monsieur, à cinquante ans une vision terrible, et il y a de cela plus de vingt-cinq ans passés, m'a mis dans l'état de marasme où vous me voyez. Mais, mon Dieu, s'écria le vieillard en levant vers le ciel ses deux mains décharnées : si vous m'avez permis de traîner une si longue existence, c'est que votre justice n'était pas satisfaite ! Je n'avais pas expié mes crimes horribles ! Qu'ils puissent enfin s'effacer, et je croirai ma pénitence trop courte !

Le vieillard, épuisé par cet effort, se laissa tomber sur son siège, et des larmes coulèrent le long de ses joues étiques.

— Écoutez, père, dit l'hôte, je suis certain que monsieur n'a pas eu l'intention de vous faire de la peine.

— Non, certainement, dit le jeune clerc en tendant la main au vieillard, pardonnez-moi ; ce n'était qu'un badinage.

— Comment ne vous pardonnerais-je pas, dit le mendiant, moi qui ai tant besoin d'indulgence.

— Pour preuve de notre réconciliation, dit le jeune homme, racontez-nous, s'il vous plaît, votre histoire.

— J'y consens, dit le vieillard, puisque la morale qu'elle renferme peut vous être utile.

Et il commença ainsi son récit :

— C'était durant le rude hiver de l'année 17 — , la nuit du vingt-neuvième jour de février, que vous connaissez peut-être comme celui où des brèches se produisent dans le déroulement du temps et l'alignement des étoiles. Les vieilles histoires racontent que cette journée en trop, revenant tous les quatre ans, désirée par les hommes mais rejetée par Dieu, est un portail vers l'autre monde. À vingt ans j'étais un cloaque de tous les vices réunis : querelleur, batailleur, ivrogne, débauché, jureur et blasphémateur infâme. Mon père, après avoir tout tenté pour me corriger, me maudit, et mourut ensuite de chagrin. Me trouvant sans ressource, après avoir dissipé mon patrimoine, je fus trop heureux de trouver du service comme simple engagé dans les milices du capitaine Daniel Boone, chargées de protéger les bourgades de la colonie virginienne des attaques des sauvages. Les chefs des Choctaws et des Cherokees avaient juré la destruction des villages des Blancs et l'atmosphère hivernale, froide, était tendue lorsque j'arrivai en poste. Le souvenir de la guerre du roi Philippe était encore frais dans les mémoires.

Les villageois nous installèrent dans des granges mal isolées et nous offrirent la pitance ainsi que quelques draps et couvertures de fortune pour nous couvrir. La bataille s'annonçait pour le lendemain et mes collègues miliciens étaient inquiets. Très vite, il me fut donné de fraterniser avec l'un d'eux, étendu près de moi, un jeune homme d'à peine vingt ans, disant venir de la lointaine colonie du Canada, que je n'avais jamais eu l'heur de visiter. Nous parlâmes toute la nuit et il me révéla que c'était aujourd'hui son anniversaire, depuis minuit. Je m'esclaffai de sympathie, comprenant dès lors qu'il n'était fêté que tous les quatre ans, au retour de l'année bissextile, et lui demandai si cela l'affligeait. Il me répondit énigmatiquement que ce n'était plus à lui d'en juger, puisque toutes ses idées avaient été détruites au cours de sa vie, et qu'il n'était plus certain de quoi que ce soit. Je ne compris point ce qu'il voulait dire, mais je compatissais ; nous avions chacun nos problèmes ; moi mon héritage dilapidé, mes vices, lui son anniversaire nié trois fois sur quatre.

Une heure sonna au loin, au clocher du village, et c'est alors que je fus témoin d'une horrifiante anomalie physique, d'un retournement des lois naturelles que vous semblez tellement chérir, notaire. Devant moi, le jeune homme à qui je parlais s'était soudainement transformé en affreux vieillard : ses oreilles avaient poussé d'un seul coup, elles tombaient le long de ses joues ravagées par un temps autre, une chronologie déboussolée qui échappait à l'entendement. Il me regarda dans les yeux et je vis la souffrance qui sommeillait en lui, mêlée à la colère fulgurante d'un être démoniaque, créé par des conjonctures impénétrables ! Le garçon, qui quelques secondes auparavant me disait avoir renoncé à juger sa longue vie, était tout à coup un monstre de vieillesse à l'odeur fétide, sur le point de mourir, de se désintégrer en poussière. Sa bouche semblait gluante et à l'intérieur, ses dents brunissaient à vue d'œil. Je n'avais jamais vu une telle chose, et je tentais de me convaincre qu'il s'agissait d'une hallucination, ou d'un mauvais rêve, mais il était bien là, terrifiant, grotesque forme se repliant sur elle-même, comme prisonnier d'un gouffre temporel ouvert par la rencontre de la journée en trop et des cloches toutes chrétiennes du village. Il sombrait seul, impossible à aider, impossible à rattraper, et j'étais si effrayé que je fermai les yeux en repoussant l'immondice de mes deux mains tendues à l'aveuglette. Quand je les rouvris, désespéré et engourdi par la douleur et la nausée, il n'était plus visible.

Il avait disparu dans les bois après avoir poussé un cri infernal. Les Choctaws armés de *tomahawk*s et de flèches empoisonnées attaquèrent à l'aube et nous ne parvîmes à les repousser qu'en essuyant de nombreuses pertes. Personne sauf moi ne l'avait vu se transformer. Nous n'en parlâmes point et nous comptâmes nos morts.

Je ne me remis jamais de cette expérience désastreuse et mon sommeil fut longtemps assailli par de formidables cauchemars. Je croyais pourtant qu'il s'agissait de laisser au temps le soin de faire son œuvre, et qu'un jour le soleil se lèverait sur mes peurs et mes hantises en les emportant sans regarder derrière. C'était souhaiter l'impossible, mes amis, car le démon que j'avais vu cette nuit-là, loin de s'estomper avec les années jusqu'à devenir un spectre transparent et inoffensif, revint me visiter des décennies plus tard, alors que mon corps n'était plus ce qu'il était. On m'appelait encore Lewis bras-de-fer, mais j'étais déjà l'homme errant et voûté que vous avez devant vous. Je travaillais alors pour la compagnie fluviale de l'Hudson River. C'était au printemps, il pouvait être environ midi, nous remontions le fleuve dans la goélette *George Washington*, poussés par une jolie brise ; j'étais assis sur la lisse du gaillard d'arrière, lorsque le capitaine assembla l'équipage et lui dit : ah ça, enfants, nous serons, sur les quatre heures, au poste du diable ; qui est celui d'entre vous qui y restera ? Tous les regards se tournèrent vers moi, et tous s'écrièrent unanimement : ce sera Lewis bras-de-fer. Je vis que c'était concerté ; je serrai les dents avec tant de force que je coupai en deux le manche d'acier de mon calumet, et frappant avec force sur la lisse, où j'étais assis, je répondis dans un accès de rage : oui, mes mille tonnerres, oui, ce sera moi ; car vous seriez trop lâches pour en faire autant ; je ne crains ni Dieu, ni diable, et quand Satan y viendrait je n'en aurais pas peur. Bravo ! s'écrièrent-ils tous. Huzza pour Lewis ! Je voulus rire à ce compliment ; mais mon rire ne fut qu'une grimace affreuse, et mes dents s'entrechoquèrent comme dans un violent accès de fièvre. Chacun alors m'offrit un coup, et nous passâmes l'après-midi à boire. Ce poste de peu de conséquences était toujours gardé, pendant trois mois, par un seul homme qui y faisait la chasse et la pêche, et quelque petit trafic avec les sauvages. C'était la terreur de tous les engagés, et tous ceux qui y étaient restés, avaient raconté des choses étranges de cette retraite solitaire ; de là, son nom de poste du diable – en sorte que depuis plusieurs années on était convenu de tirer au sort pour celui qui devait l'habiter. Les autres engagés qui connaissaient mon orgueil savaient bien qu'en me nommant unanimement, la honte m'empêcherait de refuser, et par là, ils s'exemptaient d'y rester eux-mêmes, et se débarrassaient d'un compagnon brutal, qu'ils redoutaient tous.

Vers les quatre heures, nous étions vis-à-vis le poste dont le nom me fait encore frémir, après un laps de quinze ans, et ce ne fut pas sans une grande émotion que j'entendis le capitaine donner l'ordre de préparer la chaloupe. Quatre de mes compagnons me mirent à terre avec mon coffre, mes provisions et une petite pacotille pour échanger avec les sauvages, et s'éloignèrent aussitôt de ce lieu maudit. Bon courage ! bon succès ! s'écrièrent-ils, d'un air moqueur, une fois éloignés du rivage. Que le diable vous emporte tous, mes !... que j'accompagnai d'un juron épouvantable. Bon, me cria Andrew Connely, à qui j'avais cassé deux côtes, six mois auparavant ; bon, ton ami le diable te rendra plus tôt visite qu'à nous. Rappelle-toi ce que tu as dit. Ces paroles me firent mal. Tu fais le drôle, Connely, lui criai-je ; mais suis bien mon conseil, fais-toi tanner la peau par les sauvages ; car si tu me tombes sous la patte dans trois mois, je te jure par... (autre exécrable juron) qu'il ne t'en restera pas assez sur ta maudite carcasse pour raccommoder mes souliers. Et quant à toi, me répondit Connely, le diable n'en laissera pas assez sur la tienne pour en faire de la babiche. Ma rage était à son comble ! Je saisis un caillou, que je lançai avec tant de force et d'adresse, malgré l'éloignement de la terre, qu'il frappa à la tête le malheureux Connely et l'étendit, sans connaissance, dans la chaloupe.

Il l'a tué ! s'écrièrent ses trois autres compagnons, un seul lui portant secours tandis que les deux autres faisaient force de rames pour aborder la goélette. Je crus, en effet, l'avoir tué, et je ne cherchai qu'à me cacher dans le bois, si la chaloupe revenait à terre ; mais une demi-heure après, qui me parut un siècle, je vis la goélette mettre toutes ses voiles et disparaître. Connely n'en mourut pourtant pas subitement, il languit pendant trois années, et rendit le dernier soupir en pardonnant à son meurtrier. Puisse Dieu me pardonner, au jour du jugement, comme ce bon jeune homme le fit alors. Un peu rassuré par le départ de la goélette, sur les suites de ma brutalité ; car je réfléchissais que si j'eusse tué ou blessé Connely mortellement, on serait venu me saisir, je m'acheminai vers ma nouvelle demeure. C'était une cabane d'environ vingt pieds carrés, sans autre lumière qu'un carreau de vitre au sud-ouest ; deux petits tambours y étaient adossés, en sorte que cette cabane avait trois portes en succession. Quinze lits, ou plutôt grabats, étaient rangés autour de la pièce principale. Je m'abstiendrai de vous donner une description du reste ; ça n'a aucun rapport avec mon histoire. J'avais bu beaucoup d'eau-de-vie pendant la journée, et je continuai à boire pour m'étourdir sur ma triste situation ; en effet, j'étais seul sur une plage éloignée de toute habitation ; seul avec ma conscience ! et, Dieu, quelle conscience ! Je sentais le bras puissant de ce même Dieu, que j'avais bravé et blasphémé tant de fois, s'appesantir sur moi ; j'avais un poids énorme sur la poitrine. Les seules créatures vivantes, compagnons de ma sollicitude, étaient deux énormes chiens de Terre-Neuve : à peu près aussi féroces que leur maître.

On m'avait laissé ces chiens pour faire la chasse aux ours rouges, très communs dans cet endroit. Il pouvait être neuf heures du soir. J'avais soupé, je fumais ma pipe près de mon feu, et mes deux chiens dormaient à mes côtés ; la nuit était sombre et silencieuse, lorsque, tout à coup, j'entendis un hurlement si aigre, si perçant, que mes cheveux se hérissèrent. Ce n'était pas le hurlement du chien ni celui plus affreux du loup ; c'était quelque chose de satanique. Mes deux chiens y répondirent par des cris de douleur, comme si on leur eût brisé les os. J'hésitai ; mais l'orgueil l'emportant, je sortis armé de mon fusil à trois balles chargé ; mes deux chiens, si féroces, ne me suivirent qu'en tremblant. Tout était cependant retombé dans le silence et je me préparais déjà à rentrer lorsque je vis sortir du bois un homme suivi d'un énorme chien noir ; cet homme était au-dessus de la moyenne taille et portait un chapeau immense, que je ne pourrais comparer qu'à une meule de moulin, et qui lui cachait entièrement le visage. Je l'appelai, je lui criai de s'arrêter ; mais il passa, ou plutôt coula comme une ombre, et lui et son chien s'engloutirent dans le fleuve. Mes chiens tremblant de tous leurs membres s'étaient pressés contre moi et semblaient me demander protection. Je rentrai dans ma cabane, saisi d'une frayeur mortelle ; je fermai et barricadai mes trois portes avec ce que je pus me procurer de meubles ; et ensuite mon premier mouvement fut de prier ce Dieu que j'avais tant offensé et de lui demander pardon de mes crimes : mais l'orgueil l'emporta, et repoussant ce mouvement de la grâce, je me couchai, tout habillé, dans le douzième lit, et mes deux chiens se placèrent à mes côtés.

J'y étais depuis environ une demi-heure, lorsque j'entendis gratter sur ma cabane comme si des milliers de chats, ou autres animaux, s'y fussent cramponnés avec leurs griffes ; en effet je vis descendre dans ma cheminée, et remonter avec une rapidité étonnante, une quantité innombrable de petits hommes hauts d'environ deux pieds ; leurs têtes ressemblaient à celles des singes et étaient armées de longues cornes. Après m'avoir regardé, un instant, avec une expression maligne, ils remontaient la cheminée avec la vitesse de l'éclair, en jetant des éclats de rires diaboliques. Mon âme était si endurcie que ce terrible spectacle, loin de me faire rentrer en moi-même, me jeta dans un tel accès de rage que je mordais mes chiens pour les exciter, et que saisissant mon fusil je l'armai et tirai avec force la détente, sans réussir pourtant à faire partir le coup. Je faisais des efforts inutiles pour me lever, saisir un harpon et tomber sur les diaboliques homoncules, lorsqu'un hurlement plus horrible que le premier me fixa à ma place. Les petits êtres disparurent, il se fit un grand silence, et j'entendis frapper deux coups à ma première porte : un troisième coup se fit entendre, et la porte, malgré mes précautions, s'ouvrit avec un fracas épouvantable. Une sueur froide coula sur tous mes membres, et pour la première fois depuis dix ans, je priai, je suppliai Dieu d'avoir pitié de moi. Un second hurlement m'annonça que mon ennemi se préparait à franchir la seconde porte, et au troisième coup, elle s'ouvrit comme la première, avec le même fracas. Ô mon Dieu ! mon Dieu ! m'écriai-je, sauvez-moi ! sauvez-moi ! Et la voix de Dieu grondait à mes oreilles, comme un tonnerre, et me répondait : non, malheureux, tu périras. Cependant un troisième hurlement se fit entendre et tout rentra dans le silence ; ce silence dura une dizaine de minutes.

Mon cœur battait à coups redoublés ; il me semblait que ma tête s'ouvrait et que ma cervelle s'en échappait goutte à goutte ; mes membres se crispaient et lorsqu'au troisième coup la porte vola en éclats sur mon plancher, je restai comme anéanti. L'être fantastique que j'avais vu passer entra alors avec son chien et ils se placèrent vis-à-vis de la cheminée. Un reste de flamme qui y brillait s'éteignit aussitôt et je demeurai dans une obscurité parfaite.

Ce fut alors que je priai avec ardeur et fis vœu à la bonne sainte Anne que, si elle me délivrait, j'irais de porte en porte, mendiant mon pain le reste de mes jours. Je fus distrait de ma prière par une lumière soudaine ; le spectre s'était tourné de mon côté, avait relevé son immense chapeau, et deux yeux énormes, brillants comme des flambeaux, éclairèrent cette scène d'horreur. Ce fut alors que je pus contempler cette figure satanique : c'était le jeune homme que j'avais connu trente ans auparavant, durant la lune bissextile, le jeune garçon qui, avant de se métamorphoser en grotesque loup-garou devant mes yeux, avait cette apparence même, cette peau lisse d'ivoire noble qui m'avait laissé croire que nous avions le même âge, un visage d'ange tombé du ciel qui m'avait séduit et rassuré lorsque nous attendions l'attaque des sauvages dans l'angoisse d'un logis de fortune. Il me fixait maintenant du haut de ses plusieurs pieds, figure inversée, surplombante, d'une beauté plus inquiétante que la nuit noire. Il avait encore vingt ans, alors que je venais d'atteindre la cinquantaine et que les rides formaient des crevasses profondes sous mes yeux et sur mon front.

Simultanément, telle une flamme changeante, luisant dans l'obscurité, et ne respectant pas plus les lois tacites et immémoriales que les traités scientifiques modernes, il prenait l'aspect d'un démon sorti tout droit des enfers : un nez lui couvrait la lèvre supérieure, quoique son immense bouche s'étendît d'une oreille à l'autre, lesquelles oreilles lui tombaient sur les épaules comme celles d'un lévrier. Il était double, horreur et divinité. J'avais pénétré sur son territoire, ici, au creux des montagnes allé-ghéniennes, celui de l'immortalité secrète ; il me le faisait comprendre. Deux rangées de dents noires comme du fer se choquaient avec un fracas horrible. Il porta son regard farouche de tous côtés et, s'avançant lentement, il promena sa main décharnée et armée de griffes sur toute l'étendue du premier lit ; du premier lit il passa au second, et ainsi de suite jusqu'au onzième, où il s'arrêta quelque temps. Et moi, malheu-reux ! je calculais, pendant ce temps-là, combien de lits me séparaient de sa griffe infernale. Je ne priais plus ; je n'en avais pas la force ; ma langue desséchée était collée à mon palais et les battements de mon cœur, que la crainte me faisait supprimer, interrompaient seuls le silence qui régnait, autour de moi, dans cette nuit funeste.

Je lui vis étendre la main sur moi ; alors, ras-semblant toutes mes forces, et par un mouvement convulsif, je me trouvai debout, et face à face avec le fantôme dont l'haleine enflammée me brûlait le visage. Fantôme ! lui criai-je, si tu es de la part de Dieu, demeure, mais si tu viens de la part du diable je t'adjure, au nom du Père, du Fils et du Saint-Esprit, de t'éloigner de ces lieux.

Satan, car c'était lui, messieurs, je ne puis en douter, jeta un cri affreux, et son chien, un hurlement qui fit trembler ma cabane comme l'aurait fait une secousse de tremblement de terre. Tout disparut alors, et les trois portes se refermèrent avec un fracas horrible. Je retombai sur mon grabat, mes deux chiens m'étourdirent de leurs aboiements pendant une partie de la nuit, et ne pouvant enfin résister à tant d'émotions cruelles, je perdis connaissance. Je ne sais combien dura cet état de syncope ; mais lorsque je recouvrai l'usage de mes sens, j'étais étendu sur le plancher, me mourant de faim et de soif. Mes deux chiens avaient aussi beaucoup souffert ; car ils avaient mangé mes souliers, mes raquettes et tout ce qu'il y avait de cuir dans la cabane. Ce fut avec beaucoup de peine que je me remis assez de ce terrible choc pour me traîner hors de mon logis, et lorsque mes compagnons revinrent, au bout de trois mois, ils eurent de la peine à me reconnaître : je n'étais qu'un spectre vivant, et j'avais vu l'Aberration. »

C'est dans ce texte que je vous ai rencontré pour la première fois, et deux fois plutôt qu'une. L'impulsion de ma recherche commence là, entre les lignes de ce terrible récit. Car c'est bien de vous qu'il s'agit, sous le ton suranné de la narration, n'est-ce pas ? Êtes-vous ce démon, ou encore cet ange déchu, Aimé Bolduc ? Cette « flamme » décrite par le mendiant, modifiée par la lumière et l'obscurité des astres en rotation ? Ou encore n'êtes-vous que cet homme, au fond semblable à ce vieux narrateur, prisonnier d'une conjoncture temporelle précise et fatale, s'observant dans le miroir de ses obsessions et de ses vices ? Il est loin d'être démoniaque, cet homme que mon arrière-grand-mère a adoré plus que tout. À vous de me le révéler, maintenant. Maintenant que je vous ai retrouvé.

L'Aberration. Oui, bien sûr, c'était de lui que ce vieil homme parlait. Mais en même temps, il se souvenait, se souvenait-il ? d'avoir raconté cette histoire, exactement celle-là, une fois, il y avait si longtemps, et tout ce monde qui l'écoutait en silence, alors que même les violonistes avaient cessé de jouer pour le laisser parler. Il était celui qui ne parlait jamais, dont on se méfiait, parce qu'on ne savait rien de lui, et voilà qu'il prenait la parole. La musique s'était arrêtée, on avait ravivé le feu et il s'était mis à parler, à la manière d'un conteur expérimenté, à la manière d'un sage ou d'un fou, ou des deux qui fusionnent pour convaincre l'assemblée. Et ensuite il avait disparu, on n'avait plus entendu parler de lui sur le chantier et sa paye n'avait pas été réclamée.

Aimé avait ce souvenir qui l'assaillait, en lisant la légende de l'homme de l'année bissextile, celui d'en être simultanément le sujet et l'auteur. Les images se mélangeaient dans son esprit : celles d'une prise de parole, improvisée, inspirée, et celles de la lecture, vieille, aussi vieille que ses réminiscences. Albert semblait dire que sa version datait des années 1830, elle était donc antérieure à la vie dans les mines qu'Aimé avait connue seulement plus tard.

L'écriture d'Albert, après la retranscription de l'histoire, se faisait erratique. Visiblement, il n'arrivait plus à contrôler son poignet, qui l'élançait, et Aimé avait du mal à déchiffrer cette calligraphie en soubresauts. Les lignes n'étaient plus droites, elles tombaient à droite des pages, les unes après les autres, comme autant de troupeaux d'animaux désespérés.

[...] pas d'autre requête que celle-là : soyez celui que je sais que vous êtes. Soyez conséquent avec vous-même, vous qui n'avez rêvé depuis si longtemps que d'être découvert, démasqué. Je le sais. Je le sens. Il n'en tient qu'à vous, pour que le secret de votre existence cesse de vous écraser, cesse de creuser ces rides inutiles qui ravagent votre visage immortel, de venir me rejoindre. Je ne sais pas où vous êtes exactement, mais je sais que vous m'écouterez jusqu'au bout, et que vous ne pourrez résister à mon appel.

Avant même d'ouvrir l'enveloppe, Aimé avait su ce qu'il y trouverait. Il savait qu'il y trouverait les mots pressants et ambigus de celui qui, à la manière d'une ombre, le suivait depuis plusieurs années déjà, tapi derrière, prêt à surgir à la première occasion. Quelqu'un l'avait cherché, l'avait désiré assez pour faire de lui le projet d'une vie, jusqu'à le retrouver.

Aimé était partagé entre l'admiration et le dégoût, entre l'orgueil d'avoir été l'objet d'une si grande obsession et un désespoir qui rendait son existence encore plus futile, malgré ce qu'Albert pouvait penser, dans toute la fougue de ses élaborations.

Il a lu les dernières lignes de la lettre, en même temps que nous, il les a comprises différemment, et il a tenté d'imaginer ce qu'il ferait ensuite.

[...] se cache une grande nervosité. Pourtant, je n'ai d'autre choix que de plonger. Voici mon offre. Je vous attendrai au coin de Broadway et de la 4ᵉ Rue, le dimanche 13 mars prochain, entre dix heures du matin et une heure de l'après-midi. Après quoi, que vous soyez venu à ma rencontre ou non, je repartirai chez moi, au Québec, où je referai ma vie loin des miens, que j'ai blessés irrémédiablement en poursuivant pendant trop d'années cette obsession.

Bon. Je dois poster cette lettre au plus vite, sinon je ne le ferai jamais. Vous avez six mois pour vous décider.

> Bien à vous,
> votre descendant,
> votre contemporain,
> Albert Langlois

N.B. Ci-joint, vous trouverez des extraits photocopiés de certains de mes carnets, ainsi que divers documents visuels concernant mes recherches. La ligne du temps visible à la page 54 du carnet C a été élaborée au début de l'année 1977, alors que les informations concernant Aimé étaient plus que fragmentaires, et ne saurait en aucun cas servir à d'autres fins qu'indicatives. Pourtant, j'aime la considérer comme le véritable point de départ de mon investigation, et c'est souvent à elle que je reviens lorsque les doutes m'assaillent quant à la pertinence de toutes ces données contradictoires. Dans la beauté linéaire de son tracé, et malgré les erreurs factuelles qui la grèvent, cette longue et riche ligne de la vie de mon ancêtre illustre aussi bien la folie de mon projet que sa profonde véracité : tout y est erroné, mais le véritable Aimé, toujours en fuite, s'y dessine déjà, en demi-jour, en demi-teinte. Le reconnaissez-vous ?

La ligne du temps était absurde, en effet : elle le plaçait entre autres à la baie d'Ungava en 1855, où un certain Aimé Bilodeau aurait laissé un témoignage à propos d'une bête légendaire vivant sous les glaces éternelles et revenant chaque dix-neuvième cycle lunaire. Les points et les flèches, multipliés, étaient des ébauches d'une vie fantôme, qui se contemplait elle-même et lui donnait non seulement une jeunesse éternelle, mais aussi le don d'ubiquité. Albert avait dû s'en rendre compte bien vite, malgré l'excitation qu'il ressentait à dénicher des informations et à écumer des sources : Aimé existait bel et bien, mais il ne pouvait pas être en même temps en Géorgie, dans la milice accompagnant les Indiens sur leur Chemin des Larmes, et sur la Côte-Nord, en train de piloter le traversier vers Terre-Neuve. Albert avait dû s'en rendre compte, et se résigner. Certaines indications étaient rayées, là où Aimé n'avait manifestement pas pu aller, ni à pied ni à vol d'oiseau. Il y avait une centaine de pages imprimées, manuscrites et pleines de recoupements complexes.

Il s'est reconnu sur le détail agrandi d'une photo datant de la fin du dix-neuvième siècle, comme Jeanne l'avait reconnu avant. Les joues foncées, rougies par le manque de sommeil, le regard vide et distant. La casquette mal ajustée sur des cheveux longs et gras. Les épaules frêles. Il s'est regardé dans les yeux un moment, la distance grandissante, et il a ensuite étalé sur la table les nombreux documents d'appoint contenus dans l'enveloppe, pour les consulter systématiquement, avant que les dernières étoiles ne s'éteignent d'un coup.

XIX

Mars 1994

Aéroport international John F. Kennedy

Dans la file d'attente en zigzag, quelques mètres devant lui, il a remarqué cette jolie femme aux cheveux attachés. Il a souhaité sans trop y croire se voir attribuer le siège à côté du sien. Elle était menue, tenait son passeport américain dans sa main droite et le frappait en rythme sur sa cuisse. Elle portait des jeans délavés et un tee-shirt blanc. De loin, Aimé ne pouvait pas voir si elle avait la chair de poule à cause de la climatisation, mais il regardait ses bras nus. Elle a frissonné soudainement, s'est penchée et a ouvert sa valise. Il y avait des centaines de personnes qui bougeaient autour d'Aimé, qui s'en allaient rapidement dans d'autres terminaux, ou qui sortaient pour trouver des taxis. Des gens étaient assis sur de longues banquettes blanches et fumaient en observant le vide. Elle a sorti un chandail de laine et l'a enfilé en faisant un geste souple pour en sortir sa queue de cheval et vérifier que l'étiquette était bien rentrée à l'intérieur. Elle était plus petite que l'homme juste derrière elle, qui n'arrêtait pas de se racler la gorge.

Chaque fois que la file avançait d'un centimètre ou deux, Aimé prenait sa valise et la déplaçait, la remettait par terre, presque entre ses jambes, bien protégée entre ses genoux.

Les haut-parleurs diffusaient des informations importantes, les voix et les langues se succédaient, de belles voix, parfois en anglais, parfois en arabe, parfois en allemand. On appelait des passagers en prononçant leur nom le mieux possible, on rappelait les départs imminents ou les préembarquements. On répétait les numéros de vols et les numéros de portes. Tout était blanc, les planchers, les murs et les plafonds très hauts, d'où pendaient de grandes lampes circulaires et incandescentes. Aimé se concentrait sur le brouhaha des pas, des talons claquant sur le sol et des roulettes des valises, et aussi sur le son des gens qui parlaient ensemble, qui s'embrassaient pour se dire au revoir. De l'autre côté de l'immense aire ouverte dans laquelle il se trouvait, une foule était assemblée, nerveuse, et attendait l'arrivée des proches par le couloir en face.

Il l'a vue s'avancer pour aller s'enregistrer, en roulant sa valise derrière elle. Ça a duré quelques secondes, une minute. Elle a placé ses bagages sur un tapis roulant, ils ont disparu dans les coulisses. Aimé s'est déplacé d'un pas ou deux. Elle a rangé son passeport et son billet dans son sac à main et elle est partie sans se retourner. Pendant plusieurs minutes la file n'a pas bougé. Une des employées de la ligne aérienne s'est fait remplacer. Seuls trois guichets étaient ouverts. Aimé a entendu un soupir exaspéré et a même senti de l'air chaud sur sa nuque. Il ressemblait à s'y méprendre à un homme d'environ soixante ans, encore en forme mais éprouvé par la vie, avec une tristesse au fond du regard qui venait d'on ne sait où, de très loin, mélangée à une curiosité innée qui survivait. Une des choses qu'il regrettait le plus, il s'en était rendu compte à mesure que les années passaient, c'était de ne pas s'être présenté au rendez-vous fixé par Albert. Il n'y pensait pas de façon continue, ni même fréquemment, mais de temps à autre, une sorte de regret diffus s'imprimait dans son esprit, en surimpression sur l'ensemble flou et grandiose de ses souvenirs. Peut-être lui écrirait-il, une fois en Europe.

Elle a disparu dans les méandres de l'aéroport.

Il la trouvait jolie et il avait envie de passer le vol à côté d'elle, de parler de lui, de ce qu'il comptait faire maintenant, des changements radicaux qu'il comptait faire dans sa vie. Il avait vendu sa demeure à perte. Il avait transféré ses actifs. Complice, elle l'écouterait avec attention, captivée par sa culture et son élocution. Il lui parlerait de la région du Jura, où il avait acheté une grande propriété, avec une vieille maison encore plus vieille que lui, et un vignoble. Il s'est mis à imaginer le son de sa voix, comme un chant, avec des accents toniques du Sud mélangés à des intonations californiennes. Une fois à Paris, ils deviendraient des amis, il lui apprendrait à prononcer les mots correctement, avec son vieux français du dix-neuvième siècle. Le temps s'est allongé, il s'est raconté des histoires, comme tout le monde, et c'était son tour. Un agent d'American Airlines a crié next ! et Aimé s'est approché, les lèvres sèches.

Après s'être enregistré, il avait plus de trois heures à attendre et, sans trop la chercher dans le terminal, il est passé dans la zone internationale, où de grandes fenêtres donnaient sur des appareils immobilisés au sol, sur d'autres arrivant du ciel, points lointains prenant forme et bougeant dans la lumière froide de midi. Il s'est promené sans but précis, sans s'éloigner vraiment de la porte d'embarquement. Ça grouillait autour, on s'affairait. Le plancher était en granite, rosé, les rayons du soleil s'y reflétaient, les talons hauts des agentes de bord y claquaient. Assoiffé, comme démuni sans savoir pourquoi, il s'est finalement installé au comptoir d'un bar, où il a commandé un scotch avec de la glace, son premier verre d'alcool en presque cinq ans.

Il tenait son billet et son passeport, il regardait les numéros de sièges en essayant de ne heurter personne avec son manteau enroulé sommairement sur son avant-bras. Sa barbe était grise, bien taillée. Il faisait attention à son apparence. Les dernières années l'avaient éprouvé. Son estime de soi avait fortement diminué, on le lui avait dit, dans des cabinets privés, au cours de séances qui coûtaient cher, il le savait déjà et on le lui avait confirmé. Il consultait de plus en plus d'experts, de plus en plus de spécialistes de divers domaines, des hommes et des femmes sérieux qui examinaient son cerveau à partir de ce qu'il racontait, de ce qu'il essayait de cacher. On ne lui avait pas encore prescrit de médicaments, mais il se disait que ça viendrait peut-être. Il décrivait parfois ses rêves, avec le plus de précision possible, et on lui répétait que les changements étaient bénéfiques.

Elle regardait par le hublot et il a reconnu tout de suite sa queue de cheval, l'élastique mauve qui la retenait. Ses yeux sont passés de son billet au numéro inscrit sur le porte-bagages, de sa nuque à ses épaules et son chandail de laine pêche. Elle a tourné la tête et lui a souri, un sourire nerveux, à peine, une nervosité contrôlée, dissimulée sous le besoin d'être polie et amène. Aimé l'a fixée une fraction de seconde, comme s'il la reconnaissait, comme s'il cherchait à reconnaître quelque chose en elle. Ça a duré quelques instants, contractés, presque indiscernables, et il a fait glisser son bagage à main et son manteau dans le compartiment. Il pensait à elle, quand il s'est assis dans son siège, juste à côté, à ce qu'ils allaient se dire, dans quelques instants. Les passagers discutaient, les voix bourdonnaient dans un mélange d'allégresse et de solennité. Il a attaché sa ceinture, par réflexe, sans réfléchir. En le voyant faire, elle l'a imité, comme quelqu'un qui respecte les règles et qui, par le fait même, prouve qu'il mérite d'être épargné, dans l'éventualité d'une défectuosité mécanique, ou même d'une erreur humaine.

Elle continuait à sourire, pourtant, et s'est exclamée, en pouffant, comme pour se moquer d'elle-même et l'inclure dans son anxiété douce :

— God I hate planes.

Et elle a soupiré par le nez, en fronçant un peu les sourcils. Aimé a hoché la tête, compréhensif. Dans sa barbe il a souri aussi, rassurant et plein d'autorité. Il portait des lunettes depuis quelques années, sa vue s'était détériorée d'un coup. Il les portait avec une cordelette qui pendait derrière sa nuque. Quand il les enlevait, elles traînaient sur sa poitrine. Il avait l'air d'un professeur d'université de réputation internationale, de ces personnes qui, dans certains milieux, sont plus connues que les vedettes de cinéma qu'elles fréquentent ou qu'elles épousent. Sa barbe était bien taillée, grise, et blanche par endroits aussi, plus près des oreilles. Ça faisait longtemps qu'il n'avait pas ouvert la bouche pour dire quelque chose d'important à quelqu'un. Quelque chose qui serait allé au-delà des formalités d'usage et des formules de politesse. Il se sentait oxydé de l'intérieur, mais elle lui faisait confiance, déjà, ça se voyait dans sa posture. Elle était tendue, mais se laissait peu à peu gagner par son calme. Il lui a dit :

— Think of it as a big bird, a really big bird.

Son visage s'est fait interrogateur, mais son sourire était toujours là, présent. Il s'y accrochait.

— Go on.

— Well, when you see a bird flying, from the ground, are you afraid it'll fall ?

— No, I'm not.

— Even if it's real high up in the sky ?

— Yes.

— Do you ever think about the possibility of one of its wings being broken, or its navigation system malfunctioning ?

— No, you're right, in fact, I'm in complete awe watching it and trusting it to, well, just *be* itself. To fly wherever it's flying to.

— Just try to remember that feeling now, the way you feel when you watch that bird, and everything's going to be all right.

318

Elle n'a rien répondu, l'a observé comme un vieux sage qu'on n'ose pas contredire, par déférence, mais qu'on ne croit pas tout à fait. Disait-il n'importe quoi ? Il se le demandait lui-même. Elle a semblé plonger à l'intérieur d'elle et chercher à reconquérir un sentiment, un état d'âme, pas simplement pour lui faire plaisir. Elle a respiré profondément et a semblé entendre le chant d'un cardinal, d'un geai, ou le cri d'un grand aigle traversant les montagnes en planant, serein et majestueux.

— I'm Laura, by the way.

— It's a pleasure to meet you, Laura. I'm Kenneth.

— I like the sound of your voice, Kenneth, it reminds me of someone.

— It's a very old voice.

Ils ont senti les moteurs démarrer, la substance de l'air a changé dans l'habitacle, les lumières ont clignoté le long des allées. Une agente de bord s'est assise devant eux sur un strapontin et a pris une expression sérieuse, en attachant sa ceinture. L'avion s'est mis à reculer et le paysage morne autour de l'aéroport a défilé dans le hublot. On ne voyait pas New York d'ici, ni ses gratte-ciel ni ses rues, on ne voyait que des hangars de métal et de béton, et des pylônes d'électricité, des hommes petits qui portaient des casques et des lunettes de protection. Aimé a souri à Laura, qui semblait soudainement plus tendue. Elle s'est reculée dans son siège, en se raclant la gorge, le dos bien droit et les yeux grands ouverts. Il a placé son bras sur l'accoudoir qui séparait leurs sièges et elle a posé sa main humide et chaude sur la sienne, où l'élasticité de la vieillesse commençait à peine à poindre.

Il a baissé les yeux et a retourné sa main pour prendre celle de Laura, pour qu'elle puisse la serrer et entrelacer leurs doigts et se sentir rassurée. L'accélération instantanée du décollage s'est fait sentir jusque dans leur ventre. Il a souri encore, pour lui-même et pour elle, pour cette peur irrationnelle qui la saisissait et qu'elle lui communiquait. Il a murmuré que tout allait bien aller. Qu'elle pouvait lui faire confiance. Qu'elle était en sécurité.

Troisième partie

CHIC-CHOCS

XX

Août 1998

Chattanooga – Sainte-Anne-des-Monts

On aimerait donner l'impression, l'avoir, que Thomas était essoufflé, sale, épuisé, quand il est apparu sur le seuil de la maison de son père, un après-midi de la fin août, et qu'il a finalement déposé son sac à dos poussiéreux sur le bois de la galerie avant de sonner. On s'imaginerait presque le voir arriver en titubant, sortir des montagnes sous les nuages orageux et descendre la piste balisée, franche, d'un mont érodé, éviter la 299 où les voitures des touristes roulent vite, marcher, marcher, vers le village de son père, couper par des champs en friche, tenant fort ses bâtons de fortune. Dans notre esprit, il aurait traversé le sentier appalachien d'une extrémité à l'autre, aurait campé sur les montagnes Blanches et les montagnes Vertes, dans les crêtes bleues des Alleghenies, seul avec son équipement de base, sa gourde, seul avec l'idée qu'il se faisait de la rédemption, ou d'une sorte de rachat de ses fautes et de ses actions passées.

Il aurait dormi dans des abris mal isolés, de bois, où les craques laissaient passer les moustiques, le soleil et la pluie, indifféremment. Il se serait fait tout petit, dans les moments où d'autres randonneurs se seraient approchés pour partager l'espace commun, offert à ceux qui en ont besoin. Peut-être aurait-il croisé des ours et d'autres animaux sauvages, des cervidés aux bois majestueux, leur tête se tournant vers lui dans un mouvement brusque et net, plein de crainte et d'assurance. Il les aurait identifiés correctement, avec dans la tête les souvenirs de livres illustrés.

C'est comme ça qu'il l'imaginait lui aussi, de son côté, son voyage vers le nord, c'est comme ça qu'il y pensait, dans un mélange de fantasme sur la légendaire route pédestre et de fiction personnelle sur son parcours, sur le rôle que ces retrouvailles allaient jouer. Quand il a sonné à la porte de la belle maison de son père, celle des parents décédés de son père, une belle maison avec des volets repeints et des lucarnes, il s'est vu descendre des montagnes, si vieilles qu'elles n'avaient plus de sommet, perdues au loin dans la brume et dans la bruine. Il a eu une vision de lui en train de traverser un ruisseau, en train de marcher sur un escarpement, en train de gravir une roche si grosse, si imposante, qu'elle était elle-même une sorte de colline volcanique.

Sa joue gauche était encore tuméfiée. On lui avait remplacé sept dents et il avait fallu opérer sa mâchoire inférieure, la raccrocher.

En fait, il avait pris un Greyhound jusqu'à Atlanta, un autre plusieurs heures après jusqu'à New York, pour arriver à Montréal deux journées plus tard, une ville dont il avait entendu parler, souvent en bien, où, complètement sonné par le manque de sommeil et la pulsation rythmée de son cœur dans sa lèvre encore un peu enflée, il était monté dans un autre autobus en direction de Québec, et ensuite dans un autre vers la Gaspésie et ses mille villages du bord du fleuve, qui s'élargissait jusqu'à devenir une mer.

Plus tôt, entre Charlotte et Richmond, où le chauffeur avait fait un arrêt nocturne, il avait été obligé de discuter avec une jeune femme enceinte, qui se caressait le ventre en cercle et qui commentait les paysages magnifiques de la Caroline du Nord. Thomas était assis dans le siège près de la fenêtre, alors elle se penchait constamment vers lui pour pointer quelque chose, une formation de canards dans le ciel, un saule isolé au milieu d'un champ de blé, avec la fin du jour en arrière-plan, rouge foncé. Les détails passaient vite dans les fenêtres, l'autobus filait sur l'autoroute en courbes longues, mais elle repérait les belles choses et en parlait à Thomas. Il était d'accord, toujours, c'était vrai, c'était beau, elle avait raison, mais il aurait aimé pouvoir dormir. Il n'osait pas la regarder vraiment, son ventre était si gros que ses mouvements, même les plus simples, les plus ordinaires, étaient entravés, même son cou bougeait en fonction de son ventre, comme une excroissance. Elle était descendue de l'autobus à Richmond, où l'attendait un homme qui s'était empressé de prendre sa valise et son sac de sport. Thomas les avait observés d'en haut, de son siège feutré et déchiré, s'embrasser et partir, disparaître derrière un des murs blancs du terminus.

Plus tard, entre New York et Albany, il était entré dans les montagnes, dans les Adirondacks, le jour plein et le soleil perçant la couche grise du ciel. L'autobus avait longé les saillies où des lacs miroitants s'offraient à son regard, perdus dans des forêts anciennes qui lui rappelaient certaines batailles décisives de la guerre de l'Indépendance qu'on lui avait appris à connaître par cœur à l'école. Ethan Allen et Benedict Arnold s'étaient déplacés sur ces lacs, dans des canots d'écorce, et avaient livré des messages à des généraux qui les attendaient, depuis des semaines, pour donner l'assaut aux Anglais. Il imaginait Washington calmant ses hommes, leur répétant que les nouvelles de la chute de Boston arriveraient d'un jour à l'autre, un feu de joie allumé et les Anglais de l'autre côté de la rivière, patients et armés.

Immobile dans le Greyhound, les mains sur un livre qu'il ne lisait plus depuis des heures, il se déplaçait mille fois plus vite que la guerre se faisait alors. Au moins mille fois plus vite. Il se déplaçait sans aucun effort, porté par un moteur et une dizaine de roues, dans les montagnes et sur la route asphaltée et sinueuse, et se faisait penser à un éclair, à de la lumière. S'il comparait, c'était presque comme s'il était de la lumière, surtout quand il s'imaginait traverser ces distances à pied, ce que ça impliquait, ce que ça signifiait à l'époque quand on disait à une femme ou à un père « je pars pour Québec », à partir de la Virginie. Il pensait aux excursions, aux explorateurs, à quelqu'un de téméraire, de courageux et d'un peu inconscient, à qui on aurait proposé de suivre un cours d'eau comme le Mississippi jusqu'à sa source, et qui aurait répondu « oui, pourquoi pas », avec enthousiasme.

L'autobus roulait vite, grugeait la distance, Thomas avait presque le vertige. Comme une nausée qui lui montait à la tête, l'étourdissant. C'était une sensation qui ne l'avait pas quitté depuis son départ de Chattanooga, et qui se superposait à la douleur ressentie dans son visage, lancinante. Et maintenant ses jambes commençaient à picoter, à force de rester dans la même position. Quand il essayait de dormir, il devenait conscient des mouvements brusques du chauffeur, de ses bras allongés autour du volant, de sa fatigue accumulée qu'il essayait de narguer en écoutant de la musique haïtienne dans un écouteur. Il fredonnait des mots créoles et bougeait la tête et Thomas était persuadé que c'était surtout pour résister au sommeil. Il était épuisé et ça lui donnait l'impression que tout le monde l'était aussi, que le chauffeur du Greyhound ressentait quelque chose de similaire, une lourdeur des paupières, une perte de la vision, de la profondeur du champ. Et il se réveillait au moindre tournant, persuadé durant une fraction de seconde que l'autobus se renversait.

Il avait insisté pour dire au revoir formellement à ses grands-parents, pour leur offrir une forme d'apaisement que leur avait refusé Laura, en s'évadant durant la nuit avec Albert, dans le noir avec des bagages à peine refermés, les vêtements débordant. Lui aussi partait pour aller rejoindre cet homme qui avait volé leur fille, il ne pensait pas revenir, mais il s'était quand même planté dans le salon, juste en haut de l'escalier du vestibule, pour les embrasser, serrer Josephine dans ses bras et remercier Wright pour tout ce qu'ils avaient fait pour lui, malgré le dérapage des derniers mois. Il se sentait redevable, même s'il ne pouvait approuver les actions posées par son grand-père. Il évitait de dire le mot, les mots qui blesseraient, les mots vrais qui décrivaient l'homme en face de lui. Des mots qu'il pensait n'avoir jamais à prononcer, mais qui avaient ressurgi dans sa vie ces derniers temps, comme des bombes, ou des vieilles histoires secrètes, enfouies sous la politesse et une certaine forme de respect, il devait en convenir. Wright et ses antécédents, Wright et sa famille, ses croyances, ses discours, Wright et les choses qu'il avait écrites, dans des journaux et des magazines à faible tirage. Ces choses terribles que sa mère lui décrivait le soir et qu'il associait à des vieux films suprématistes, dans lesquels on voyait des croix en flammes et des têtes masquées. Des hommes exaltés criant sur l'autel, brandissant des discours et des menaces. Et il l'avait regardé une dernière fois, pas aussi grand que lui, Wright monumental, ses cheveux blancs peignés avec élégance, vers l'arrière, et il lui avait répété qu'il était reconnaissant, mais que le temps était venu pour lui de trouver sa propre voie.

Son grand-père avait sourcillé en entendant le cliché, et Thomas avait vu dans cette réaction un mépris mal dissimulé. Un mépris pour la lâcheté dont il faisait preuve en fuyant vers le nord, dans un autre pays, alors que la bataille commençait à peine. Le mépris d'un homme qui se voyait abandonné encore, par quelqu'un refusant de comprendre qu'il agissait pour son bien, dans l'intérêt du bien, du bien commun. Thomas voyait au fond de ses yeux une forme de conviction qui lui faisait peur, qui s'était rallumée avec le scandale de Keysha-Ann, qui avait fait rajeunir Wright de dix ans, et qui lui avait redonné envie de lutter pour, disait-il, redresser un monde en déclin, tordu, sur le point de s'effondrer. Un monde sans valeurs, déboussolé, sans avenir.

Thomas lui avait serré la main. Il avait voulu démontrer sa reconnaissance, sincère, en serrant fermement, avec conviction. Mais son grand-père avait une poigne qu'il n'arrivait pas à soutenir, celle d'un homme convaincu, qui n'avait jamais douté de quoi que ce soit, qui ne s'était jamais remis en question, et la main de Thomas s'était ramollie à son contact.

Josephine l'avait reconduit au terminus d'autobus et ils avaient eu une ultime conversation, remplie d'euphémismes et de banalités à propos du nord, de l'appel des liens filiaux, de la froideur de l'hiver là-bas, et de la possibilité de la déception. Ils ne mentionnaient pas Albert explicitement, mais sa présence était palpable. Comme d'habitude, elle complétait ses phrases pour lui, trouvait le mot juste avant qu'il ne sorte de sa bouche. Il a ressenti énormément d'affection pour elle, dans sa vieille voiture, l'odeur du cuir chaud pénétrant dans ses narines. Il fixait la route, elle aussi, elle priait silencieusement, et ils sont arrivés à destination. Josephine n'est pas descendue, elle s'est retournée vers lui et lui a dit :

— Tu as dix-huit ans maintenant, tu fais ce que tu veux. On ne peut pas t'obliger à quoi que ce soit.

Et c'était une étrange façon de se dire au revoir, comme si l'argumentation qui n'avait pas eu lieu commençait maintenant, Josephine tournée vers lui, une main sur le volant, l'autre sur son poignet, alors qu'il s'apprêtait à pousser la portière et à sortir de la voiture. Thomas n'avait rien répondu. Les bracelets de sa grand-mère tintaient, il y en avait plusieurs, de toutes les couleurs. Le coffre arrière s'était ouvert à la pression d'un bouton et il était parti, avec son gros sac à dos sur les épaules. Son nom était écrit au feutre dessus : Thomas Langlois, deux mots qu'il n'avait jamais vraiment prononcés correctement.

Quelques minutes après, il avait grimpé dans l'autobus. Personne ne savait où il s'en allait, ça ne paraissait pas dans son visage plaqué de rouge et de mauve. Même le chauffeur qui avait déchiré son billet n'en avait aucune idée, c'était vraiment loin d'ici, le Québec, Sainte-Anne-des-Monts, à plusieurs jours de route, dans un autre pays.

Il a cogné et n'a pas attendu longtemps. Des pas ont résonné à l'intérieur, il pouvait discerner un long couloir à travers le grillage de la moustiquaire, et sa nervosité a grimpé d'un cran quand il a vu une silhouette large d'épaules se dessiner dans la pénombre et la chaleur. Le dernier souvenir de son père remontait à très loin dans son enfance, il le revoyait dans la noirceur de sa chambre d'enfant, sans veilleuse, partir en

330

lui disant de s'endormir comme si de rien n'était, ce serait une nuit comme les autres. Il l'avait chuchoté, plein d'affection rassurante envoyée dans une direction précise. Ils se reverraient un jour, n'est-ce pas ? Et son père avait fait oui de la tête, avant de disparaître pour de bon.

Cet homme qui s'approchait maintenant était le même que l'autre, et la décennie qui les séparait devenait dans l'esprit de Thomas un gouffre insondable, d'une profondeur inouïe, impossible à concevoir, mais par-dessus lequel on pouvait sauter facilement. C'était à lui de choisir, pensait-il, et il s'est rappelé une série de belles phrases entendues quand il était jeune, prononcées par Albert, à propos de tout et de rien, dans des moments de complicité qu'il croyait avoir oubliés. Des phrases dites avec cet accent sophistiqué qui le caractérisait. Quand ils allaient ensemble à la bibliothèque chercher Laura, et qu'après avoir salué le gardien de sécurité, Albert pointait les rayons avec son index : « You see dat ? Your mom, she work in de most beautiful place in de world. » Quand ils lisaient ensemble cette jolie lettre qui le rassurait sur son destin, lui qui doutait toujours, tout le temps, qui n'était même pas certain d'exister pour de vrai, et qu'Albert le berçait sur ses genoux, répétant les mots mystérieux venus de l'autre côté du fleuve, les lui expliquant, insistant pour qu'il comprenne qu'ils s'adressaient à lui. Entre deux phrases, il lui disait de fermer sa bouche, d'essayer de respirer par le nez : « Breed trou' your nose, Thomas. » Et il essayait, évidemment.

Ce n'est pas un être voûté, écrasé sous le poids des ans et des erreurs, qui lui a ouvert la porte, après quelques secondes d'immobilité, les bras le long du corps, à reconnaître celui qui lui faisait face, à se reconnaître en lui, dans sa posture, son cou, sa mâchoire, tramé dans le pointillé de la moustiquaire. Albert a souri, d'abord avec les lèvres, puis avec les yeux et le reste du visage. Thomas a reculé un peu pour le laisser pousser la porte craquante, faisant un pas vers l'arrière sur le balcon.

Derrière lui, les lueurs du jour changeaient de couleur à vue d'œil. Ça sentait la pêche et la mer. Les maisons étaient blanches et bleues, grandes et hautes, certaines portant des noms d'humains écrits sur des plaques de bois. Il a entendu le bourdonnement des sauterelles, dans les champs voisins, monter, monter, et Albert lui a dit d'entrer, de ne pas rester planté là. Il a ri, et il l'a répété en anglais, mais Thomas avait compris, les gestes de son père, sa manière de bouger, de se déplacer, de déplacer l'air autour de lui, avaient toujours été plus qu'éloquents.

XXI

Septembre 1998

Sainte-Anne-des-Monts

Dans la lettre qu'Albert avait envoyée à Thomas, par l'entremise de Mary, il parlait de « reconstruire les ponts » et de « rebâtir les liens », de les retisser, comme si le fil de leur relation brisée traînait à proximité, entre eux, solide au fond, et qu'il suffisait de le glisser dans une vieille maille, défaite dix ans auparavant, pour tout réparer. Le ton était celui de quelqu'un prétendant avoir changé, s'être débarrassé d'un poids qui le rendait lourd aux yeux des autres : si on lui donnait une ultime chance, on constaterait la différence. Thomas, relisant les mots de son père, avait l'impression que ce dernier s'adressait moins à lui qu'à Laura, en un sens. C'était comme s'il avait attendu trop longtemps, et que Thomas était maintenant l'unique réceptacle de son repentir. Il avait envie de lui poser la question, mais l'occasion ne se présentait jamais. Parler de Laura aurait été malvenu, pensait-il, devant l'enthousiasme à peine contrôlé de son père, la joie sincère et contagieuse des retrouvailles.

Depuis un mois, Thomas vivait sous le toit d'Albert, en périphérie du village, près de cette étendue d'eau infinie, sur laquelle les brumes s'étendaient à l'aube, cachant le ciel durant les heures matinales. Il voyait le fleuve de sa fenêtre en mansarde, se perdait souvent dans la contemplation. L'odeur fraîche entrait dans la maison et teintait les pièces une à une, où il se déplaçait en faisant craquer les vieux planchers. Les gens qui avaient construit cette maison étaient morts, mais la vie transpirait par les gonds, les verrous, l'humidité résiduelle, les échos, les angles parfois incongrus de certains murs se rejoignant. Les trous des serrures étaient comme dans les vieux films : on pouvait se pencher et espionner à travers.

Albert l'avait accueilli avec un mélange d'effusions et de retenue, avançant d'un pas et reculant en même temps. Il avait fait mine de le serrer dans ses bras mais s'était presque ravisé à la dernière seconde, comprenant soudainement l'inapproprié du geste, offrant une accolade maladroite, que Thomas avait reçue avec le plus de naturel possible. Ses bras enroulés timidement autour du torse de son père, ses mains qui pouvaient se toucher, il ressentait physiquement le temps écoulé, les occasions perdues. Le sourire d'Albert, malgré tout, était rayonnant, rempli d'affection et de réminiscences. Ils s'étaient séparés, Thomas avait fait mine d'attraper son sac, mais Albert s'était précipité, d'une manière qui rappelait à Thomas les mouvements amoureux et pressés de l'homme qu'il avait observé du haut de l'autobus, à Richmond.

Croyant bien faire, Albert l'avait installé dans son ancienne chambre d'enfant, sans savoir que Jo et Wright avaient eu la même idée. Thomas ne savait pas quoi en penser, ça ne lui était pas indifférent, ce n'était pas non plus négatif, c'était impossible pour lui de considérer cette idée comme négative. C'était une bonne idée, en fait, une preuve de réflexion, la preuve qu'Albert avait pris son arrivée au sérieux. Et pourtant, en s'assoyant sur le matelas rigide, une fois seul, la porte refermée, il avait eu envie de pleurer pour la première fois depuis la mort de sa mère. Comme si, dans cet endroit imprégné de la personnalité de son père, l'absence irrémédiable de Laura prenait tout son sens et sa portée.

Thomas dormait donc dans la vieille chambre d'Albert, au premier étage, celle qu'il avait partagée à une certaine époque avec un frère que Thomas ne connaissait pas. Une chambre dépouillée mais accueillante, au plafond incliné, à la symétrie rassurante, avec deux lits séparés par une table de nuit, sans fanions de football ni posters de chanteurs.

Ils passaient des soirées entières dehors, accompagnant les dernières chaleurs en discutant autour d'un feu. Albert installait les bûches les unes sur les autres, et Thomas le regardait faire, prenant des notes mentales. Le terrain derrière la maison était grand, s'étendait sur des centaines de mètres, des hectares. On pouvait marcher jusqu'à la route sans sortir des limites de la propriété familiale. En passant pour la première fois sous un grand arbre planté seul au milieu d'un champ, Thomas avait remarqué une cabane perchée dans les branches et Albert lui avait expliqué qu'il l'avait construite dans les années soixante-dix, avec son frère. C'était du beau travail, fait avec des planches récupérées d'une vieille remise. Les rideaux à pois pendaient toujours à la petite fenêtre, pas encore tout à fait arrachés par vingt ans d'intempéries. Leurs discussions étaient cordiales, elles se déployaient aussi bien dans l'espace que dans le temps, ils parlaient des environs comme ils parlaient du passé, de la mer, de l'eau salée qui devenait de l'eau douce, de leurs promenades dans Chattanooga et des années de Thomas à Brainerd High.

Albert aimait faire du café tard le soir, auquel il ajoutait un trait de bourbon. Il avait installé autour du feu deux chaises de bois au dossier incliné, des chaises confortables qui leur permettaient à la fois de regarder en face et de regarder le ciel, où des éclats de braise lumineux se mêlaient aux milliers d'étoiles visibles. D'ici, comprenait Thomas, même si on était dedans, on apercevait la Voie lactée.

Ils avaient réglé rapidement les questions pragmatiques. Thomas s'inscrirait à l'université l'année prochaine, rien ne pressait, on vérifierait les possibilités d'équivalence plus tard, et on régulariserait son statut légal. Il était fils de Canadien, né en dehors du pays, de mère américaine décédée. Il était majeur. On verrait. Il passerait l'automne et l'hiver ici, à se reposer et à reprendre des forces. Albert subviendrait à ses besoins, Thomas ferait ce dont il avait envie. Le temps n'était pas compté : ils avaient tant de choses à se dire, tant de souvenirs à partager et à s'échanger. S'il avait envie d'aller se promener le long des berges du fleuve, d'aller camper, d'aller grimper les montagnes, d'aller visiter la péninsule gaspésienne, la baie des Chaleurs, il n'avait qu'à le dire. S'il n'avait envie de rien, qu'il n'hésite pas non plus à le faire savoir, Albert le laisserait tranquille.

Thomas apprendrait le français aussi, durant cette année, c'était une de ses priorités. Albert ne lui avait jamais rien enseigné à propos de sa langue, sauf involontairement, quand Thomas l'entendait discuter avec Laura, dans la cuisine, et que les accents respectifs changeaient de place. Dans ces moments-là, c'était Laura qui peinait, s'enfargeait dans des mots compliqués et étranges, qu'Albert lui faisait parfois répéter parce qu'il n'avait pas compris. C'était un regret qui le suivait, il le disait souvent. De ne pas avoir transmis sa langue à son fils quand c'était le temps lui paraissait un symbole de son échec, de l'échec qu'avait été sa vie. La semaine dernière, il était entré en contact avec une femme du village, une ancienne institutrice qu'il connaissait bien, qui connaissait bien ses parents, les Langlois, et qui était prête à donner un coup de main à Thomas. Elle était patiente et gentille. Thomas se rendrait chez elle à pied, en faisant bouger sa mâchoire comme pour l'étirer et la réchauffer, avant de commencer les exercices d'élocution. En quelques mois, il saurait faire des phrases complètes, il saurait exprimer des besoins quotidiens, il pourrait aller explorer le village et discuter avec les gens. Il irait pêcher la petite morue sur le quai municipal, il lancerait sa ligne, prendrait sa place entre les camionnettes Ford et les travailleurs étrangers. Au village, les gens qu'ils croisaient lui souriaient tout le temps.

La première histoire qu'Albert a racontée concernait la maison, la façon dont elle en était venue à lui appartenir. Il était revenu ici en 1987, Thomas s'en souvenait, et ses parents étaient morts l'année suivante, l'un après l'autre, sans autre descendance que lui, loin d'être l'aîné de la famille, mais seul héritier quand même. En fait, il était le plus jeune : il était né en 1959, six ans après son frère Charles. Mais personne n'était plus là pour réclamer sa part. La plus vieille, sa sœur Monique, était morte en 1985 d'une leucémie et Charles, avec qui il avait construit la cabane et avec qui il avait partagé une chambre, s'était tué en voiture avant d'avoir atteint ses vingt-cinq ans, en 1978, l'année de son départ pour les États-Unis. En fait, Albert savait depuis longtemps qu'il allait tout recevoir au décès de ses parents, l'héritage, la maison, le terrain, les dettes de son père aussi. Il en avait souvent discuté avec Laura, dans leur petit trois pièces, le bébé naissant dans les bras, il lui parlait souvent de Sainte-Anne-des-Monts, de la terre ancestrale, comme à reconquérir. Mais il n'était pas revenu pour ça. S'il était revenu, c'était parce qu'il avait échoué dans sa vie conjugale, là-bas au Tennessee. Ce constat l'avait forcé à partir. À faire un retour en arrière. Thomas devait comprendre une chose : malgré tout ce que lui avait raconté Laura, ils ne s'étaient jamais séparés officiellement, elle et lui, et, avant d'apprendre ce qui s'était passé, à propos de l'écrasement, il avait toujours continué à croire qu'une réconciliation était possible.

Il s'est approché du brasier commençant à perdre de la vigueur et a poussé sur une des bûches avec le tisonnier de métal qu'il avait traîné dehors. Thomas s'est levé pour aller en chercher quelques autres et Albert lui a dit de les déposer juste là, qu'il s'en occupait. Ça avait été une année étrange, disait Albert, en redonnant vie aux flammes, Thomas en avait-il entendu parler ? En janvier, dans le sud de la province, il y avait eu la plus importante panne d'électricité de l'histoire, à cause d'une tempête de verglas qui avait duré plusieurs jours, et qui avait fait sauter les transformateurs, fait tomber les pylônes, déréglé tout le système d'Hydro-Québec. Est-ce que Thomas en avait entendu parler ? Albert plaçait ses mains l'une contre l'autre, formant un cercle, entourant une branche d'arbre invisible :

— La glace était épaisse comme ça. Tout a sauté en même temps. Ici, on a été chanceux, mais dans le coin de Montréal, ça a frappé fort.

En se rassoyant dans la chaise, il a soupiré, d'aise ou de nostalgie, sans doute un peu des deux.

Dans les semaines ayant suivi son arrivée au village, il avait vu son père Jean dépérir rapidement, et sa mère Lorraine le suivre de près. Ils n'étaient pas si vieux, mais la maladie les avait pris quand même, chacun à sa manière, silencieusement dans le cas de Jean, violemment dans le cas de Lorraine. Albert, quand il s'était retrouvé dans la maison vide, après les funérailles de sa mère, avait compris à quel point il était seul, un sentiment exacerbé par le fait qu'il avait lui-même abandonné sa femme et son enfant à des milliers de kilomètres d'ici. Le vent fluvial sifflait dans les volets et s'engouffrait par la porte entrouverte. Il s'était retourné pour la fermer et le silence s'était installé durant plusieurs années, jusqu'à ce que Thomas apparaisse sur le perron, avec son sac kaki et son visage tuméfié.

Ensuite, il a parlé de ses parents, de son frère et de sa sœur, des gens que Thomas n'avait jamais rencontrés, mais dont les portraits étaient accrochés aux murs à l'intérieur. La plus vieille des photos accrochées le long de l'escalier montrait une jeune femme de dix-huit ans, Lorraine Sénéchal, au bras de Jean Langlois, au milieu d'un décor en noir et blanc, une rutilante Packard derrière eux, prête à les transporter vers leur lune de miel, quelque part dans le coin de New York. Il y avait plusieurs autres portraits, dans l'escalier et dans les autres pièces, au-dessus du foyer, près de l'horloge, dans la chambre où Albert dormait, qui avait été celle de ses parents, sur les commodes et les chiffonniers. Albert décrivait ces gens à Thomas pour la première fois, en lui révélant leurs secrets intimes, leurs cachotteries et leurs défauts. Ce n'était pas de la malice, ou du moins ce n'est pas comme ça que Thomas l'entendait. Albert souriait en parlant par exemple de la froideur de son père, qui lui avait tout de même inculqué un certain nombre de valeurs. L'intégrité, la droiture, l'honnêteté, et en écoutant Thomas pensait tout de suite à Wright. Peut-être que lui et Jean se seraient bien entendus, mais en même temps c'était peu probable. Jean Langlois avait été un grand syndicaliste dans les années trente et quarante, il avait participé à l'instauration d'une des premières sections locales des Métallos, à la Stelco de Montréal, il avait combattu les ultramontains de Duplessis. Et pendant que Wright montait les échelons de l'Église méthodiste, Jean s'évertuait à réduire le pouvoir du clergé ici, au Québec.

Ce n'était pas de la malice non plus que Thomas percevait quand Albert lui parlait de Charles, de ses nombreuses conquêtes féminines, de sa vanité légendaire. Albert se souvenait de l'odeur du gel et du fixatif qui flottait en permanence dans leur chambre, quand il était jeune. Il se souvenait aussi du miroir qui avait finalement été installé derrière la porte, un après-midi de 1965. Charles avait convaincu leur mère d'accepter sa demande, il pouvait enfin s'admirer comme il faut avant de partir pour ses soirées. Albert se revoyait, reflété, assis sur le lit la bouche ouverte, derrière son grand frère en train de s'observer dans le miroir, se tournant de profil, se tournant encore plus pour essayer de vérifier, sur sa nuque, la ligne parfaite du rasoir.

Charles était mort à cent quarante kilomètres à l'heure sur la 132 à la hauteur de Rimouski, où il avait rencontré une fille, où il allait la voir souvent. Aux environs de minuit, le 27 mai 1978, il avait perdu le contrôle de sa voiture qui avait capoté jusqu'à s'écraser contre un arbre plusieurs mètres plus loin. Sa mort avait été un choc indescriptible pour Jean et Lorraine, et pour son frère et sa sœur également. Albert a raconté à Thomas que Charles était le genre de personne que tout le monde adorait, malgré ses défauts, des défauts qui le rendaient encore plus charmant. Il était de ceux-là, c'était cliché mais c'était comme ça, on n'y pouvait rien. Charles était beau et généreux, il aimait rire, mais jamais des autres. Il défendait son petit frère. Une fois il s'était battu avec un gars beaucoup plus gros que lui, pour défendre Albert. Sur une des photos de l'escalier, il apparaissait dans toute sa splendeur, en manteau de cuir avec les cheveux gominés, adolescent des années soixante, appuyé sur une Chevrolet chromée, une cigarette entre ses lèvres souriantes. Thomas n'avait aucun mal à comprendre ce qu'Albert voulait dire, en observant la photo. Charles respirait la confiance, il émanait de lui un mélange de bonheur et d'assurance qui déteignait sur les autres, ceux qui se rassemblaient autour de lui, qui gravitaient, satellites et planètes, ses proches, ses amis. Il était, jusqu'à un certain point, une anomalie dans la famille.

Albert, lui, avait toujours ressemblé plus à sa sœur, l'aînée des enfants Langlois, Monique. Il ne l'avait pas beaucoup connue, puisqu'elle était partie de Sainte-Anne-des-Monts assez jeune pour aller travailler à Québec, dans un grand magasin. Taciturne, renfermée, solitaire, on la lui décrivait avec ces mots, sans qu'ils aient pour autant une connotation négative. Dans toute la maison, il y avait une seule photographie de Monique, sur laquelle on la voyait rire à gorge déployée, juste avant que les premiers symptômes de sa leucémie ne surgissent. À l'été 1980, elle était revenue vivre chez ses parents, et la photo encadrée reposant sur le manteau du foyer dans le grand salon la représentait en robe légère, rayée bleu et blanc, presque de

342

dos, presque espiègle, insouciante, une femme de quarante ans aux cheveux bouclés, foncés, d'immenses lunettes sur le nez et des taches de rousseur si on était attentif.

Thomas ne se sentait pas intimidé par ces portraits, par cette famille qu'on ne lui avait jamais présentée, mais il ne ressentait pas non plus de sentiment de filiation. Il s'arrêtait devant la photo de Charles et Albert jouant ensemble derrière la maison, une vieille photo aux couleurs étrangement fades et vives en même temps, dont le cadre était toujours un peu croche sur le mur, et il contemplait le pur bonheur qui s'y trouvait capturé, sans sentir le besoin d'en faire partie, ou d'y appartenir. Ces gens, aussi vivants aient-ils été ailleurs, autre part, ils étaient maintenant figés dans des portraits, fixés aux murs, prisonniers du discours intermittent qu'on aurait sur eux. Albert, quand il parlait de sa famille morte, disparue à divers moments de sa vie, la ponctuant de décès et de pertes, n'était pas amer, mais c'était évident à l'écouter qu'il cherchait à transmettre quelque chose qui lui échappait. Thomas se disait que son père était peut-être comme lui, au fond, et que ces liens qu'il lui décrivait, il ne pouvait les éprouver que quand il en parlait, quand il les faisait revivre dans son esprit, par ses souvenirs, en les replaçant en ordre, comme dans une histoire. Il les faisait revivre, ces gens, rougeoyer à nouveau comme un lit de braises, pour Thomas, mais ils refroidissaient, il s'en rendait compte, irrémédiablement.

Un soir, Albert a dit à Thomas que c'était étrange, et peut-être triste aussi, mais qu'il n'était plus sûr de la couleur des yeux de sa mère. Verts ? Gris ? Il a fixé le vide devant lui, songeur, et Thomas n'a pas pu s'empêcher de lire entre les lignes, d'entendre quelque chose comme « Je n'ai jamais fait attention. »

En septembre, les nuits se sont mises à refroidir, et Thomas a voulu savoir si Albert avait finalement trouvé ce qu'il cherchait, durant toutes ces années, ces années où il les avait quittés, lui et Laura. Et même durant les années d'avant, celles de la petite enfance de Thomas, quand il était distant et insondable, qu'il disparaissait sans avertir, ou quand il se penchait, se mettait à genoux, à sa hauteur sans vraiment l'être, pour essayer de convaincre son propre fils qu'il était extraordinaire, qu'il n'était pas comme les autres, qu'il devait chérir cette différence. Ces années où le résultat escompté avait été contraire à ses attentes, puisque Thomas s'était surtout senti à part, rejeté, et inadéquat. Ce n'étaient pas des reproches qu'il lui faisait, il voulait que ce soit bien clair, il ne lui en voulait pas vraiment, en tout cas il ne lui en voulait plus, il avait appris à faire la part des choses entre ses sentiments intimes et les histoires de Laura, entre ses souvenirs et les récits tronqués de sa mère.

Avait-il finalement trouvé ce qu'il cherchait, cette chose qui l'avait mené jusqu'au Tennessee, dans un autre pays, dans une autre culture que la sienne ? Au début de septembre, Thomas s'est senti prêt à demander des comptes à son père. Il a voulu savoir ce qui se cachait derrière les départs, les fuites, les recherches, la séparation, les adieux dans une pièce sombre, en pleine nuit. Albert a répondu qu'il avait simplement voulu réparer ses erreurs, ses errements, et que ça impliquait une coupure franche, un recommencement. Quand il pensait à ce qu'il avait fait subir à Laura, il fléchissait, il en perdait l'équilibre. Et c'était la raison pour laquelle il était parti, ce matin-là. Non, il n'avait rien trouvé, parce qu'il n'y avait rien à trouver.

Il le regardait de face, de profil, de dos, cet homme qui réparait ses erreurs de la façon la plus lâche et la plus absurde qui soit, en disparaissant, en se sauvant, mais qui décrivait la réflexion derrière ses choix d'une manière si convaincante et si intense, avec dans les yeux une conviction impossible à ignorer. De toutes les facettes d'Albert que Thomas était incapable de mépriser, ou d'écarter comme des lubies, c'était son radicalisme qui l'impressionnait le plus. Albert avait bâti sa vie d'adulte au complet autour d'une obsession unique, une quête qui l'avait tiré en avant pendant près de deux décennies, le forçant à continuer et à s'autodétruire, comme une accoutumance à une drogue sérieuse et maligne. Et soudainement, d'un seul coup, après tant d'efforts, il avait laissé tomber, et s'était mis en tête de se faire pardonner, loin de ses proches, comme en exil.

Il ne disait pas à Thomas qu'il ne pouvait pas comprendre, qu'il était trop jeune, ou qu'il ne pouvait pas savoir ce que représentait son geste. Il parlait à Thomas comme à un adulte, et ça l'impressionnait aussi, d'être traité en égal, comme s'il avait en quelque sorte perdu sa qualité de fils, tout en devenant un être à part entière, un homme, aux yeux d'Albert. Il l'écoutait parler de faute, de rédemption, l'écoutait utiliser des termes parfois ésotériques, et il se sentait respecté par le conteur et transporté par le récit qui se développait à mesure. Les mots flottaient entre eux et prenaient tout leur sens, enfin prononcés sans détour.

Et dans la nuit gaspésienne de ces retrouvailles entre deux hommes, devant les flammes où les feux follets, les grillons, les craquements du bois et le sifflement des aiguilles de pin se mêlaient, Albert a parlé d'Aimé. Longtemps, parce que ça en valait la peine. En essayant d'éviter la confusion et de ne pas s'emporter, malgré l'émotivité associée au sujet, Albert a raconté l'origine de son obsession.

Il a parlé de sa découverte du journal de Jeanne, née Beaudry à Saint-Henri près du canal de Lachine, engrossée en 1864 par un mystérieux amoureux et mariée quelques mois après à Victor Langlois. Son arrière-grand-mère, morte d'un cancer fulgurant à l'aube du vingtième siècle. Il a expliqué les références cryptées, dénichées dans les pages, la réapparition épisodique de cet homme, sur des photos décrites par Jeanne, dans des moments de détresse et d'angoisse aussi, et déjà son ton s'emportait un peu. Thomas écoutait patiemment, attendant que son rôle dans tout ça s'éclaircisse. Il se rendait compte qu'il attendait ce moment depuis longtemps, depuis des années. C'était ce moment qu'il attendait, précisément. Il le vivait. Les yeux dans les flammes orange et jaune, il écoutait Albert et cherchait à tout prix à ne pas être déçu. Enfin, son père lui a parlé de ses recherches sur les années bissextiles et le mouvement des astres, les objets stellaires lumineux, et sur les travaux scientifiques du concile de Trente. Les planètes s'alignaient, dans son esprit, Albert redevenait l'homme grand qui, penché devant lui, répétait que son anniversaire était encore retardé, pour des raisons qui les dépassaient, lui, sa mère et son père. Personne ne pouvait rien y faire : il y avait un trou dans le temps, si petit que seules les personnes les plus extraordinaires, comme Thomas, pouvaient s'y glisser. Albert, soudainement, reprenait sa voix grave, la voix que Thomas entendait à l'époque, avec ses oreilles à peine formées, ses tympans d'enfant de quatre ans. Autoritaire, compétente, indéniablement puissante et omnisciente dans sa portée.

Ça faisait des années qu'il n'avait plus pensé au 29 février, et voilà qu'Albert en faisait le point nodal de son récit : au centre de tout, au cœur même de ce nœud, il y avait Aimé, l'ancêtre, le leaper originel, celui qui ne vieillissait pas comme les autres, arrivé sur Terre à un certain moment, à peine gros comme le chas d'une aiguille, propulsé par une boucle précise de la configuration astrologique. Albert n'avait pas peur du mot, c'était bien de la science des astres qu'il s'agissait, il ne fallait plus avoir peur. Il a fixé Thomas dans les yeux pour la première fois de la soirée. Aimé était son obsession. S'il comptait les mois passés à éplucher les entrées du journal de Jeanne et à organiser les premiers liens flous, il avait passé exactement vingt-deux ans, quatre mois et cent quatre-vingts jours à sa recherche, le nez dans les livres et les pieds dans la boue, aussi bien épuisé dans des bibliothèques qu'essoufflé sur des chemins montagneux. À dix-neuf ans, il s'en souvenait comme si c'était hier, il avait déniché son premier filon important, à propos d'un certain William Van Ness, qui avait combattu sous l'Union avant de disparaître dans la nature, quelque part à l'ouest du Mississippi. Sur un coup de tête, il était parti pour Chattanooga, où un important musée de la guerre civile venait d'être inauguré. Les archives y étaient, disait-on, impressionnantes, sans fond, pour quiconque s'intéressait à la guerre de Sécession, et aux milliers d'anonymes qui y avaient participé, qui étaient morts sur ses champs de bataille, aussi bien d'un côté que de l'autre de la ligne de feu.

Albert a parlé à Thomas de son arrivée au Galaxy, en avril 1979, de sa rencontre avec Laura, et Thomas a ressenti une sorte de vertige, alors que les versions se sont mises à s'entrechoquer et que l'image mouvante mais un peu statique qu'il avait dans sa tête a pris une troisième dimension.

— Maman m'a toujours raconté que tu étais arrivé en mai, le 17 mai précisément.

— Impossible. Je m'en souviens très bien, j'ai gardé le billet d'autobus jusqu'à mon départ, quand tu avais sept ans. Je ne dis pas qu'elle t'a menti, je dis juste qu'elle s'est mélangée dans ses dates. Je suis arrivé à Chattanooga le 13 avril, après trois jours de route. J'ai rencontré ta mère le matin même, au restaurant où elle travaillait. Je suis revenu manger là chaque matin durant les deux semaines suivantes.

À partir de ce moment, le récit d'Albert s'est déplacé subtilement, et les détails se sont mêlés les uns aux autres. L'histoire familiale, amoureuse, de Laura et lui s'est imbriquée dans celle, fondatrice, filiale, de cet ancêtre qu'il poursuivait et dont il était persuadé qu'il arriverait, à force d'efforts, à retracer les pas. Aimé était encore vivant, c'était la certitude qui l'animait. Il en parlait à sa jeune fiancée, il lui en parlait avec passion, et quand il avait appris qu'elle était enceinte, à la fin du mois de juin, ils étaient partis vivre ensemble, se marier, commencer une vie commune.

Étrangement, les parents de Laura ne figuraient pas dans le récit d'Albert, ils en étaient totalement absents, comme s'il les avait à peine connus, eux et leur attitude néfaste décrite si souvent par leur fille. Jo et Wright, leur fanatisme, leur racisme, leur opposition au mariage, rien n'apparaissait.

Thomas n'a pas arrêté Albert pour en savoir plus, il s'est simplement laissé investir par cette sensation simultanée de perte et d'épanouissement qui l'envahissait tout à coup. Albert racontait les années suivantes comme si elles avaient été la rencontre parfaite entre le bonheur conjugal et la détérioration lente de sa confiance en lui. Il avait trouvé un emploi insignifiant, mais qui lui laissait du temps pour ses recherches. Son fils était né au bon moment, il n'arrivait pas à y croire. Il s'était fait convaincant aussi, et Laura avait accepté de le laisser mener ses expériences, persuadée de l'amour profond qui les propulsait. Il y avait eu les anniversaires, l'enseignement privé, en dehors du système scolaire, il y avait eu les discours, dont Thomas se souvenait vaguement, comme d'une brûlure, sur la chance, l'exception, sur le destin même. Et il y avait eu les années de déception, de découragement et aussi celles des grandes découvertes, celles où Albert avait retrouvé la trace d'Aimé, ici ou là, dans les Appalaches ou dans une prison de Québec, les années où Albert n'avait parlé que de ça, incapable de voir que la vie se poursuivait à l'extérieur de la ligne du temps qu'il ne cessait de complexifier et de réajuster. Il a décrit ces années en insistant sur leur aspect fondamental si Thomas voulait comprendre sa personnalité, et en répétant qu'il ne voulait pas dire par là qu'il en était fier, non, en fait il avait appris à considérer cette longue marche vers le vide comme une faille dans sa vie, comme une sorte de faille, oui, de négligence coupable et presque morbide. Une sorte de crime.

Aujourd'hui, disait-il, il s'en rendait compte, tout ça n'avait servi à rien, parce que tout ça, il l'avait inventé, tu me comprends, Thomas, il l'avait fantasmé dans un coin horrible de son crâne égocentrique. C'était facile à dire, maintenant, maintenant qu'il se sentait guéri de son obsession : j'ai tout inventé, et il avait forcé sa famille, sa femme et son fils, à entrer dans son délire. De la première piste froide jusqu'à sa conviction inébranlable d'avoir enfin retrouvé Aimé, toute sa vie d'adulte reposait sur une série de recoupements malhonnêtes et factices. Il s'est mis à rougir et presque à bégayer en évoquant la lettre interminable qu'il avait composée, à la fin de 1986, dans un état second, la lettre si longue, dans laquelle il avait reproduit une légende au complet, de la première ligne à la dernière, pensant que son ancêtre invisible s'y reconnaîtrait, croyant qu'il serait si impressionné par son labeur, si ému par la patience d'Albert qu'il courrait à sa rencontre. Toute une nuit il avait écrit. Non, deux nuits, deux jours et deux nuits. Laura et Thomas n'étaient pas là, ils étaient partis quelque part, il ne se rappelait plus, ils étaient introuvables dans la maison, et lui avait rédigé son espèce de tract fou, désespéré, taché de larmes et de vin, dans lequel il ne disait qu'une seule chose : je vous ai trouvé.

L'ultime échec qu'avait représenté l'absence d'Aimé au rendez-vous du centre-ville de Pittsburg, Kansas, le 13 mars 1987 avait évidemment tout changé pour Albert. Il avait attendu quatorze heures sur le banc désigné, au coin de Broadway, les nuages se regroupant lentement au-dessus de sa tête jusqu'à former une cellule de tempête qui l'avait forcé, comme tout le monde en ville, à se mettre à l'abri.

Albert était retourné à Chattanooga avec le premier autobus le lendemain. Son mariage était déjà terminé depuis longtemps. Laura le lui avait fait comprendre. Dans la cour, sur sa propriété privée, le peu qu'il en restait, il avait tout brûlé, des centaines de documents, à l'exception d'un carnet de notes, celui où il avait retranscrit ses plus importantes découvertes « au propre », comme il disait. Si Thomas voulait le voir, il pouvait le lui montrer, il était en haut, dans la chambre de ses parents, dans la table de chevet, dans un tiroir, dans un sac de papier. Il ne savait pas pourquoi il le gardait, c'était parfaitement inutile. Et Thomas, dans le noir de la nuit, a senti le regard d'Albert se tourner vers lui, peut-être inconsciemment, à peine une fraction de seconde.

— Est-ce que la lettre est revenue, quand tu l'as postée à l'adresse d'Aimé ? a voulu savoir Thomas.

— Non, jamais.

Cette nuit-là, Thomas s'est endormi pour la première fois en plusieurs mois avec un sentiment de plénitude dans la poitrine, comme si un ballon d'oxygène se gonflait entre ses côtes, prenant tout l'espace, remplaçant la boule d'angoisse lourde et étouffante qui écrasait son diaphragme depuis l'incident d'avril dernier.

Couché sur le dos, comme un homme dans son cercueil, il a replié ses mains sur son cœur, c'était comme ça qu'il était bien, et il a pensé à sa date de fête, au fait d'être le fils d'Albert Langlois, à Aimé qui vivait peut-être encore, ancêtre et contemporain, à l'écoulement du temps sur plusieurs échelles différentes, à ce que ça voulait dire pour lui, pour son avenir. Il venait de retrouver son père et les motifs dorés du papier peint luisaient dans la lumière de la lune.

XXII

Novembre 2001
Montréal

En voyant le deuxième avion s'écraser dans la tour, il avait tout de suite pensé à sa mère. C'est son visage qui était apparu dans sa tête, celui de la jeune femme de trente-quatre ans qu'elle était la dernière fois qu'il l'avait vue. Elle était partie ce matin-là prendre son vol pour New York à l'aéroport international de Chattanooga, l'attraper, en retard comme d'habitude, à la dernière minute. Sa valise sur le plancher de la cuisine pendant qu'elle appelait un taxi, qu'elle appelait Mary en vitesse pour lui dire au revoir, le téléphone bloqué entre son épaule et son menton, l'index de sa main droite rentré dans son soulier pour faire glisser son pied, Laura en équilibre précaire, nerveuse déjà de voler, et Thomas réveillé depuis longtemps, en caleçon dans le cadre de porte de sa chambre, les yeux grands ouverts. Elle était partie et il avait dû aller effacer la marque du rouge à lèvre imprimée sur son front. Elle avait fait claquer la moustiquaire et c'était l'ultime son qu'elle avait fait dans sa vie. Non, il y avait eu le son de ses talons sur l'étroite allée bétonnée, il y avait eu le son de la portière du taxi, et le son des roues, un crissement, rapide, véloce, comme si elle se sauvait. Elle avait dit à quatorze ans on se garde tout seul. Mary va venir voir si tout est correct au début de la semaine. Elle avait dit je reviens tellement bientôt tu peux même pas imaginer. Ou quelque chose comme ça. Elle avait dit qu'elle reviendrait.

C'est le visage de sa mère qui lui était venu à l'esprit, quand il avait vu le deuxième avion s'écraser en direct dans la tour sud, alors que des grappes de fumée noire, gigantesques, sortaient de l'autre tour par les fenêtres et les murs pulvérisés, s'échappaient de l'immeuble, se détachant sur un fond bleu éclatant. Tout le monde se demandait ce qui se passait et on avait aperçu un point triangulaire à droite de l'écran, qui avait disparu un instant derrière les flammes, et qui avait créé une explosion spectaculaire de l'autre côté. Il n'y avait pas de son, l'image était seule, avec des mots qui défilaient en bas, sur une bande d'information continue, en retard sur ce qui venait juste d'arriver. Personne ne parlait plus devant l'écran non plus, à ses côtés, personne ne disait rien, on entendait seulement des bruits de respirations coupées. Une petite aspiration, une main devant la bouche, les yeux rivés à l'écran, des dizaines. Des attroupements et des gens qui sortaient des salles de classe, comme informés par l'instinct.

Il était déjà arrivé à l'université quand les images de la tour nord en feu s'étaient mises à défiler en boucle sur les écrans de télévision au café étudiant. Un peu après huit heures du matin, les employés avaient changé de poste pour le mettre à Radio-Canada, et Thomas avait levé les yeux de son manuel. Il voyait le World Trade Center, une image du World Trade Center comme d'habitude, ces tours qu'il n'avait jamais visitées, la tour nord qui brûlait près du sommet, un trou noir aux étages supérieurs. Des hélicoptères tournoyaient dans le ciel et les caméras faisaient des zooms rapides. Quand l'avion était apparu dans l'écran et qu'il avait foncé sur l'autre tour, tout le monde avait compris qu'il s'agissait d'une attaque, d'un attentat, d'un geste délibéré. Le premier avion n'avait pas été filmé, on n'avait pas d'image à montrer, mais les mots qui défilaient parlaient d'un autre vol détourné, qui se serait écrasé sur le Pentagone. Thomas lisait les mots, se laissait imprégner de leur violence. Il n'était jamais allé à New York, à part pour changer de bus, pas plus qu'à Washington, il ne connaissait pas plus ces villes que les gens regroupés autour de lui, qui sacraient et répétaient que c'était incroyable, que ça ne se pouvait pas. Un journaliste bien peigné revenait souvent, et les gens autour disaient qu'est-ce qu'il fait là, lui, c'est pas le gars de la culture ? Pourquoi c'est lui qui parle ? Et d'autres répondaient que c'était sûrement une coïncidence, qu'il se trouvait à New York à ce moment-là et que la direction lui avait demandé d'assurer la couverture. C'était un journaliste après tout, avant d'être un chroniqueur culturel, c'était un journaliste, un professionnel. Il était sur le toit d'un immeuble, quelque part bien loin, à Brooklyn peut-être, en sécurité, mais il était aux premières loges, la caméra le filmait, et quand il expliquait quelque chose

355

de précis, il se tassait et la caméra zoomait sur les édifices.

Et environ une heure plus tard, sans que personne ait pu le prévoir, le sommet d'une des deux tours s'était effondré et d'immenses volutes de fumée et de poussière s'étaient envolées dans toutes les directions. C'était incroyable, mais on ne le disait pas. Le silence, encore une fois, était revenu dans les couloirs de l'université. Dans les années à venir, c'est de ce silence que Thomas se souviendrait le plus : une sorte d'observation muette et transie, ici, à des centaines de kilomètres de l'action, en parfaite opposition avec le chaos qui régnait dans les rues, là-bas.

Toute la journée ensuite, toute la semaine, les images étaient revenues en boucle, celles de personnes agitant des vêtements blancs aux fenêtres éclatées, celles de caméramans engloutis d'un coup par une marée de poussière grise, celles des immeubles s'écroulant comme des châteaux de cartes, celles des hommes et des femmes en noir et blanc, en sépia, recouverts de particules lunaires, marchant, dérivant comme des zombies dans les rues remplies de papier.

Thomas ne connaissait pas New York, il n'était jamais sorti du Tennessee avant de quitter les États-Unis, mais il avait quand même l'impression, comme un réflexe, qu'on venait de les attaquer, lui et sa mère, la mémoire de sa mère, ce qui restait, une sorte d'héritage. Qui lui en aurait voulu ?

Il n'avait pas assisté à son cours, mais ça ne changerait rien, le professeur l'avait annulé de toute façon.

Deux semaines après ce qu'on appelait déjà les attentats du 11 septembre, il avait recommencé à sortir, à avoir une vie sociale. Il arrivait à regarder le ciel toujours bleu de ce début d'automne, à en apprécier la couleur et la profondeur. Quand deux avions passaient en même temps, qui semblaient se croiser dans un même corridor, son angoisse revenait momentanément. Il lui était arrivé, ces derniers temps, de se demander comment faisaient les autres pour continuer à aller et venir, à monter dans leur voiture et à acheter des produits en solde. Il lui était arrivé de se dire qu'il ne s'en remettrait pas, comme le reste du monde, mais en même temps le reste du monde continuait à tourner, même si le brasier rougeoyait encore dans la nuit et que les pompes à eau fonctionnaient vingt-quatre heures sur vingt-quatre. On n'identifierait jamais tous les cadavres, ou les morceaux de cadavres, comme on n'avait jamais formellement identifié Laura, perdue au fond de l'océan.

Fin septembre, on l'avait invité à une soirée, chez des gens qu'il connaissait peu, et il avait accepté, ça lui ferait du bien, de voir du monde, de parler, de fraterniser. Thomas s'était préparé, il s'était habillé et avait choisi une belle chemise, rentrée dans ses pantalons. L'adresse où il devait se rendre était à l'autre bout de la ville et il avait pris le métro, encore un peu fasciné par sa propre capacité d'adaptation, de réadaptation, la facilité qu'il avait à glisser la carte dans la fente de métal, à pousser le tourniquet avec sa hanche. Ses mouvements étaient normaux, routiniers et intégrés dans le quotidien de la ville. Il ne connaissait personne qui était mort dans les tours, en tout cas pas directement. Il revoyait souvent, comme par flashs, des petits points tomber des étages supérieurs, filmés par les caméras de télé, par des professionnels habitués à bouger l'objectif rapidement, des points qui tombaient, filmés jusqu'en bas, jusqu'à ce que quelqu'un comprenne, en régie, quelque part, que c'étaient des gens qui sautaient. Ce n'étaient pas des objets, c'étaient des gens, en complet, en cravate, en jupe, enveloppés dans des parachutes de fortune créés à partir de leurs vêtements. Les caméras avaient arrêté de zoomer sur le trou béant, sur les fenêtres.

Thomas était arrivé assez tôt, il s'était présenté aux hôtes, avec son accent dans les dents et sur la langue, un sourire avenant sur les lèvres. Tout le monde avait à peu près son âge, il replaçait des visages de l'université, des gars et des filles qu'il croisait dans ses cours, certains qui prenaient la parole plus souvent que les autres, en classe. Thomas connaissait deux des personnes présentes, avec qui il s'entendait bien. Il les avait déjà invitées chez lui, leur avait raconté rapidement son historique familial, ses détours par le système scolaire américain, pour arriver ici. Quand il mentionnait son passé, le Tennessee, les gens lui demandaient souvent de parler comme dans le Sud, en étirant les voyelles longtemps, en accentuant la nasalité, et il le faisait et ça les faisait rire. Et après, Thomas se faisait poser des questions.

— C'est pas mal raciste dans ce coin-là, non ?
— Well, il répondait.

Il faisait chaud encore, tiède du moins, même une fois le soleil couché, et la fête s'était déplacée sur le toit de l'immeuble, d'où on voyait le centre-ville vers le nord, et la montagne derrière, avec la croix bien installée, illuminée. Il y avait des francophones et des anglophones qui se mêlaient, se parlaient et s'esclaffaient. On avait apporté les caisses de bière et les bouteilles de vin. Quelqu'un roulait un joint près des escaliers de secours pendant que son ami grattait une guitare juste à côté. Une fille était presque tombée du toit et tout le monde avait trouvé ça très drôle, surtout elle, penchée vers l'avant, la main sur son cœur battant, le souffle court, s'appuyant sur quelqu'un. Thomas s'amusait et il avait sorti bien vite la chemise de ses pantalons, c'était plus confortable. La plupart des invités venaient du même programme que lui, à l'université, mais il y avait aussi plusieurs amis d'amis et des inconnus qui avaient été reçus avec enthousiasme parce qu'ils avaient de l'alcool. Le toit était rempli de gens et un petit groupe s'était formé autour du guitariste qui jouait des chansons de The Smiths et de Belle and Sebastian. Il chantait les yeux fermés, les narines dilatées, avec un sérieux dont on ne se moquait pas. Les autres l'accompagnaient avec des harmonies sincères. Il n'était pas encore très tard, et les voisins étaient loin.

Les lueurs du centre-ville étaient impressionnantes, on entendait le bruit des klaxons et on voyait la lumière tournoyante de la Place Ville-Marie se découper sur les nuages bas. Un des gars que Thomas ne connaissait pas avait commencé à rire très fort, de façon artificielle, faussement démoniaque, et il a crié tout à coup :

— En tout cas, les esties d'Américains, ils en ont mangé toute une !

Et les rires avaient fusé de partout, les exclamations de joie avaient éclaté en chœur. Il y avait eu une réelle harmonie, une cohésion pour la première fois de la soirée. Les gens criaient, plus fort les uns que les autres.

— Enfin !

— About time !

— Ils l'ont crissement mérité, les esties de motherfuckers !

— Viva Oussama !

Thomas les entendait, saisissait les nuances, le mélange d'ironie et de bravade, les tons des voix et les particularités de chacune. Il s'était reculé, s'approchant du bord, pour observer la scène. Il avait vu quelqu'un se mettre à danser comme un Indien autour d'un feu imaginaire, tenant sa bière à bout de bras à la manière d'une lance et frappant sa bouche à répétition, pour créer un son aigu et saccadé. D'autres s'étaient joints à lui, dans un pow-wow improvisé. Le joint s'était rendu jusqu'à Thomas, qui avait hésité quelques secondes, le regardant, jusqu'à ce que la braise lui brûle les doigts.

Malgré tout, continuait-il à croire, malgré certains cauchemars récurrents, les événements de septembre et leur influence sur ses pensées, sur ses questionnements identitaires, n'étaient qu'une sombre parenthèse dans cette nouvelle vie qu'il appréciait et qu'il menait, à la manière d'un projet à long terme, le premier, ici, au milieu d'une hostilité diffuse. Il venait de commencer sa deuxième année à l'université, vivait dans les résidences, de grands immeubles grisâtres près des bouches de métro. Les jours passaient et se ressemblaient, mais il était heureux. Il avait des amis dans différents quartiers, avec qui il découvrait la ville, ses coins reculés et secrets. Dès qu'il avait du temps libre, il allait marcher, en réfléchissant, le long des rues commerçantes, de la Main, le long du canal de Lachine, à Saint-Henri où, selon Albert, tout avait commencé. Il aimait se retourner et, à la vue de l'oratoire au loin, constater qu'il était passé de l'autre côté du mont, qu'il l'avait traversé par en dessous, dans les souterrains. Le campus était gigantesque, Thomas l'avait arpenté de long en large. Il allait voir les parties de football et aussi les compétitions de natation. Ici, à Montréal, contrairement à Chattanooga, il avait l'impression de vivre dans une grande ville, une sorte de grande cité sale mais résiliente, pleine d'échos et de grues. Les sons étaient omniprésents.

À la bibliothèque de l'université, il avait accès à Internet, sur des postes communs. Il vérifiait sa boîte de courriel, entre les cours, durant ces longues périodes creuses entre les cours du matin et ceux de la fin de l'après-midi. Le mois de novembre était arrivé. La veille, il avait neigé, mais les flocons avaient disparu une fois au sol, aussitôt.

Il parlait souvent à son père, en anglais et en français, indifféremment. Leur relation n'avait pas de langue particulière, et ils trouvaient les mots adéquats pour décrire ce qu'ils vivaient, ce qu'ils pensaient, ils n'avaient pas peur des mots.

Albert était venu le visiter quelques fois dans son minuscule appartement des résidences. Il avait dit que ça lui rappelait les baraquements des cadets, à l'époque, la discipline et la rigueur du béton, des murs droits et solidement enracinés dans le sol. Quand il était arrivé à Chattanooga, Albert avait son vieux duffle bag des cadets et Laura avait cru qu'il était peut-être un soldat. Mais un soldat ne se serait jamais présenté dans un endroit public avec une barbe dans cet état. Albert avait visité les résidences où habitait son fils, dans cette grande ville où il n'avait jamais vécu lui-même, et il lui avait dit qu'il était fier, d'une manière inédite. Il était fier du présent, de la manière dont le présent se dessinait, et l'avenir aussi. Quand ils se parlaient au téléphone, ils faisaient des blagues en anglais ou en français, et Thomas comprenait les subtilités, les doubles sens, les jeux de mots. Ils parlaient souvent d'Aimé, mais comme s'il s'agissait d'un personnage qu'ils avaient inventé pour se divertir, auquel ils auraient offert une histoire et un récit de vie, auquel ils auraient donné des traits vivants mais pas envahissants. Thomas n'avait pas peur qu'Albert retombe dans ses anciennes obsessions. Il s'était désintoxiqué, il vivait aujourd'hui, *maintenant*, il le disait en riant, il n'avait plus rien à faire du passé. Il s'occupait d'une terre, coupait du bois à longueur d'année, en faisait des bûches, soit pour s'asseoir, soit pour se réchauffer. C'est Thomas qui avait le carnet, qui le gardait, comme le témoin d'une étape franchie, le rescapé d'un immense naufrage.

Et il y avait autre chose aussi, dont on doit faire état, qui rongeait son cœur tout en le dilatant. Depuis plusieurs mois, en fait depuis son anniversaire du 28 février, quand il avait reçu la première d'une série de lettres, il correspondait avec Mary. Et en ce début de mois de novembre, il était inquiet parce qu'aucune lettre n'était arrivée depuis les attentats.

Il y pensait, une sorte d'ardeur dans la tête. C'était arrivé naturellement, après plus de deux ans de silence, sans qu'ils sachent exactement ce qui les attendait. Sur du papier coloré, dans une écriture souple, aux syllabes longues, à l'encre bleue, elle lui avait souhaité un joyeux anniversaire, sa majorité absolue, ses vingt et un ans maintenant arrivés. Elle avait écrit que ça ne la rajeunissait pas de penser à ça, mais qu'en même temps, quand elle pensait à lui, elle ne se sentait pas vieille. C'était une courte lettre et Thomas avait répondu tout de suite. Quelques mots, griffonnés rapidement, des remerciements émus et la promesse d'envoyer très bientôt une plus longue lettre, une missive qui raconterait en détail les années écoulées.

Ça faisait maintenant plusieurs mois que ça durait et, même si aucun des deux n'évoquait l'idée de partir, ou de revenir, la possibilité se dessinait entre les lignes. Thomas parlait de ses études, de la joie qu'il ressentait à se présenter à ses cours. Il avait toujours été bon élève, studieux, concentré. Mary avait une calligraphie de bibliothécaire, habituée à écrire des fiches, ses mots étaient sans fioritures mais clairs, un peu inclinés. Quelque part au milieu du continent, leurs lettres se croisaient, dans des bureaux de poste frontaliers, l'eau de toilette subtile que Mary vaporisait sur l'enveloppe embaumait les camions, les boîtes aux lettres. Elle écrivait qu'elle ne s'était jamais sentie comme ça. Jamais, répétait-elle, en soulignant d'un trait droit, sans hésitation. Parfois, Thomas devait arrêter de lire pour prendre le temps de réfléchir. Pour regarder par la petite fenêtre et reprendre un souffle que personne ne lui avait enlevé. Quelques secondes plus tard, il replongeait dans l'univers de Mary, qu'elle construisait pour lui seul.

Ils se révélaient des secrets. Cette nuit-là, juste avant l'accident, la nuit qu'il avait passée chez elle, il avait à peine dormi, le savait-elle ? Il avait passé des heures à fixer l'étiquette de sa camisole dans le noir, infime point blanc se détachant sur sa peau. Le savait-elle ? Il l'imaginait dans son petit bungalow d'Avondale, penchée à son bureau de travail, ses tresses pendantes, un thé juste à côté. Il lui demandait si Frederick Douglass et ses amis étaient encore devant sa maison, à veiller comme des sentinelles. Elle lui répondait qu'ils étaient plusieurs à monter la garde, à faire la vigile dans le quartier toujours plus violent. Il n'osait pas demander des nouvelles de Keysha-Ann, mais Mary lui en donnait, parce qu'elle le connaissait mieux que n'importe qui, après tout.

En lisant cette phrase, Thomas avait ressenti de l'amour, et il savait ce que c'était, très bien, ça le serrait et ça le libérait en même temps. Il ne l'avait pas écrit tout de suite, mais au fil des mois, ses mots étaient devenus de plus en plus limpides. Il sentait qu'il vieillissait à vue d'œil, que toutes les expériences, repoussées d'abord par la mort de Laura et ensuite par l'accueil chaleureux mais presque étouffant de Wright et Jo, lui arrivaient simultanément. En juin 2001, il avait écrit pour lui souhaiter bon anniversaire, elle venait d'avoir trente-huit ans.

Il était amoureux d'elle, c'était réciproque, mais ça faisait plusieurs semaines qu'il n'avait rien reçu.

En descendant, il a enfin trouvé la lettre dans le casier numéroté qui lui avait été attribué, un petit bloc de métal enfoncé dans le mur ouest du vestibule. La première depuis les attaques sur New York et Washington, la première depuis trop longtemps. Il a reniflé l'enveloppe rapidement, il était seul. L'odeur était faible, mais elle était bien présente. Il s'est installé dans un des fauteuils et a coupé le rabat en utilisant un canif qu'il traînait toujours sur lui et qu'Albert lui avait offert.

Quand il avait raconté à son père l'anecdote des gens à la soirée passée sur le toit, quand il lui avait raconté leurs commentaires, leurs rires, leurs exclamations de joie et d'euphorie incontrôlables, Albert lui avait répondu don't pay attention to dem, dey don't know what dey're talking about, dey don't know anyting. Et Thomas avait eu envie de le croire, de lui faire confiance, même si une partie de lui comprenait leur réaction, ou en tout cas n'arrivait pas à la condamner entièrement. Cette partie de lui était là, juste là, toujours à la surface, prête à prendre une bouffée d'air avant de replonger. Et quelques mois avant, quand il avait parlé de Mary à son père, durant les vacances d'été à Sainte-Anne, il l'avait regardé dans les yeux et lui avait dit que c'était une extraordinaire nouvelle, qu'il avait toujours beaucoup apprécié Mary. Après tout, c'était grâce à elle qu'ils étaient ensemble aujourd'hui. Et Thomas avait eu envie de le croire, même si les traits de Keysha-Ann s'immisçaient dans son esprit, derrière ses yeux clos.

Il a sorti la feuille. Il l'a regardée avant de la lire, le papier, la couleur des mots, les lignes bien droites et les marges alignées. Dans la lettre, Mary lui demandait pardon pour ce silence prolongé, elle avait bien reçu ce qu'il lui avait envoyé, elle l'en remerciait. Elle expliquait longuement que ce qui était arrivé le 11 septembre dernier l'avait affectée personnellement d'une multitude de façons et qu'elle avait eu besoin de temps pour réfléchir et se retirer, reprendre le souffle qu'on lui avait pris. Elle expliquait à Thomas que son oncle, le frère de sa mère, Louis, avait été tué dans l'attaque sur le Pentagone, qu'il se trouvait dans l'aile où l'avion s'était écrasé. Louis travaillait au Pentagone, dans un département sécurisé, depuis plusieurs années. La famille était dévastée, Mary s'était rendue à Washington pour les funérailles privées qui avaient été exigées. Là-bas, elle avait revu des gens de sa famille dont elle ne se souvenait même plus du nom, mais qui avaient pleuré dans ses bras, qui l'avaient embrassée. Sa mère avait été durant des années le seul lien de Mary avec ces personnes, mais aujourd'hui, la mort de Louis les rapprochait.

Dans la lettre, Mary écrivait qu'il était mort sur le coup, disait-on, il n'avait pas souffert, comme plusieurs, et certains commençaient déjà à dire que c'était un missile et non pas un avion qui s'était écrasé. Les gens parlaient et disaient n'importe quoi, les gens, après trois semaines, quatre semaines de silence respectueux, s'étaient remis à parler, et ils affirmaient des choses, remettaient en question le discours des médias et des journaux. À Chattanooga, au Tennessee, les gens avaient des théories, sur la guerre, sur la haute finance, sur les Juifs, et Mary expliquait que ça commençait à être insupportable. Est-ce que c'était différent là-haut, au Canada ? Là-haut il n'y avait pas de violence, n'est-ce pas ? Les voisins étaient respectueux, les gens vivaient en harmonie, les armes à feu étaient interdites et tout le monde était assuré, tout le monde recevait des soins gratuitement. Ici, tout le monde était devenu paranoïaque et, à la bibliothèque, pour la première fois de sa carrière, on lui avait suggéré de signaler les « emprunts suspects », est-ce que Thomas pouvait imaginer ça ? On lui avait « fortement suggéré », rien ne l'y obligeait formellement bien sûr, d'inscrire sur des fiches spéciales les livres empruntés concernant le monde arabe, la religion musulmane, l'histoire du terrorisme et des sujets semblables. Pour la première fois de sa carrière, elle avait reçu des instructions d'en haut, d'ailleurs, concernant autre chose que l'amour, le respect, la passation des livres, de la culture, de l'histoire. Elle tremblait en l'écrivant, de colère et d'angoisse, ça paraissait, Thomas le voyait bien. Les mots étaient plus vifs, plus inclinés, moins espacés.

Dans la lettre, elle écrivait que ce n'était plus vivable ici, que les gens avaient peur, qu'ils étaient désorientés, elle aussi. Elle ne lui cachait rien : elle avait vraiment peur que le pays explose au complet, que la guerre soit déclarée, partout, que les bombes se mettent à pleuvoir. Que d'un côté des Arabes arrivent et se mettent à tuer des gens innocents, qui n'avaient rien à voir avec rien, que de l'autre le président déclare la guerre aux pays musulmans, peu importe lesquels, qu'on ferme les frontières, qu'on impose la conscription. Mais elle se calmait. Cette journée avait tout changé, Thomas, mon Thomas, ça avait été la pire journée de sa vie. Le 11 septembre avait tout changé dans sa vie, elle ne pouvait plus vivre ici, elle avait trop de choses à faire et à voir avant de s'aigrir dans l'amertume et l'anxiété. Il y avait sûrement des bibliothèques au Canada, au Québec.

Et finalement, dans la lettre, elle lui a dit qu'elle s'en venait. Que, s'il était prêt à l'accueillir, elle s'en venait. Il a entendu sa voix. Elle lui a répété qu'elle ne pouvait plus vivre ici, qu'elle ne pouvait plus vivre sans lui non plus, qu'elle était confuse mais décidée en même temps, qu'elle avait peur de ce qu'elle ressentait mais qu'elle n'avait jamais été aussi confiante, I could learn French, I'm not too old to start, et Thomas, quelques jours plus tard, à l'aéroport, juste avant le mois de décembre, la prenait dans ses bras.

XXIII

Mai 2014

Québec – Sainte-Anne-des-Monts

Il faisait encore frais, le beau temps tardait à s'installer sur la ville, le long des plaines, quand Thomas s'est rendu au chevet de son père. La chaleur arrivait par vagues courtes, par ondes, comme des courants dans une rivière, on la traversait rapidement et elle repartait. À la mi-mai, on enregistrait encore des températures sous le point de congélation durant la nuit, les bourgeons, même les plus vaillants, n'arrivaient pas à éclore. Albert allait mourir dans les lambeaux d'un hiver qui résistait et qui ne s'en allait nulle part.

Thomas et Mary sont partis en voiture et ont d'abord longé le fleuve sur la rive nord, une route qu'ils avaient empruntée des dizaines de fois dans les dernières années. Ils ont pris le traversier à Saint-Siméon et ils ont emprunté la route de la Gaspésie, longue, sinueuse et ouverte sur les vents de la mer qui s'élargissait, grande, à vue d'œil, l'effet était grandiose. À un certain moment, ils ont arrêté de voir de l'autre côté, l'autre rive, et ils se sont concentrés sur ce qu'il y avait en avant. Elle conduisait presque toujours, il n'avait jamais appris à bien le faire, lui qui faisait tout si bien. Elle n'exigeait pas qu'il se mette au volant, même quand elle était fatiguée. Elle se disait que, comme copilote, il était assez minutieux comme ça. Elle se perdait quand il n'était pas là. Même si elle avait conduit ici des centaines de fois, des milliers de fois, à la hauteur de Cap-Chat, il y avait un embranchement qu'elle oubliait toujours. La voiture roulait bien, les pneus étaient neufs. Ils n'ont pas beaucoup parlé. Mary écoutait la musique à la radio, Thomas fixait le paysage, par la fenêtre, les arbres encore dénudés. Il a cru apercevoir un chevreuil, furtivement, mais c'était peut-être des branches qui bougeaient dans la brise.

Il avait reçu la nouvelle quelques semaines auparavant. En revenant du laboratoire de la rue Dorchester vers la haute-ville, près des escaliers de la côte Badelard, il avait reçu un appel de Mary sur son cellulaire. Il venait de détacher le bouton du col de sa chemise, pour respirer plus facilement, il marchait vite, la journée était froide, grise, et son téléphone avait sonné. Elle lui avait dit qu'Albert venait d'appeler, qu'il avait reçu les résultats : c'était le même genre de cancer du sang que celui dont sa sœur était morte dans les années quatre-vingt. Il avait reçu son diagnostic. Oui, bien sûr, il allait mourir, ça faisait longtemps qu'on le savait, au fond. Ça faisait des mois qu'ils essayaient de le convaincre d'aller consulter, mais Albert n'était pas entré dans un hôpital depuis plus de trente ans, depuis la naissance de Thomas en fait, il n'avait pas mis les pieds dans un hôpital. Mary avait dit à

Thomas qu'elle l'attendait, qu'ils allaient planifier leur départ, qu'elle était désolée. Elle lui avait dit qu'il pouvait rappeler son père, le plus vite possible, que ça lui ferait plaisir.

Albert allait mourir, et Thomas avait grimpé les marches de l'escalier en courant, avec ses souliers propres, son manteau imperméable et son porte-documents bringuebalant au bout de son bras. Leur maison était juste un peu plus haut, sur la rue Richelieu, il serait là dans une minute à peine.

Mary l'avait accueilli à la porte et ils s'étaient embrassés, sa main à elle sur sa nuque à lui, et ses mains à lui caressant sa colonne vertébrale à elle, et elle pleurait parce qu'Albert venait de leur confirmer ce qu'ils savaient. C'était triste, elle était triste, pour Thomas, pour Albert, pour quelque chose qui se terminerait avec sa disparition. Thomas la serrait fort, et s'appuyait sur elle en même temps. Ils s'étaient serrés comme ça, longtemps, sur le seuil, en haut des escaliers du petit perron, à la fois à l'intérieur et à l'extérieur de cette maison qui leur appartenait, dans un quartier si différent de celui où Mary avait grandi, un quartier si vieux, bancal et coloré. Ils étaient rentrés et Thomas avait tout de suite téléphoné à Albert, pour lui confirmer qu'il était au courant, pour régler certains détails concernant leur arrivée.

— Je pourrai pas partir d'ici avant que les tests au labo soient terminés, ils me laisseront pas partir.

— Je sais, je comprends. Je veux pas que tu laisses tout en plan, vous venez quand vous pouvez. Peut-être que je vais pas mourir, on sait pas. Avec les traitements et tout, avec les nouveaux traitements.

— Ils t'ont dit que t'avais des chances ?

— Non. Aucune.

— Qu'est-ce qu'ils ont dit ?

— Maximum six mois. Pis c'est optimiste.

Et Thomas s'était mis à compter le nombre de jours qui composaient ces six mois, sans faire de calcul, pendant qu'Albert essayait d'être drôle et lui répétait qu'il serait temps qu'il achète un grand lit pour la chambre d'amis, après toutes ces années, pour que Thomas et Mary puissent dormir ensemble, dans le même lit, sous son toit, au moins une fois avant qu'il meure. Il avait été négligent. Six mois, ça faisait cent quatre-vingt-deux jours. Thomas avait dit à Albert qu'il ferait son possible pour se libérer du labo dès que les résultats préliminaires seraient connus, d'ici une semaine ou deux, trois semaines au pire. Son équipe se débrouillerait ensuite sans lui, les analyses seraient confiées à des collègues. Mary et lui partiraient tout de suite après.

— Tu vas conduire ?

— Probablement pas.

Il avait vu le sourire moqueur de son père.

Quand ils sont arrivés, ils ont constaté qu'Albert avait effectivement acheté et fait livrer un grand lit pour remplacer les deux lits simples de sa chambre d'enfant, où Thomas et Mary dormaient durant leurs visites. Ils se sentaient comme à la maison ici avec Albert, ça faisait des années qu'ils formaient ce qu'ils appelaient une famille. Mary faisait les plus beaux feux de camp, elle avait été dans les scouts bien plus longtemps qu'Albert dans les cadets. Elle connaissait les trucs d'allumage, prenait les commandes. Elle coupait les plus belles bûches. Elle et Albert s'entendaient bien. Ils avaient le souvenir de Laura entre eux, à se partager, mais Mary avait décidé de ne pas se battre pour recevoir la plus grosse part. Il fallait tourner la page, c'était l'unique possibilité. Mary était comme ça. Elle avait dit à Thomas, lors de leur premier voyage en Gaspésie, au début de leur relation : ton père, il a beaucoup de choses à se faire pardonner, tu sais, et elle s'était mise à sa disposition, prête à l'écouter et à recevoir sa version, et Albert avait pris les deux jours suivants à faire exactement ça. Pas pour la charmer ni pour la convaincre, mais pour la rejoindre à un endroit précis, comme sur un terrain neutre, où ils pourraient cohabiter.

Personne, surtout pas nous, ne pouvait savoir comment ils auraient tous vécu, si Laura n'était pas morte dans un avion en 1994, mais ça ne servait à rien de vivre dans ce monde-là, un monde dans lequel Laura vivait heureuse, ou dans lequel Albert n'avait rien à se reprocher, ou dans lequel Thomas ne connaissait pas ses grands-parents, ou même un monde dans lequel Mary et lui ne se rencontraient jamais. Ça ne servait à rien, ils étaient d'accord. Mary s'occupait du feu, elle adorait ça, et Albert et elle parlaient ensemble de son nouvel emploi, de sa facilité avec l'apprentissage des langues, des démarches pour la citoyenneté. Thomas ne pensait pas un jour pouvoir affirmer ça, mais il se sentait très proche de son père. Ça l'étonnait encore, parfois, d'y penser.

Ce soir-là, pour la première fois chez Albert, Mary et lui ont dormi ensemble dans les mêmes draps, sous la même couverture. Albert s'était couché tôt, il marchait plus lentement, il avait maigri. Thomas l'avait aidé à monter les marches de l'escalier, en le soutenant par les épaules. Ils se sont endormis en sachant très bien que ça ne serait pas long. Au souper, Albert avait minimisé sa maladie, on ne vivait plus à la même époque que celle où sa sœur Monique était morte. Et même si ses deux parents étaient eux aussi morts de cancers, il croyait qu'il pourrait s'en tirer. Est-ce qu'il y croyait vraiment ? On n'aurait pas su le dire en le regardant, comme ça, dans la lumière du jour, puissante et froide.

Il ne recevrait pas de chimiothérapie, les médecins lui avaient prescrit des médicaments, des mixtures de fin de vie, des analgésiques. Il allait mourir à la maison, avec son fils et sa belle-fille, c'était son choix. Il n'était pas vieux, à peine cinquante-cinq ans, les gens mouraient à cent ans aujourd'hui, à cent dix ans. Les gens survivaient à des infections et à des maladies contagieuses, à des cancers du cerveau. Il n'était pas vieux mais son corps ne répondait plus, les vaisseaux sanguins étaient affectés, les globules étaient déréglés, les plaquettes, les leucocytes. Sa peau avait changé de couleur, quelque part entre le gris et le jaune.

Mary et Thomas se sont occupés de lui durant les deux semaines suivantes. Personne n'aurait cru que ça arriverait aussi vite. À peine quarante-cinq jours sur les cent quatre-vingts promis, et tout était fini, pratiquement. Albert s'est couché le soir où ils sont arrivés et il ne s'est presque plus relevé. C'était comme s'il les avait attendus. Mary a pris son hygiène en charge et Thomas s'est occupé de ses traitements. Il a appelé l'hôpital et s'est assuré des procédures. Albert avait pris une décision, il fallait la respecter. Une infirmière est passée l'après-midi du 20 mai, pour voir si tout se déroulait dans l'ordre, même si ce ne sont pas les mots qu'elle a utilisés. Elle a souri à Thomas et Mary, en entrant, et elle s'est dirigée à l'étage. Elle a commenté la maison, n'a pas pu se retenir, c'était magnifique ici, elle avait toujours rêvé de vivre dans une maison comme celle-là, avec un terrain immense et une galerie et des fioritures sur les colonnes à l'entrée. Elle était jeune, avec les joues rouges d'une fille qui arrivait de dehors, où il faisait encore frisquet le long du fleuve. Mary l'écoutait et pensait à l'écart qui allait grandissant entre son âge et celui de Thomas. Il la rassurait quand elle en parlait, il essayait de la rassurer, elle était désirable encore, il la trouvait belle. Mary n'en parlait pas souvent, elle refusait que ça devienne une obsession. C'est vrai qu'elle était belle, on la voyait passer au village, quand elle venait acheter des fruits ou de la viande à l'épicerie, on la remarquait. Elle n'avait pas encore de cheveux gris, elle ne s'était jamais beaucoup maquillée.

Ils se sont occupés d'Albert du mieux qu'ils pouvaient, avec affection et patience. Son état s'est détérioré presque aussitôt après leur arrivée. Mary a stationné la voiture et il les attendait accoté sur le chambranle de la porte, Thomas a vu qu'il avait maigri, mais en même temps, il savait qu'il avait commencé à perdre du poids bien avant que le diagnostic ne soit connu. Déjà, l'année dernière, il s'en souvenait, il trouvait qu'Albert mangeait avec moins d'appétit. Il est descendu de la voiture et son père s'est avancé vers lui. Après le souper, il est allé se coucher tôt. Son assiette était à peine entamée. Durant deux semaines, ils se sont relayés à son chevet, pour s'assurer qu'il ne manquait de rien.

Avant de mourir, Albert a demandé à Thomas, comme une dernière boutade entre les deux, une dernière complicité partagée, s'il pouvait lui raconter l'histoire d'Aimé Bolduc, l'homme de l'année bissextile, celui qui ne vieillissait pas comme les autres, parce que son âme était en phase avec des planètes différentes, parce qu'on avait oublié de le considérer durant le concile de Trente. Albert avait les yeux vitreux, il voulait que Thomas lui parle encore de ces excellents mathématiciens et théologiens qui avaient réglé les problèmes de révolution de la Terre, au seizième siècle. Thomas connaissait le carnet d'Albert par cœur et il lui a pris la main et lui a raconté la rencontre entre Jeanne et Aimé, leurs rendez-vous volés et secrets, il lui a raconté la guerre de Sécession et l'alcool de contrebande, la richesse et l'errance, les missives confidentielles livrées en main propre à Franklin posté à Montréal, les apparitions du diable sur les rives de l'Hudson, quelque part dans les Appalaches, dans la nuit d'un poste de traite, il lui a raconté l'histoire du *Headlight Sun* et de l'Ordre des Twentyniners, et l'histoire des autres inventions d'Aimé, pour lesquelles il n'avait jamais demandé de brevets. Thomas parlait dans le vide depuis plusieurs minutes, mais c'était quand même une forme d'écoute.

Quelques heures après qu'Albert eut fermé les yeux pour la dernière fois, le 28 mai au matin, le téléphone de Thomas a vibré sur la commode blanche de l'entrée. Ils étaient assis à la table de la cuisine, en silence, Mary faisait bouillir de l'eau pour le café. Thomas s'est levé pour aller répondre. La chaise a grincé sur le sol. Le soleil entrait par toutes les fenêtres en même temps, par l'est et par l'ouest, faisant valser la poussière ancestrale de la grande maison. La lumière était quasiment liquide, on aurait pu s'en servir comme combustible.

Son père était mort depuis deux heures, sa mère depuis très longtemps, il avait eu trente-trois ans cette année et tout le monde lui disait qu'il vieillissait bien, sans qu'il comprenne vraiment ce que ça pouvait vouloir dire. De beaux traits. Une belle personnalité. Une intelligence, quelque chose, une sensibilité. Le numéro du laboratoire clignotait sur le téléphone. Ses émotions se sont mêlées à celles de Mary, qui savait que c'était un appel important. Il a appuyé sur le bouton, avec son pouce, naturellement, pour parler. Il a entendu le clic de la bouilloire électrique, de l'eau bouillante, et il a entendu la voix de Pierre, le docteur Monette, son collègue, lui dire, sans préambule, que les analyses étaient terminées, les analyses sanguines, cellulaires et musculaires. On avait les conclusions en main. La voix était professionnelle, mais comme excitée aussi. Comme celle d'un garçon anxieux de révéler sa trouvaille, son trésor, une pièce de monnaie dorée trouvée sous l'arbre dans la cour, un vieux louis du temps de la colonie, parfaitement préservé, insensible au passage du temps.

Pierre a parlé vite, il lui a dit que c'était hors de tout doute, les courbes étaient claires, les chiffres étaient indiscutables, ils avaient observé le comportement des télomères.

— Elles ont rajeuni, Thomas, je te le confirme, les cellules ont rajeuni.

XXIV

Mars 2020
Québec – Wichita, Kansas

Il a d'abord reçu un fichier crypté dans sa
boîte de courriel professionnelle. Il a cru à un
canular, mais les informations dans le message
étaient exactes, il n'y avait aucune faute d'orthographe, l'anglais était impeccable, on l'identi-
fiait par son nom et on inscrivait le numéro
de téléphone du cabinet, et l'adresse civique,
au Kansas, pour qu'il puisse confirmer qu'il
s'agissait d'une communication légitime. On y
priait le docteur Thomas Langlois de bien vouloir contacter maître Allan Kreiser dans les plus
brefs délais, concernant les actifs en dormance
d'un certain Kenneth Bolduc Simons. On joignait
un document.

C'est ce nom qui l'a fait réagir, bien plus que
le sien. Les deux, affichés l'un à côté de l'autre.
Il s'est approché de l'écran, s'est reculé, dubitatif.
Le courriel faisait trois lignes à peine. Il a fait
imprimer une copie papier, comme garantie,
sur laquelle apparaissait le sceau d'authenticité
en filigrane du cabinet Kreiser, Littell & Moore,
qu'il a placée dans son pigeonnier personnel,
dans son bureau, au laboratoire.

À côté de l'écran de son ordinateur, à hauteur d'homme, Thomas avait installé une plante, il l'arrosait une fois par semaine. Tout était normal, il n'y avait rien de particulièrement étrange, ou d'incroyable, autour de lui. Sa vie était réglée sur une série d'évidences quotidiennes qui ne lui permettaient pas de considérer les appareils qui l'entouraient comme des objets fascinants. Il existait au milieu d'eux et il travaillait dans le contexte précis de leur utilisation et de leur fonctionnalité, chacun avait sa place. Le matin, chaque semaine, il parlait avec ses collègues à Auckland, sur l'écran rétinal, pour mettre en commun les résultats, escomptés ou non.

Chaque jour, en semaine, il marchait de chez lui jusqu'ici, encore, Mary et lui n'avaient jamais déménagé. Ils avaient acheté l'immeuble dans lequel ils habitaient et ils en avaient acheté un autre, sur la rue de la Tourelle, juste un peu plus au nord. La voiture de Mary était électrique, elle se rechargeait durant la nuit. Dans les petites rues du quartier, on entendait le bourdonnement des bornes électriques privées, et c'était un son qui favorisait le sommeil, il avait été conçu comme ça. Thomas arrosait sa plante et regardait par la fenêtre, qui donnait sur le boulevard, quelques étages plus bas. Il menait sa vie à un rythme normal, ni essoufflant ni effréné, même si ses travaux avançaient rapidement, même si ses travaux changeraient le cours de l'histoire, le cours des choses, le cours de la vie humaine, son sens et sa finalité. Il possédait plusieurs cravates différentes, de couleurs variées, certaines griffées. Mary et lui aimaient choisir celle qu'il allait porter, le matin, ils l'agençaient avec la température, le temps qu'il faisait. Elle travaillait sur le campus, ils n'avaient pas d'enfants, on se serait étonné du contraire.

Chaque jour, il partait d'en haut et prenait les mêmes escaliers, depuis quinze ans. Ça lui arrivait de retrouver la trace de ses bottes dans les marches le lendemain, comme si personne d'autre n'avait marché ici à part lui dans les dernières vingt-quatre heures. En arrivant au laboratoire, il enfilait un sarrau, passait par plusieurs pièces stérilisées, déverrouillant les portes en effleurant des récepteurs du bout des doigts. Dans les couloirs, on le saluait, les rapports étaient formels mais amicaux. On le connaissait bien, il dirigeait des équipes sur deux continents. Des revues scientifiques d'envergure internationale l'avaient cité. On lui souriait avec respect. On l'appelait docteur Langlois, bien sûr. Il parlait plusieurs langues. Il était une sommité dans son domaine.

Parfois, avant d'arriver au travail, il marchait jusqu'à la rivière, quelques blocs plus au nord, la rivière toute en courbes à cet endroit de la ville, et revenait ensuite sur ses pas, en les comptant. C'était une sorte de réflexe inconscient, un rituel qu'il n'avait jamais cherché à analyser, et dont il n'avait pas parlé à Mary. Pourquoi lui en aurait-il parlé ? C'était quelque chose qu'il faisait pour rien, pour réfléchir, ça le concernait. Il observait le courant un instant, c'était tout, le vent dans les quenouilles, le grand saule, et il revenait vers le centre-ville. Il pensait au nom des oiseaux qu'il entendait, au nom des arbres. Parfois, en regardant couler l'eau, indéfiniment, il pensait que sa mère aurait été fière de lui, de ce qu'il avait accompli, de ce qu'il avait fait de sa vie, et il ressentait un désespoir incommunicable. Mais tout de suite après, il souriait, et le sourire et le désespoir ne faisaient qu'un, c'étaient des émotions qui s'amalgamaient dans son esprit.

Au-dessus de l'eau planaient des drones à basse altitude qui transmettaient des données en direct sur la faune et la flore riveraine, sur la pollution résiduelle, ce qu'il en restait. En hiver, le vent sifflait si fort qu'il arrivait à peine à garder les yeux ouverts, le vent s'enroulait autour de lui et glaçait tout sur son passage. Seul au bord de la rivière, la piste cyclable derrière lui, il réfléchissait comme ça pendant un moment, savourant sa vie présente et s'émouvant d'un passé qu'il regrettait, sous certains aspects, sans pouvoir les identifier. Et il revenait ensuite, il rebroussait chemin et allait travailler. Ça lui prenait cinq minutes de son temps, à peine cinq minutes.

Dans une des salles communes du laboratoire, les verres d'alcool n'avaient pas été ramassés depuis la fête d'hier soir. On avait bu après les heures de bureau, on avait sablé le champagne. Les subventions fédérales au programme de recherche venaient d'être renouvelées, pour les trois prochaines années. On se disait qu'on y était presque, c'était ce qui circulait un peu partout dans les corridors. Six ans après la récupération de celle qu'on avait affectueusement appelée Minnie, et qui officiellement portait le numéro 34-3B, la première, l'originale, après la régénération de ses cellules cérébrales et de son cortex, plusieurs autres comme elle avaient réagi positivement au traitement. Minnie vivait toujours, elle avait été installée dans une cage de verre troué à l'entrée du laboratoire interne, dans une alcôve élégante en coin. Elle avait le regard affûté d'une souris adolescente, en pleine forme. Des tests étaient effectués régulièrement sur ses organes et sur ses muscles, pour s'assurer de leur viabilité, pour détecter toute trace de corruption, mais on la laissait tranquille et on ne s'ingérait plus dans son existence. Certains chercheurs lui parlaient en entrant, c'était une forme de superstition peut-être, ils s'arrêtaient devant sa cage, attendaient qu'elle sorte et vienne coller son nez à la vitre, et ils lui disaient quelques mots, des mots gentils, et ils lui faisaient aussi des excuses sincères pour les sévices infligés au fil des ans. Ils la remerciaient de son dévouement, posaient un doigt sur la cage qu'elle faisait semblant de sentir, ses vibrisses alertes et ses oreilles pointées.

Dans les premières années, on avait injecté à Minnie différents virus et de multiples bactéries, certaines communes, d'autres extrêmement rares, qu'on s'était procurées en Norvège, et qui avaient voyagé dans des conteneurs secrets, accompagnées de traités internationaux et de protocoles scientifiques. Dans les premières années, elle avait contracté douze formes de cancers virulents, on lui avait cassé des membres, on avait crevé son tympan, on lui avait arraché la queue. Et aujourd'hui elle était là, sereine, sans mémoire et sans séquelle, bien vivante. Au laboratoire, elle avait une réputation, bien entendu, on l'aimait, elle avait quelque chose de spécial, elle serait célèbre un jour, même si aucune information sur son cas n'avait encore été rendue publique.

Thomas, en réunion, avait un jour proposé à ses collègues de créer des sentiers et des tunnels longeant les murs pour que Minnie puisse se promener le plus librement possible. Tout le monde avait acquiescé à l'idée. On n'avait rien fait encore, mais c'était un des points à l'ordre du jour, qui revenait ponctuellement. Les autres souris, blanches, aux yeux rouges, se trouvaient dans une série de cages numérotées dans un espace réservé à la croissance et à l'observation, là où les expérimentations quotidiennes avaient lieu.

Ils étaient une petite équipe, plus réduite que leur contrepartie néo-zélandaise. Là-bas, ils étaient parvenus au début de janvier à isoler un composant non rejeté par les échantillons d'épiderme humain. Ici, on testait encore exclusivement sur des animaux, mais ça ne changeait rien, au bout du compte, c'était son projet. Thomas était le chercheur principal auquel tous se rapportaient. Il avait voyagé à Auckland plusieurs fois pour rencontrer ses collègues en personne. Il avait aimé la flore, l'odeur verdoyante de l'autre côté du monde, les constellations inconnues et le ciel inversé. Là-bas, ils travaillaient sur des cellules épidermiques et les conditions étaient idéales pour discriminer et discréditer les éléments indésirables, le climat changeait quelque chose. Ici, Thomas et son équipe avaient réussi, plus de vingt ans après les premiers travaux préliminaires, à faire rajeunir six cent vingt-deux souris, à les faire exister, sans séquelles, sans effets secondaires, dans un état fixe, où leur corps, avec ses membranes, ses cartilages, ses nerfs, ne vieillissait pas, était stoppé dans son développement.

Son bureau se trouvait dans la zone restreinte, et très peu de gens étaient présents autour de lui pour voir son étonnement, ou son excitation. Il s'est levé de sa chaise et s'est dirigé vers la sortie, traversant les couloirs et entrant dans des ascenseurs, en ressortant, s'est dirigé vers le hall d'entrée où les lettres dorées du centre étaient apposées, grandes, au mur du fond et où les ondes cellulaires ne nuisaient pas aux travaux scientifiques. Il a composé le numéro retenu dans sa tête et, au loin, on a répondu d'une voix amène qu'il était au bon endroit, et la confirmation l'a fait cligner des yeux. Un homme est passé devant lui et s'est adressé à la réceptionniste. Thomas a parlé à son tour. Allan Kreiser était-il disponible ? Docteur. Langlois. Monsieur Kreiser vient de m'écrire et m'a demandé de le contacter au plus vite, c'est au sujet de. On lui a demandé d'attendre une minute et la musique a commencé. Ses yeux étaient secs, il a cligné quelques fois, il a regardé à divers endroits autour de lui, les portes coulissantes, les flocons dehors, et il a entendu la voix de maître Kreiser, assurée et cordiale.

— Docteur Langlois, yes, hi ! What a relief it is to finally reach you.

— What do you mean, *finally* ?

— We've been looking for you for weeks. Search is over now.

— Yes. It seems so.

— Well, this is your lucky day.

— My lucky day ?

— Sir, we have to talk. When can you come to Kansas ?

Quelques heures plus tard, Thomas avait menti consciemment à Mary pour la première fois, pour plusieurs raisons, parce que c'était vraiment trop long à expliquer, surtout dans l'état où il se trouvait. Il était nerveux comme il ne l'avait pas été depuis la mort de son père et les événements qui s'étaient bousculés ensuite. Il entendait la voix d'Albert dans sa tête, un récit-fleuve dont les ramifications se perdaient en conjectures. Albert et lui avaient passé des soirées entières à décortiquer l'histoire d'Aimé et son parcours. Comment aurait-il pu expliquer ça à Mary avant de partir ? Il avait mis fin à la conversation avec Kreiser en lui promettant qu'il serait là-bas, dans leurs bureaux, à Wichita, dès le lendemain. Il prendrait le premier vol, avait-il dit. On le rembourserait, lui avait-on répondu, il voyagerait en première classe. On l'attendrait à l'aéroport avec une voiture.

Il lui expliquerait à son retour, c'était évident, il aurait le temps, plus tard, quand il serait revenu, de s'expliquer, de mettre les choses au clair, et peut-être aurait-il quelques réponses de plus à fournir à Mary. Quelques heures après avoir terminé sa conversation, il avait réservé une place sur un vol avec trois escales et avait dit à Mary qu'un imprévu l'obligeait à se rendre aux États-Unis, à l'Université de Wichita, où un panel scientifique se réunissait d'urgence pour traiter de questions d'éthique : un lémur venait d'être réanimé, sept minutes après sa mort. Sa présence était requise en tant que chercheur de pointe dans le domaine de la jouvence. Mais ce n'était pas sur la ressuscitation qu'il travaillait, avait objecté Mary, c'était complètement différent, et il avait répondu oui, qu'il le savait, mais c'était justement pourquoi ils avaient besoin de lui, il leur fallait une perspective, le point de vue d'un chercheur reconnu dans un champ connexe.

Au-dessus des montagnes, les survolant de très haut, coupé de leur influence, Thomas s'était mis à imaginer ce que pouvait impliquer sa rencontre avec Kreiser, avec cet avocat responsable des « actifs en dormance » d'Aimé Bolduc, de Kenneth B. Simons, de William Van Ness. Son ancêtre, le fondateur de sa lignée. Il refusait de croire à l'évidence, à ce qui lui sautait aux yeux, à ce qui s'était imprimé sur sa rétine aussitôt, en apercevant leurs deux noms inscrits l'un à côté de l'autre sur l'écran de l'ordinateur. Ce n'était pas possible. Il avait passé les heures du vol, des différents vols, à regarder par le hublot, le continent devenir plus petit et plus grand en même temps, prendre toute son étendue, son envergure vertigineuse.

Entre New York et Wichita, il s'était presque endormi, à force de réfléchir, de penser à ses souris, à ce lémur inventé et à Mary qui ne se doutait de rien. Il n'avait pas compris pourquoi, mais chaque fois que l'agente de bord s'approchait pour lui offrir un verre de vin ou de rhum, elle disait avec les compliments de Kreiser, Littell & Moore. Thomas la remerciait en souriant, en utilisant de vieilles formules de politesse, il se rendait compte qu'il était heureux de parler anglais, ce que Mary et lui ne faisaient plus depuis longtemps, par choix. En revenant, il lui expliquerait tout, et il comprendrait en même temps qu'elle pourquoi il se trouvait dans cet avion, aujourd'hui, quelque part au-dessus des Plaines américaines.

Comme prévu, une voiture l'attendait après l'atterrissage, dans laquelle il s'est installé après que le chauffeur lui eut ouvert la portière arrière.

Il n'a rien dit. Il a mis ses lunettes fumées, à cause du soleil plombant et froid de mars. La ville était glacée, soumise aux vents du fleuve et aux bourrasques des corridors urbains. Sur l'autoroute séparant l'aéroport du centre-ville, la voiture roulait vite, et Thomas observait les mains serrées du chauffeur sur le volant, qui maintenait la direction, de peine et de misère. Il entendait les rafales à l'extérieur, frotter les vitres et le métal, s'engouffrer dans n'importe quel interstice. Il faisait aussi froid qu'au Québec, sinon plus, c'étaient les mêmes vents, qui pivotaient du nord au sud, qui prenaient de la force sur la région des Grands Lacs et qui ensuite déferlaient sur les Prairies.

Il n'a rien dit durant le trajet, il n'était pas ici pour parler, il le comprenait et en profitait, mais pour se faire conduire, pour se faire transporter d'un point à un autre de la ville, rencontrer des gens qui lui révéleraient quelque chose qu'il attendait sans s'en rendre compte. Il gardait ses mains dans les poches de son manteau, incapable de se réchauffer complètement. Il était quatre heures de l'après-midi, le ciel était dégagé, sa couleur était profonde, foncée, encore plus à travers les vitres. Il venait d'avoir quarante ans.

La voiture s'est arrêtée en face d'un immeuble et il est descendu par lui-même, sans attendre. La portière s'est refermée avec un bruit mat, comme étouffé. Des piétons sont passés devant lui sans le remarquer, il ne ressemblait à personne. Dans le lobby luxueux, un homme en uniforme lui a indiqué à quel étage se rendre. Dans l'ascenseur, un autre homme a appuyé sur le bouton approprié. Au seizième étage, les portes se sont ouvertes et il est sorti en le remerciant derrière lui, d'un mouvement de tête. La femme avec qui il avait parlé hier matin l'a fixé un instant, l'accueillant du regard, elle lui a souri en ne détachant pas ses lèvres. Thomas a fait la même chose, en commençant à dire son nom. Il était nerveux. Elle lui a parlé, ses syllabes étaient longues, langoureuses, courant le long du Mississippi et du Missouri. Docteur Langlois, assoyez-vous s'il vous plaît, maître Kreiser vous recevra dans un moment.

Il s'est assis dans un fauteuil de cuir noir. Il savait pourquoi on l'avait fait venir, ce qu'on lui dirait. Aimé l'avait choisi, l'avait désigné. Aimé voulait entrer en contact avec lui, toute l'énigme se trouvait là, encapsulée dans cette idée, aussi rapide à formuler que longue à décortiquer. Il a pensé à son père, a eu un haut-le-cœur, une sorte de pincement violent, une joie incontrôlable mêlée à de l'excitation nerveuse. Son père mort depuis six ans, qui avait tout abandonné pour avoir enfin une relation saine avec lui. Il avait abandonné son obsession, sa quête, il était enfin passé à autre chose. Dans la poche de son veston, sous son manteau d'hiver, il avait apporté le carnet d'Albert, pas pour le montrer à Kreiser, mais pour l'avoir sur lui, comme un porte-bonheur. Il l'avait toujours sur lui, il le touchait parfois par réflexe. Ça lui rappelait son père bien sûr, c'est normal, et aussi ça lui rappelait la longévité, ce que les gens appelaient la longévité, l'élasticité sans limite de la vie, la possibilité d'étirer la vie, de la régénérer à l'infini, ça lui rappelait ce pour quoi il travaillait et continuait ses recherches. La lumière était agréablement tamisée, les ampoules ne faisaient pas de bruit. Il entendait le nanostylo de la réceptionniste courir sur le papier. Comme au centre, de grandes lettres dorées étaient fixées au mur du fond, annonçant le nom du cabinet, en contraste sur un panneau de bois foncé.

Maître Allan Kreiser est sorti d'un couloir, silencieux, ses semelles sur le tapis d'insonorisation, et Thomas s'est levé. L'homme était grand, rasé de près. Il souriait. Thomas pouvait voir la peau de son cou tendue par le col de la chemise. Ils se sont serré la main et Kreiser a invité Thomas à bien vouloir le suivre. La réceptionniste a hoché la tête à leur passage, comme par assentiment. Il faisait beaucoup plus chaud à l'intérieur du grand bureau de l'avocat et Thomas a enlevé son manteau pendant qu'on lui désignait une série de crochets sur le mur derrière lui. Kreiser s'est installé, a posé les coudes sur les accoudoirs de sa chaise pivotante et a attendu que Thomas vienne le rejoindre. Une immense fenêtre donnait sur le centre-ville en noir et blanc, sur le fleuve sinueux, gelé, sur le ciel vaste et bleu, jusqu'à l'horizon où le soleil n'allait pas tarder à disparaître. Il restait à peine quelques minutes de clarté. Juste avant que Kreiser se mette à parler, Thomas a remarqué que deux autres personnes se tenaient debout dans des angles de la pièce, chacune de son côté. Elles se sont rapprochées tranquillement, comme attirées par un signal.

— Donc. Docteur Langlois. Comme je vous l'ai mentionné déjà, nous sommes ici aujourd'hui pour discuter du testament et des dernières volontés de monsieur Kenneth B. Simons, dont vous êtes l'unique bénéficiaire. Je vous présente d'abord monsieur Goldstein, ici à ma droite, interne, qui prendra des notes pour le procès-verbal, et madame Cartwright, notre notaire, qui pourra répondre à vos questions plus pointues au cours de la rencontre. Également, la lecture du texte, ainsi que l'énumération des biens et actifs en passation, sera faite sous sa supervision légale.

Thomas s'est relevé, en retenant sa cravate, pour offrir une poignée de main aux deux nouveaux intervenants, très sérieux. Goldstein devait avoir à peine vingt et un ans. Cartwright s'est assise dans un siège d'époque, un peu en retrait. Thomas s'est rassis. Kreiser a continué.

— Nous avons donc pris rendez-vous aujourd'hui avec vous, docteur Langlois, pour vous annoncer, je me répète, que vous êtes l'unique bénéficiaire de la fortune, des propriétés, des actions et autres dividendes de monsieur Kenneth B. Simons, dont le testament vient de nous être communiqué par voie postale. Personne d'autre n'est mentionné dans le texte signé en décembre 1987 par monsieur Simons et avalisé le même jour par la maison Willmore, de Kansas City, Kansas. Le document a été authentifié par nos soins le 12 mars dernier et nous pouvons donc procéder, maintenant que vous êtes ici, à sa lecture officielle.

— Monsieur Simons vient de mourir ?

— En fait, non, il *ne vient* pas de mourir, mais les documents viennent de nous être acheminés.

Il a regardé maître Cartwright du coin de l'œil et a continué.

— Nous ne comprenons pas *exactement* ce qui a pu se passer, mais voilà. Ils sont arrivés à nos bureaux au début de mars, et nous avons aussitôt entamé les démarches pour vous retrouver.

— Connaissez-vous la date de son décès ?

— Pas pour le moment. Tout ce qu'on sait, c'est qu'il ne s'est pas suicidé comme indiqué dans le texte du testament, puisque son corps n'a pas été retrouvé, et ce dans aucune de ses propriétés. Il mentionne d'ailleurs une adresse en périphérie de Pittsburg, une petite ville au nord-est de l'État, pas le Pittsburgh auquel vous pensez, mais cette adresse n'existe plus depuis la fin des années 1990.

Maître Cartwright a pris la parole :

— D'après les archives de la municipalité, celles auxquelles nous avons accès pour le moment, le terrain a été repris en 1999 et a été dézoné. Dans les prochains mois, à mesure que notre enquête avancera, nous serons en mesure de vous éclairer sur plusieurs points litigieux, docteur Langlois. Il se pourrait que d'autres actifs s'ajoutent à la liste qui vous sera communiquée tout à l'heure, mais n'allons pas trop vite.

— Oui. Pour l'instant, a dit Kreiser, nous nous sommes évidemment concentrés sur la vérification et la validation des actifs inscrits au testament qui nous étaient connus. C'est pour cette raison que nous avons insisté pour que vous veniez le plus rapidement possible, afin d'enclencher le processus sans tarder.

— Vous ne savez pas quand il est mort ?

— En fait, pour parler franchement, le testament n'est valide que parce qu'il n'y a aucun document ultérieur pour l'annuler. Vu l'âge du document, et les irrégularités entourant les circonstances de...

— Quelles irrégularités ?

— Comme je viens de le mentionner, monsieur Simons annonce dans son testament, rédigé et signé en 1987, qu'il s'enlèvera la vie le jour de son soixante-cinquième anniversaire, soit le 29 février 2020, cette année est bissextile, soit deux jours avant que les documents n'atterrissent ici, le 2 mars. Il précise également la manière dont il s'acquittera de la besogne et l'endroit où les autorités compétentes retrouveront son cadavre. Nous n'avons aucune idée de l'identité de celui ou celle qui a posté les documents. Tout est très clair quant à l'acte lui-même, mais, encore une fois, ni corps ni arme n'ont été retrouvés sur les lieux indiqués, et nous étudions actuellement la possibilité qu'en réalité, il soit mort il y a des années, dans une situation échappant à son contrôle.

— Quel genre de situation ?

— N'importe quelle situation, docteur Langlois. Un accident de la route, un accident de chasse, une chute, quelque part dans le Jura, où il possédait une terre. Une disparition au large des côtes, sur un de ses bateaux. C'est impossible de le dire, ce ne sont que des spéculations. Mais une chose est certaine, la date de transition, du legs à proprement parler, de ses mains aux vôtres, revêt dans le texte une importance capitale que nous tentons encore de...

— C'est ma date de fête.

— Excusez-moi ?

— Je suis né le 29 février. 1980.

Thomas n'en dirait pas plus, il venait de le décider. Kreiser, Goldstein et Cartwright ne sauraient rien de plus, ni sur lui ni sur Aimé, ni sur Albert et ses recherches. Il s'est concentré sur la suite des choses, s'est calmé en respirant profondément.

— Intéressant. Très intéressant.

Goldstein prenait des notes à l'aide d'un ordinateur portable, ses doigts frappaient délicatement l'écran, il faisait des abréviations sténographiques complexes. Ses yeux étaient rivés sur le visage de Thomas, il n'avait pas besoin de se pencher pour regarder ce qu'il faisait. Il ne portait pas de lunettes, plus personne n'en portait. Le soleil était couché, l'éclairage était doux et enveloppant.

— Bon anniversaire, docteur Langlois, avec un léger retard.

— Merci.

— Si je puis me permettre, avant de commencer la lecture, docteur Langlois, quel est votre lien avec le défunt ?

— Je ne le connais pas. Je n'ai jamais entendu son nom. En fait, je n'ai aucune idée de la raison pour laquelle je suis ici devant vous. Et vous, quel est votre lien avec lui ? Et comment pouvez-vous être certain qu'il est bel et bien mort ?

Kreiser a eu un moment d'hésitation, de méfiance, et son flegme est revenu.

— Je me suis renseigné. Monsieur Simons était un ancien client de mon grand-père, qui a fondé ce cabinet en 1975. Personne ne se souvient de lui, mais son nom apparaît dans les dossiers, à plusieurs reprises. Un homme discret, sans aucun doute. En ce qui concerne son décès, il a été confirmé par une série de décrets bancaires et fiduciaires, à partir du moment où nos agents sont entrés en contact avec les institutions dans lesquelles se trouvaient les actifs de monsieur Simons. La loi fédérale de 2016 stipule que les actifs en dormance sont libérés pour legs et patrimoine après une période de quatorze ans sans nouvelles du dépositaire.

— N'ayez crainte, docteur Langlois, monsieur Simons est bien mort, a dit maître Cartwright, en posant sa main sur son poignet et en le tapotant.

Son bracelet doré a cliqueté doucement. Kreiser a baissé les yeux pour suivre le geste, les a fait remonter le long du bras, jusqu'à l'épaule, jusqu'au menton. Il a soupiré, confus, scrutant avec calme le visage imperturbable de Thomas. Son regard était perçant, comme s'il cherchait à reconnaître cet homme devant lui, comme s'il cherchait à se souvenir de lui. En cherchant dans sa mémoire, peut-être arriverait-il à le replacer dans un contexte, dans une histoire familiale qui remontait à son propre aïeul. Il a placé les paumes sur les feuilles devant lui, Thomas le fixait, immobile. Il attendait de devenir riche.

— Commençons.

Thomas s'est calé dans son siège de première classe. Une agente s'est approchée pour lui proposer un verre de champagne. Elle a appuyé la main sur le dos du siège, s'est inclinée vers lui, elle était noire comme Mary, du même brun foncé, une jeune Mary avec un accent new-yorkais. Thomas a accepté. Il était beaucoup plus riche qu'il ne l'aurait cru, qu'il n'aurait pu le croire dans ses plus absurdes fantaisies, en fait. Après la liquidation des propriétés européennes d'Aimé, et de ses biens immobiliers dispersés sur le territoire américain, la fortune de Thomas Langlois avoisinerait les cinquante millions de dollars. Tout avait pris de la valeur, comme le vin, avait dit maître Kreiser, et il était en train de revenir chez lui, auprès de son amoureuse, à qui il devrait raconter une très longue histoire, et il a pensé que si quelqu'un était capable de comprendre les ressorts compliqués de cette histoire, c'était bien Mary. Patiente, attentive, elle l'écouterait, installée à la table de la cuisine, dans leur petite maison du quartier Saint-Jean-Baptiste, il lui montrerait le carnet, elle se plongerait dans son récit et, ensemble, ils se souviendraient d'Albert, il ressurgirait et les envelopperait de son rire contagieux.

Il a bu son champagne et s'est endormi quelques minutes plus tard, avec dans la tête les rires de ses parents, de ses grands-parents, de Keysha-Ann adulte et épanouie, avec le rire de Minnie, amusée dans ses moustaches, quand elle s'approchait de la vitre de sa cage pour renifler l'index d'un scientifique superstitieux.

Dans ses valises, il y avait une vieille boussole détraquée, que l'avocat et la notaire lui avaient remise juste avant qu'il ne parte. L'objet se trouvait dans le colis qui leur était parvenu, avec les documents de monsieur Simons. Il lui avait de toute évidence appartenu. C'était un objet de métal oxydé, qui ne semblait pas fonctionner, ou du moins qui semblait stoppé dans son mécanisme. Quand on ouvrait le clapet, on ne voyait ni le nord, ni le sud, aucun des quatre points cardinaux, mais plutôt une série de symboles et quatre aiguilles immobiles, mortes, qui indiquaient n'importe quoi, une sorte de vérité enfouie, secrète, ou peut-être la dernière chose à laquelle Aimé avait pensé.

XXV
Octobre 2047
Québec

Thomas est entré par la sortie des visiteurs. On le laissait faire, c'était un habitué. Il avait l'apparence d'un homme de quarante ans, encore. On le saluait comme un jeune premier, un jeune professeur, un jeune chercheur, un génie, pourquoi pas, qui serait déjà à la tête d'un grand centre national de recherches technologiques. Ses cheveux et sa barbe bien taillée avaient repris leur teinte blonde, cendrée, avec des reflets roux ici et là. C'était la couleur de ses cheveux d'enfant, presque. Et la texture avait changé, ils étaient plus fins, comme des fils de maïs, lisses comme quand il était petit, aussi. Il n'avait plus besoin de se peigner, ça tombait sur ses tempes et sur sa nuque sans ondulation, sans nœud. Quand il s'observait dans le miroir, il repérait certains traits depuis longtemps oubliés, qui refaisaient surface, comme ses pommettes hautes, qui rougissaient facilement, qui lui rappelaient cette gêne intense qu'il ressentait parfois, dans sa jeunesse. Ça lui revenait par vagues, en flashs devant ses yeux, des sentiments anciens mais similaires, une mémoire inscrite dans sa peau élastique, malgré qu'il ait fêté son soixante-septième anniversaire en février dernier.

Il a marché dans le couloir sombre, d'un bon pas, dans le couloir illuminé parcimonieusement, par petites touches d'ambiance. Les gardiens le saluaient de la tête. Il traînait son porte-documents, comme toujours, qui contenait des rapports importants, mais dont il ne se servirait pas. Il avait été engagé comme consultant. À sa gauche, à sa droite, de grandes baies vitrées lui renvoyaient sa réflexion, son profil mince, sa carrure. Il trouvait qu'il ressemblait à Wright Howells, son grand-père maternel. S'il ressemblait à quelqu'un, c'était à Wright, mais en même temps c'était une forme de spéculation, à cause des effets à très long terme, imprévisibles.

Ça ne lui arrivait pas seulement quand il passait devant un miroir. Il n'avait pas besoin de se voir pour éprouver ce genre de sensation qui le replongeait dans son passé, maintenant que tout le monde était mort, ses amis, sa femme, et qu'il était seul au milieu d'une humanité qu'il avait contribué à modifier, à sauver d'une certaine façon. On lui avait octroyé huit docto-rats honorifiques au cours des deux dernières décennies. Il avait été reçu en grande pompe par des gouvernements étrangers, et son nom avait franchi le domaine de la science pure. À Chattanooga, sa ville natale, on avait nommé un pavillon de l'université en son honneur. Parfois, le simple fait de fermer les yeux momenta-nément ou, au contraire, de les fixer sur un objet de la vie quotidienne le renvoyait loin en arrière, quelque part auprès de son père ou de sa mère, dans l'été du Tennessee, en excursion sur le mont Lookout, ou marchant sur les rails du vieux chemin de fer, en équilibre, les bras tendus de chaque côté pour éviter de basculer et de tomber dans les orties. Il avait des taches de rousseur dans ce temps-là, et le soleil aujourd'hui les ravivait. Parfois, il revoyait même ses parents en train de s'embrasser, il les revoyait les deux ensemble, avec lui pas très loin, comme une famille. C'était rare, mais ça arrivait.

Derrière les baies vitrées, il y avait des projections holographiques, des scènes statiques ou mouvantes, des reconstitutions narratives des différentes étapes de l'évolution. Un atome d'oxygène grugeant du fer sur une période de mille ans en hyperaccéléré. Des cyanobactéries s'incrustant dans la pyrite, créant en direct des couches géologiques. Des trilobites nageant dans un océan du paléozoïque, aux reflets mordorés et plein de mercure. Thomas marchait à contresens du parcours des visiteurs, les gens portaient des appareils d'immersion sur les yeux. Il se faufilait entre les familles et les doigts pointés, les mains tendues comme pour attraper une molécule ou un électron modélisé.

Un des premiers changements qu'il avait constatés, c'était la dimension de ses oreilles, leur forme générale. Il l'avait consigné dans un fichier crypté où les informations précises et les développements liés aux rejets possibles étaient emmagasinés. Il avait retrouvé une mollesse dans le lobe, une flexibilité dans le pavillon qu'il avait perdue à l'approche de la cinquantaine. L'audition bien sûr s'était améliorée, mais ça avait pris plus de temps, et il avait remarqué les détails physiques externes en premier. Ses oreilles avaient légèrement grossi, pas comme celles d'un vieillard, mais comme celles d'un enfant qui fait rire de lui dans la cour d'école.

Son corps réagissait extrêmement bien, c'en était presque alarmant dans les premières phases. Il avait perdu vingt livres en quelques mois à peine. Certains grains de beauté qu'il s'était découverts dans des endroits étranges avaient disparu. Il avait perdu le poil qui lui poussait dans les narines. Son appétit restait bon, il avait recommencé à manger de la viande. Dans les rapports officiels où on fonctionnait surtout par courbes et par chiffres, on insistait sur cette sensation générale de bien-être qui le traversait de part en part, des pieds à la nuque, comme des endorphines libérées en grande quantité, continuellement. Son cerveau était en constant éveil, alerte et gourmand.

Thomas s'était injecté le sérum plusieurs années auparavant. Il avait été le premier sujet humain à l'expérimenter. Il avait agi par devoir scientifique, par rigueur méthodologique, ses collègues avaient approuvé, partout dans le monde. L'opération s'était déroulée sous haute surveillance, dans les laboratoires de Québec, où il était resté en observation durant plusieurs semaines. Parfois on l'endormait, parfois on le réveillait. On lui ouvrait les paupières, on lui demandait de souffler dans des tubes. Il se sentait comme un cobaye, mais aussi comme un être privilégié, et il avait l'impression que ça décrivait bien sa vie, sa trajectoire, en général, dans son ensemble. Il y pensait et se disait que c'était une description adéquate de son parcours. Comme si de se retrouver ici, couché et immobilisé par des électrodes, ça résumait quelque chose de lui, des différentes étapes qui l'avaient formé, des gens qu'il avait aimés et connus et qui avaient fini par s'en aller, tous.

Ça faisait des années que Minnie vivait avec lui, dans sa maison de l'île d'Orléans. Il lui avait fait construire des tunnels, ces tunnels dont il rêvait il y a longtemps, pour qu'elle soit libre de se déplacer à son gré, sans limite claire, sans impression d'être encagée. Ils pouvaient passer des jours sans se voir, elle cachait de la nourriture dans des aires secrètes que lui-même ne connaissait pas. Et elle revenait après ses longues excursions, toujours la même, sereine et jeune. Ils se comprenaient.

Sa peau avait une complexion saine, le soleil ne l'affectait plus comme auparavant. Il ressentait, la plupart du temps, presque toujours en fait, une forme aiguë de confiance en soi. C'était comme si la culpabilité étrange et lourde qui l'accompagnait depuis l'adolescence s'était évaporée, il l'avait vue sortir de sa poitrine, une boule de chair grosse comme son crâne, qui avait implosé devant ses yeux. Maintenant, quand il respirait, quand il regardait le monde être si beau et grandiose autour de lui, les vignobles, les champs de fraises, les montagnes lointaines et circulaires, quand il respirait à fond, ses poumons se remplissaient avec une ardeur renouvelée.

Il a contourné l'îlot de la réception, où la file des visiteurs s'allongeait. Devant lui, derrière une série de vitres blindées, attraction principale du grand hall, se dressait un tricératops dont les cornes avaient été émoussées. Il s'est arrêté quelques instants pour réfléchir. Le sang qui coulait dans ses veines était ancien et neuf. Quand on faisait des prélèvements, on constatait que les plaquettes s'étaient régénérées, que Thomas n'avait plus aucune trace du début de sclérose qui s'était manifesté une décennie plus tôt.

Bien sûr, il était seul avec Minnie pour apprécier les journées fraîches, les couchers de soleil colorés de l'île, pour vivre lentement, à ce nouveau rythme, mais il était quand même heureux. Il ne parlait à personne, sauf à de vagues connaissances dont le nom lui échappait.

Il ne pleuvait presque jamais, seulement quand on en avait besoin.

Mary était morte juste avant qu'il ne parvienne à développer l'élixir, comme on l'appelait au centre, dans les coulisses. Elle était décédée, à l'aube de sa vieillesse, d'un infarctus, dans son jardin, un matin de juillet 2042 alors que Thomas était au travail. Elle s'était penchée pour ramasser un légume et elle était tombée sur les genoux, elle ne s'était pas relevée. La cérémonie avait été célébrée dans les murs de l'hôtel de ville, par le maire en personne, qui avait souligné avec émotion les services rendus par Mary à la communauté. On avait fait sonner les cloches et Thomas était retourné à la maison, où il s'était occupé des affaires de Mary. Il avait réglé certains dossiers pressants et en cherchant dans des boîtes, il avait trouvé plusieurs objets dont il avait oublié l'existence. Dans les boîtes s'empilaient des souvenirs, des photos du début des années 2000, des cartes postales, de vieilles cassettes de musique qu'elle écoutait avec la mère de Thomas, des livres qu'elle aimait, des instruments de musique sud-américains, des bibelots, la vieille boussole d'Aimé.

Mary et lui avaient voyagé un peu partout dans le monde, ils avaient visité des endroits reculés. Là, assis en indien dans le sous-sol de sa grande demeure de l'île d'Orléans, qu'il avait achetée avec son héritage, les yeux mouillés par l'absence absolue de sa femme, même dans les objets, il se souvenait d'un périple en Europe de l'Est. Il se souvenait de dizaines de pays, de langues baragouinées, de personnes aimables croisées et jamais revues. Il se souvenait de Mary et de la facilité qu'elle avait de se faire des amis et de se faire comprendre, par des gestes, par des sourires. Elle était morte un matin, dans son jardin, une sarcleuse dans sa main à peine ridée, sa peau foncée à peine attaquée par l'âge.

Thomas avait passé une semaine à régler les dossiers et la succession, il avait pris congé et avait fouillé dans leur passé commun, intime et privé, que personne ne connaissait sauf eux, même pas nous. Il l'avait aimée toute sa vie, pensait-il, oui, il l'avait aimée même enfant, quand elle passait la porte de leur maison et lui empruntait Laura pour quelques heures. S'il tentait de revenir à cet endroit précis de sa mémoire, c'est ce qui le frappait : le visage de Mary, souriante, qui entrait par la porte de la cuisine, faisant claquer la moustiquaire. Installé sur le sofa dans le salon avec un livre d'images, il les entendait rire. Elles se mettaient de la musique. Mary chantait les paroles par cœur, elle les connaissait toutes. Par la fenêtre, il apercevait les voitures et les piétons qui ne s'arrêtaient même pas pour l'écouter.

Et c'est à ce moment-là, au milieu de ces mémoires entremêlées, qu'il avait compris.

Quelques jours plus tard, Thomas avait apporté la boussole au laboratoire et avait prélevé, sur le cadran observé au microscope, un échantillon d'épiderme de son ancêtre. Entre deux symboles étranges, gravés d'une main experte et patiente, entre deux des quatre aiguilles stoppées depuis des lustres, il y avait une parcelle d'ADN, conservée, une trace d'Aimé, un résidu de sa peau. C'était la première fois que Thomas le voyait, qu'il entrait en contact direct avec lui.

Plus tard, c'est ce qu'on raconte du moins, dans l'éprouvette où le sérum final avait été confectionné, il n'observait pas de différence notable, pas à l'œil nu, mais les composantes s'activaient déjà.

Il avait pris des mesures, les collègues avaient été prévenus, il y avait une fébrilité dans l'air.

Il a traversé d'autres pavillons, d'autres époques représentées avec rigueur et concision, et avec humour, pour les enfants et les adultes aussi. Il est entré. Il y avait cette nouvelle salle, cette nouvelle aire qui ouvrirait incessamment, cette toute nouvelle exposition pour laquelle il avait été engagé à titre d'expert. Il est entré dans la grande structure alvéolée, faite de bulbes et de mezzanines, la grande verrière sphérique laissant passer la lumière du soleil, là où on l'attendait. On l'attendait pour régler des détails et préciser certaines informations. Thomas était non seulement un grand scientifique, un pionnier, mais c'était également un grand vulgarisateur, on avait fait appel à lui parce qu'il était à même de superviser les préparatifs de dernière heure. La salle était presque prête, elle pourrait être ouverte au public avant janvier 2050, si tout se déroulait comme prévu.

Il est entré et a refermé les lourdes portes temporaires derrière lui.

Les animations étaient superbes et le parcours interprétatif avait été revu par des historiens, des éthiciens et des scientifiques comme Thomas, issus de plusieurs disciplines. Le comité d'experts avait été approuvé par les différents paliers de gouvernement. Il est entré et s'est dirigé vers les collègues, vers les autres scientifiques et les programmeurs, les modélistes ayant travaillé au projet, il était là pour régler les détails, préciser certaines formulations plus théoriques. C'était une des dernières réunions. Il ne restait plus qu'à orchestrer les actes du ballet virtuel et s'assurer de la beauté magistrale de l'ensemble. L'enjeu était important, crucial même, sans aucun doute. Par des jeux de lumière, par des projections holographiques et des installations numérisées, il s'agissait de vulgariser sans amoindrir, d'expliciter sans édulcorer et sans banaliser non plus le passé glorieux de l'humanité sous ses multiples formes.

Comme le disait souvent Thomas, un sourire au coin des lèvres mais avec tout le sérieux du monde, il fallait bien expliquer aux visiteurs ce que représentait cette nouvelle étape dans la grande aventure de la vie, maintenant qu'on ne mourrait plus.

Épilogue

Tlo va sa

Janvier 2000
Montréal

Les immeubles étaient encore debout, les avions volaient comme avant. L'électricité fonctionnait et les ordinateurs n'avaient pas explosé. Rien ne s'était passé, finalement. Les présentateurs à la télé avaient simplement arrêté d'en parler. C'était étrange de penser qu'on venait de traverser quelque chose d'important sans même s'en rendre compte, comme si l'événement tant attendu, craint, appréhendé, s'était manifesté à une échelle microscopique, ou atomique, empêchant les gens d'en être témoins. Personne n'était mort à l'hôpital à cause d'une soudaine défaillance du défibrillateur. Aucun système électronique ne s'était éteint dans les prisons, pour laisser s'échapper les détenus. La nuit s'était déroulée sans heurts. À Manhattan, à Times Square, il y avait eu encore plus de monde que prévu, malgré la nervosité des autorités. C'était absurde et rassurant, même si on ne le disait pas. Les immeubles dominaient toujours la ville, solides, droits et imposants. Il faisait extrêmement froid, mais c'était normal. Rien n'avait été déréglé.

Thomas marchait sur le boulevard Saint-Laurent, les mains dans les poches. Son souffle devant lui, en nuage opaque. Une petite roche dans sa botte gauche l'agaçait, mais il ne s'est pas arrêté pour l'enlever. Un caillou de déglaçage. Dans la rue, il y avait encore plein de déchets et de décorations des festivités. Des verres de bière vides, des banderoles de la nouvelle année, argentées et dorées, des confettis et des bouteilles d'eau. Chacun était rentré chez soi après les célébrations, on voyait peu de monde dans les rues. Le ciel lointain était comme immobile, transi lui aussi. Thomas a enjambé une poubelle renversée. Il a entendu une sirène au loin, quelque part au sud, mais le son était peut-être renvoyé par la façade d'une des grandes bâtisses autour. Un taxi est passé en zigzaguant. Quand il croisait des gens, des couples, des groupes d'amis qui marchaient dans sa direction, il essayait de deviner à leurs traits, leur physionomie, les mouvements de leurs mains, s'ils parlaient en français ou en anglais. Il se trompait presque chaque fois, mais il continuait d'avoir l'impression que c'était possible de deviner. Il essayait de définir certains critères, les cheveux, le menton, le front, et la façon de bouger les mains pour mettre l'accent sur un détail verbal, sans doute y avait-il des particularités, mais elles lui échappaient. Tout le monde portait de grosses mitaines et il avait oublié les siennes. Ses doigts étaient presque gelés, malgré la chaleur relative de ses poches de jeans.

Il n'avait pas encore neigé. Seulement des averses de pluie glacée depuis le début de l'hiver. Seulement des gouttes froides tombant en diagonale, fouettant les joues, portées loin et vite par des vents en spirale. Des gouttes comme des épines, et aucun flocon. Mais ce matin l'air était sec et trop pur, comme si l'apport d'oxygène avait été réduit au strict minimum, comme en haute altitude, vers la fin d'une ascension. Thomas avait les joues rouges et ses lunettes collaient sur son nez. Il est arrivé à l'intersection de la rue Sainte-Catherine et s'est arrêté quelques instants pour attendre le feu vert, en sautillant un peu sur place. À sa gauche il y avait l'ouest de la ville, qui s'étendait jusqu'à l'infini, à sa droite l'est, qui allait encore plus loin. Il ne connaissait rien de ces extrêmes, les rives, les bordures de cette île gigantesque avec une montagne en plein milieu. Juste devant lui, ça commençait à monter, et la pente devenait plus abrupte quelques coins de rue plus loin. Il s'est mis à jogger, il avait l'impression que ça le réchaufferait, un rythme entre la course et la marche, en faisant attention à ne pas glisser.

À l'angle de la rue Ontario, Thomas s'est arrêté à un autre feu rouge. Il y avait peu de voitures, mais elles arrivaient vite, et elles avaient tendance à sortir de nulle part, d'endroits où on n'avait pas regardé. Il a attendu. Pendant une seconde, un nuage s'est formé dans le ciel, mais il a disparu aussitôt, comme avalé par des particules frigorifiées. Il voyait plus bas, près des toits, la fumée des cheminées des usines qui se faisait avaler aussi. Le froid rendait les détails plus clairs, les angles plus aigus. Devant lui, deux hommes sont sortis d'un immeuble de l'autre côté de la rue, là où deux drapeaux rouges pendaient dans l'air sec, accrochés de chaque côté de la porte vitrée. Ils parlaient fort, en faisant de grands gestes. Ils avaient l'air complètement saouls, et Thomas s'est mis à les fixer de loin sans le vouloir. Un des deux n'avait pas de manteau d'hiver, mais il ne semblait pas affecté. Il ne se frottait pas les bras de façon frénétique, il se contentait de garder une main dans sa poche pendant qu'il gesticulait avec l'autre. Il avait la peau foncée, tannée, sans poils et ses cheveux étaient noirs et longs. Il marchait de reculons. Ses joues étaient ravagées par des cicatrices, comme de l'acné qui aurait laissé des traces permanentes, des crevasses. L'autre portait un gros anorak avec de la fourrure. Il s'est arrêté en plein milieu du boulevard, s'est allumé une cigarette en continuant de crier. Le feu a changé, un camion a klaxonné et ils se sont déplacés vers l'ouest, à peine, en envoyant des doigts d'honneur. Le premier s'est remis à crier, en anglais, a cru entendre Thomas. Quelque chose à propos d'une cigarette, d'un paquet, quelque chose à propos d'un carton, d'une seule cigarette. Il faisait des signes, il avait de la difficulté à se tenir debout. L'autre le narguait avec la cigarette allumée, il lui a soufflé la fumée au visage, dans le froid intense et cru du matin. Il souriait, Thomas, de l'autre côté de la rue, en train de traverser, pouvait voir ses dents, ce qu'il en restait.

Et soudain, sans aucun avertissement, le premier, en tee-shirt, en jeans et en espadrilles déchirées, la fumée de son corps s'évadant dans la lumière montante, a sauté sur l'autre, lui a envoyé un poing sur la mâchoire, et l'autre est tombé la face contre l'asphalte, mais s'est relevé

410

tout de suite. Dans sa chute, il est presque arrivé directement contre les jambes de Thomas, qui a dû faire un bond de côté pour l'éviter. Il s'est relevé tout de suite et a foncé sur le premier en gueulant et en crachant du sang. Sa cigarette était par terre, très loin, même pas cassée. Il a empoigné le premier avec ses longs bras, et ils se sont enlacés comme ça durant quelques secondes, ils titubaient, ensemble, collés, et ils grognaient des mots incompréhensibles. L'autre a tenu bon jusqu'à ce qu'il reçoive un coup de genou et alors il s'est recroquevillé et en le faisant il a frappé le premier à l'estomac. Il l'a agrippé par les épaules, plantant ses ongles dans la peau à travers le tee-shirt et, avec un mouvement violent, l'a envoyé rouler sur le sol.

Le trafic était stoppé dans la rue, à l'intersection. On entendait les coups de klaxon et des injures qui commençaient à fuser de partout. Il y avait du sang entre les plaques de glace. Des gens sont sortis d'un autre immeuble, d'une boutique, mais voyant que c'étaient des Indiens, ils sont rentrés immédiatement. Quelqu'un a peut-être appelé la police. Thomas a détourné les yeux, a cligné une fois ou deux, comme pour effacer quelque chose, et il a continué son chemin.

Merci à Catherine Leroux, à Maxime Raymond Bock et à Jean-François Chassay, qui m'ont donné la permission d'emprunter certains de leurs personnages et de les faire revivre dans ces pages.

11862

Composition
NORD COMPO

Achevé d'imprimer en Espagne
par CPI
le 6 août 2017.

Dépôt légal : août 2017.
EAN 9782290148075
OTP L21EPLN002085N001

ÉDITIONS J'AI LU
87, quai Panhard-et-Levassor, 75013 Paris

Diffusion France et étranger : Flammarion